JE NE PEUX PAS M'ARRÊTER DE LAVER, VÉRIFIER, COMPTER

DR ALAIN SAUTERAUD

JE NE PEUX PAS M'ARRÊTER DE LAVER, VÉRIFIER, COMPTER

Mieux vivre avec un TOC

Odile Jacob

Ouvrage proposé par Christophe André

© ÉDITIONS ODILE JACOB, 2000, OCTOBRE 2002
15, RUE SOUFFLOT, 75005 PARIS

www.odilejacob.fr

ISBN : 2-7381-1206-4
ISSN : 1620-0853

Sommaire

DEUXIÈME PARTIE

Les clés du changement

CHAPITRE 9 **La famille et l'entourage :
comment aider un proche qui souffre de TOC ?**............... 214

CHAPITRE 10 **Jean-Charles, Claire et les autres :
leur histoire, leur traitement** 230

TROISIÈME PARTIE
Mieux vivre avec un TOC

Pourquoi ce livre ?
Comment s'en servir ?

Le trouble obsessionnel-compulsif est une maladie psychiatrique qui touche environ 2 % de la population adulte[1], ainsi que de très nombreux enfants et adolescents. Ce livre est écrit pour eux.

Est-ce un essai de vulgarisation scientifique ? Non. C'est un « mode d'emploi », un « manuel d'utilisation de ce trouble ». Pour tous ceux qui savent ce que souffrir veut dire. Un livre pour prendre en charge soi-même son trouble. Car il est parfois difficile d'en parler. Ou bien il est difficile d'être écouté.

Ce livre est destiné aux personnes atteintes d'obsessions-compulsions. C'est pourquoi il s'adresse souvent au lecteur, le prend à partie, l'interroge ou l'informe. Mais c'est aussi un livre pour agir sans tarder, pour signaler les événements majeurs du trouble, pour se réjouir des améliorations, pour se méfier des aggravations, pour s'orienter dans le trouble obsessionnel-compulsif.

C'est enfin un livre pour la famille. La famille et l'entourage sont à la place délicate de ceux qui accompagnent la souffrance, la vivent au quotidien sans saisir son mystère, spectateurs impuissants, parfois exaspérés par des rituels de lavage incessants, des exigences incompréhensibles, des vérifications interminables. Ce livre les aidera à plus d'indulgence, plus de compréhension et leur permettra d'aider utilement ceux qu'ils aiment.

Un guide pour aider tous ceux qui souffrent de TOC et leur famille

Pourquoi un livre pour les personnes présentant un trouble obsessionnel-compulsif ? Parce que les personnes qui en souffrent ont le droit d'en savoir plus. Les médecins ne doivent plus être les seuls dépositaires du savoir médical. Et ce, pour plusieurs raisons.

▪ *Bien comprendre sa maladie*

Bien comprendre sa maladie, c'est la première règle pour bien la combattre. La connaissance du trouble obsessionnel-compulsif permet d'agir ou de mieux agir contre lui, d'accepter un certain degré de handicap pour réagir avec force et détermination dans les moments importants, et finalement vivre normalement ou presque. Les connaissances et la prise en charge personnelle des obsessions-compulsions font reculer le trouble, et l'on peut en guérir.

Nous citons de très nombreux travaux de recherche publiés et nous avons pris le parti de donner des chiffres issus de ces études scientifiques. Les multiples études réalisées dans le TOC ne donnent pas toutes les mêmes chiffres, mais elles fournissent des ordres de grandeur assez stables. Cette démarche présente cependant un risque, celui de figer la réflexion ou les connaissances. Certaines notions sont très bien connues en raison de nombreuses études qui ont trouvé les mêmes résultats (par exemple la fréquence du trouble obsessionnel-compulsif), d'autres données ont bénéficié de moins d'études et sont susceptibles d'évoluer (par exemple le risque de rechute en cas d'arrêt du traitement). C'est la raison pour laquelle il est important de rester informé.

▪ Prendre en charge sa maladie sans « tout » attendre des médecins

La somme colossale des connaissances médicales et leur vitesse d'évolution font que, plus qu'avant, les médecins ne peuvent pas « tout savoir » sur « toutes les maladies ». « Allons voir le spécialiste ! » me direz-vous. Mais de plus en plus, celui-ci devient lui-même spécialiste de telle ou telle maladie. La psychiatrie n'y échappe pas. Près de la moitié des personnes souffrant d'obsessions-compulsions que je reçois, me sont adressées par des psychiatres. C'est dire qu'être médecin, c'est aussi parfois savoir orienter le patient vers un confrère. Ce livre aide à s'orienter et à se repérer dans les prises en charge qui sont offertes à ceux qui souffrent d'obsessions-compulsions.

▪ Avoir des réponses rapides à des problèmes urgents

Ouvrir un livre, c'est parfois plus simple que de prendre un rendez-vous avec le médecin ou le psychologue. De plus, il faut parfois attendre plusieurs semaines ou perdre plusieurs heures pour se rendre à une consultation. Pourtant, pour celui qui est atteint de trouble obsessionnel-compulsif, certains aspects subtils du trouble constitueront un problème parfois urgent. Pouvoir trouver une réponse à ces multiples questions est l'un des objets de ce livre.

Très souvent, le médecin donne une information orale riche et dense au patient et imagine que celui-ci la retiendra. Mais à peine a-t-il franchi la porte du cabinet de consultation que les bonnes paroles du médecin s'envolent. Les patients sont comme leur médecin, ils n'ont pas une mémoire élastique. Disposer d'un manuel sur le trouble obsessionnel-compulsif les aidera à retrouver *cette* information complète sur *cette* question à telle ou telle page.

Ainsi, les séances avec le médecin ou le psychologue permettront de discuter de cette information, d'aller plus loin, d'aborder des questions plus précises ou plus personnelles et, au bout du compte, de se soigner plus vite.

Finalement, ce manuel veut faciliter les relations entre :
- l'individu et sa maladie, c'est là son but essentiel ;
- l'individu et ses interlocuteurs principaux, c'est-à-dire sa famille, son entourage et ses médecins.

Les six itinéraires possibles

Ce livre comporte beaucoup de pages car le trouble obsession-nel-compulsif est une maladie complexe. De ce fait, cet ouvrage aborde des aspects très différents de la maladie. Tout n'est pas nécessairement à lire. Ce manuel est comme un guide qui vous orienterait dans le trouble obsessionnel-compulsif en vous indiquant les principaux itinéraires possibles :

1. La lecture complète si vous avez le temps : c'est ce qu'il y a de mieux.

2. La table des matières : elle est très détaillée : elle vous indique les grands axes du livre et vous permet d'aller directement lire le chapitre qui vous intéresse. La plupart des chapitres peuvent être compris sans avoir lu ce qui précède. S'il est fait référence à un point déjà expliqué, je vous signalerai à quel chapitre vous référer.

3. Les tableaux : la plupart des chapitres comportent des tableaux qui résument les principales informations. Si vous êtes capable d'accepter des informations sans démonstration ni arguments, alors, le plus souvent, ces tableaux vous suffiront. Ils vous donneront les informations essentielles. Libre à vous d'approfondir un domaine en lisant ici ou là le chapitre complet. Les tableaux sont indexés à la fin du livre.

4. Les questions-réponses : ce sont les questions le plus fréquemment posées par les personnes atteintes de trouble obsessionnel-compulsif ou leur famille en consultation. On peut feuilleter le livre en découvrant ces différentes questions-réponses. Cette manière de le lire est à la fois vivante et très pratique.

5. L'index : il contient les principaux mots clés du trouble et conduit directement à la page où se trouve l'information désirée. Par exemple, vous désirez en apprendre plus sur les médicaments pendant la grossesse. Cherchez alors dans l'index alphabétique, à la fin du livre, au mot « grossesse ». Autre exemple : vous vous interrogez sur les obsessions religieuses. Cherchez alors à « obsession religieuse » dans l'index. Cette méthode vous permettra d'approfondir un point très particulier sans perdre de temps.

6. Les histoires d'hommes et de femmes atteints de trouble obsessionnel-compulsif : de très nombreuses histoires de patients venus en consultation illustrent les aspects les plus importants du trouble. Vous pouvez les lire et rechercher celle qui vous correspond le plus. Là aussi, servez-vous de l'index : vous voulez connaître l'histoire de personnes souffrant de rituels de lavage, cherchez à « compulsion : lavage » et vous obtiendrez les renvois. Le chapitre « Jean-Charles, Claire et les autres... », p. 230 est consacré à neuf patients souffrant de trouble obsessionnel-compulsif, dont je raconte plusieurs mois de consultation et de traitement.

LES SIX FAÇONS DE LIRE CE LIVRE

- La lecture complète.
- La lecture par chapitre.
- La lecture accélérée par les tableaux.
- La lecture des réponses aux questions les plus fréquentes sur le trouble obsessionnel-compulsif.
- La lecture à partir de l'index, si, seul, tel ou tel point vous intéresse.
- La lecture des histoires des hommes et des femmes qui souffrent d'obsessions-compulsions.

PREMIÈRE PARTIE

Le trouble obsessionnel-compulsif :

Comprendre pour mieux agir

CHAPITRE 1

Vous voulez mieux comprendre les obsessions-compulsions

Les symptômes du trouble obsessionnel-compulsif

Pour désigner cette maladie, médecins et psychologues utilisent indifféremment plusieurs noms :

1. la névrose obsessionnelle. C'est le terme le plus ancien, encore couramment utilisé. C'est à Sigmund Freud[2] qu'on le doit, et il s'est rapidement imposé ;

2. le trouble obsessionnel-compulsif que l'on résume fréquemment par l'abréviation « TOC ». C'est l'appellation retenue actuellement par les classifications internationales des maladies mentales[3, 4] ;

3. les obsessions-compulsions. C'est le terme le plus simple, qui reprend les deux principaux symptômes de la maladie : les obsessions et les compulsions.

▪ *Les obsessions*

Comment se définissent les obsessions ?

L'obsession est une pensée qui exprime un danger. C'est une crainte, une préoccupation relative à un événement dangereux dont il vaut mieux se protéger. Autrement dit, l'obsession concerne un événement plus ou moins grave que l'on pourrait provoquer, si l'on n'y fait pas attention. Ces obsessions sont des pensées pénibles qui viennent à l'esprit d'une manière répétitive. Elles s'imposent contre la volonté. On peut reconnaître qu'elles sont dénuées de sens, ou encore estimer qu'elles ne correspondent pas du tout à sa personnalité. Elles sont source d'angoisse ou d'anxiété.

➤ Une obsession typique de saleté

Élisabeth se rend compte qu'elle est devenue petit à petit très inquiète sur l'hygiène, la propreté. L'idée lui vient fréquemment que ses mains sont sales et qu'ils faudrait les laver. Elle commence à se laver plus de vingt fois par jour. Mais cette impression de saleté ne s'arrête pas là. Progressivement, malgré le lavage de mains, elle se met à éprouver une certaine répulsion à serrer la main de certaines collègues de travail. Elle « trie » donc les personnes qu'elle salue le matin. Mais, récemment elle a pensé que ses chaussures et son sac à main, qu'elle utilise à son travail, « salissent » son appartement et ses occupants, dont son fils de 8 ans, Alexandre. Ainsi, elle laisse chaussures et sac à main dans un lieu réservé de l'appartement. Puis c'est le tour de ses vêtements. Elle se change alors chaque fois qu'elle rentre chez elle. Le lieu des « affaires sales » devient petit à petit de plus en plus important. Bien que la question de l'hygiène soit assez banale, Élisabeth s'aperçoit bien que ses craintes sont exagérées et que la plupart des gens ne sont pas comme elle. Cependant, elle ne peut pas s'empêcher d'avoir cette crainte et cette pensée.

➤ Une obsession d'erreur typique

Jean-Paul vient d'être promu chef de bureau dans un service de saisie informatique de la mairie. Il travaille à la mairie depuis 15 ans, et ses mérites sont donc récompensés. Très consciencieux, il est apprécié pour être un collaborateur sérieux, fiable, qui ne prend pas de retard dans son travail. Lors du départ à la retraite de son chef, c'est tout naturellement qu'on lui propose de prendre sa place. Connaissant bien ce travail, il n'a pas de problème technique pour occuper ses fonctions. Mais au bout de quelques semaines, l'idée lui vient que l'un de ses collaborateurs, Yannick M., qui est désormais sous ses ordres, a peut-être mal fait le travail qu'il lui a confié, car il n'a pas l'air très à l'aise. Cependant, ce collaborateur ne lui a rien dit ni demandé. Pour ne pas le vexer, Jean-Paul commence à vérifier certaines tâches de Yannick. Puis, il en vient à penser que, en tant que chef de ce service, il doit s'assurer aussi du travail de ses autres collaborateurs. N'est-il pas le responsable ? Puis il se dit que, en tant que responsable, il se doit lui-même de ne pas faire d'erreurs. Il commence alors à vérifier son propre travail. Et, après quelques semaines, il constate qu'il reste de plus en plus longtemps au bureau. Lorsque les autres collaborateurs partent à 18 heures, Jean-Paul reste fréquemment jusqu'à 20 h 30 pour vérifier le travail du service. Une fois chez lui, il repense à ce qu'il a fait dans la journée et note sur un papier ce qu'il lui faut vérifier le lendemain matin. Petit à petit, il arrive de plus en plus tôt au bureau. Quand les autres embauchent à 9 heures, il n'est pas rare de le voir déjà à la mairie dès 7 h 30. Ses chefs sont d'abord très heureux de ses résultats puis, à force de vérifier, il en vient à être en retard dans son travail, à garder des données et des dossiers dans son bureau, et le service entier se met à mal fonctionner.

Il existe deux autres thèmes très fréquents d'obsessions : les obsessions de malheur et les obsessions d'agressivité. Nous y reviendrons plus loin.

Mais, dès maintenant, attachons-nous à préciser certaines particularités des obsessions.

Comment se caractérisent les obsessions ?

➤ L'obsession est une pensée consciente qui s'impose à l'esprit

Une pensée est une idée que l'on a à l'esprit. Mais l'obsession n'est pas une pensée volontaire, comme lorsque l'on fait l'effort de se rappeler quelque chose, un souvenir ou une connaissance, ou encore lorsque l'on se concentre sur quelque chose. L'obsession est une pensée qui *s'impose à la conscience*. En ce sens, c'est une pensée qui vient automatiquement à l'esprit. Une pensée automatique est une pensée qui nous vient spontanément. Par exemple, « cette maison peut me rappeler tel souvenir ». « Cet acteur me rappelle tel ami. » Ou bien même, la pensée arrive sans raison : par exemple, « ce matin je me sens en pleine forme et je trouve que la vie est belle ». Ou bien « je me mets à penser à un ami et je me dis que je vais lui écrire ».

L'obsession est donc une pensée consciente dont le sens est directement compréhensible sans interprétation nécessaire. Toutes les pensées automatiques ne sont pas des obsessions, mais toutes les obsessions sont des pensées automatiques.

➤ L'obsession a un thème qui lui donne un sens

La pensée obsédante a un sens particulier qui n'est jamais complètement faux : par exemple, il est assez banal d'avoir peur de se salir en manipulant une poubelle, ou peur de commettre une erreur en faisant son travail. On appelle ce sens particulier le *thème de l'obsession*. Pour celui qui souffre d'obsessions-compulsions, le thème de l'obsession est préoccupant et provoque de l'anxiété.

L'homme ou la femme atteint de TOC souffre en général de plusieurs thèmes d'obsessions. Le plus souvent, la crainte de la saleté coexiste avec la crainte de faire une erreur, car ce sont les deux thèmes les plus fréquents. Quand il y a plusieurs thèmes d'obsessions, il est fréquent que l'un d'eux prédomine sur l'autre. Le sujet dit, par exemple, qu'il est plus gêné par la crainte d'être sali que par la crainte de faire une erreur.

➤ Le thème de l'obsession est constant

La pensée obsédante est une pensée constante, c'est-à-dire que les thèmes, une fois fixés par la maladie, restent les mêmes pendant des mois ou des années. Ce n'est pas une pensée liée à un événement particulier de la vie. C'est une pensée qui « flotte » sans disparaître. C'est pourquoi le langage courant a souvent appelé l'obsession une « idée fixe ». Du reste, étymologiquement, obsession vient du mot latin *obsidere* qui veut dire « assiéger ».

➤ L'obsession est plus qu'une idée fixe

Prenons quelques exemples d'idées fixes qui n'ont rien à voir avec le trouble obsessionnel-compulsif :

• Vous avez très peur de rater vos examens et vous y pensez toute la journée. Vous ne souffrez pas pour autant d'obsessions, car une fois l'examen passé et le dénouement obtenu, vous n'y penserez plus. Alors qu'une obsession revient sans cesse.

• Ou encore, votre femme attend un enfant et vous êtes très anxieux de l'accouchement et de la santé de votre bébé. Dans ce cas non plus, vous ne souffrez pas d'obsessions car il s'agit d'une préoccupation liée à une circonstance très particulière de votre vie qui déstabilise beaucoup d'hommes et qui aura également une fin. Alors que l'obsession n'a pas de fin.

• Votre voisin vous exaspère par le bruit qu'il fait, vous ne savez pas comment régler le problème, vous y pensez nuit et jour, cela vous obsède peut-être au sens commun de la langue française, mais pas au sens psychiatrique. Car une obsession ne concerne jamais des individus qui vous importunent, comme un chef, un mari ou un voisin. L'obsession concerne les dangers que l'on peut susciter soi-même.

• Vous regardez les filles et rêvez de les avoir toutes, on vous a dit que vous étiez un « obsédé sexuel », c'est peut-être vrai au sens commun, mais pas au sens psychiatrique. Pour une raison : votre désir est une pensée agréable, une sorte de fantasme, alors qu'une obsession est toujours, par définition, une pensée pénible.

• Vous rêvez de devenir un champion d'athlétisme. Vous faites tout en fonction de cela. Vous ne souffrez pas d'obsession. Car c'est une ambition qui, si elle se réalise, est agréable. Une obsession, une fois qu'elle s'éteint ou qu'elle diminue, n'entraîne qu'un soulagement et jamais de plaisir.

➤ Toute pensée de danger n'est pas une obsession

Par exemple, vous avez très peur de mourir d'un infarctus comme votre oncle Maurice, terrassé à 54 ans en coupant la haie de son jardin. Vous y pensez toute la journée et vous êtes déjà allé faire des examens très perfectionnés pour vérifier l'état de votre cœur. Cette pensée concerne un danger, et, pourtant, ce n'est pas une obsession au sens du trouble obsessionnel-compulsif. Pour une raison simple : il ne s'agit pas d'un danger que l'on pourrait soi-même provoquer ou dont on peut se protéger par un acte simple. Cela dit, la crainte perpétuelle de mourir d'infarctus, d'une attaque cérébrale ou d'un cancer est également une maladie psychiatrique, mais elle n'est pas le trouble obsessionnel-compulsif : il s'agit d'un trouble panique ou d'une hypocondrie. Ces maladies sont très différentes des obsessions-compulsions*.

Les principaux thèmes des obsessions

Il existe une grande variété de thèmes obsédants qui peuvent être regroupés en quatre catégories. C'est l'une des caractéristiques troublantes de cette maladie : on peut observer un nombre de thèmes quasi infini avec parfois une complexité très spectaculaire, et, en même temps, l'on peut dire que ces thèmes se résument à peu près toujours à quatre mêmes histoires.

Voyons ces quatre thèmes principaux de pensées obsédantes.

➤ Les obsessions de saleté

Vous avez l'impression bizarre et pénible que cette poignée de main que l'on vous a donnée machinalement vous a sali. Bizarrement, votre main se met à vous gêner, et vous avez l'impression de ne plus rien pouvoir toucher avec. Vous vous l'êtes déjà « essuyée », mais il vous semble que cela ne suffit pas. « Ça poisse », « c'est sale », mais pourquoi exactement ?

« Oui, ça m'arrive aussi de trouver que cette poignée de main était "sale" », vous a-t-on dit, mais la personne à qui vous avez

* Pour en savoir plus, lire « Avec quoi ne pas confondre le TOC ? », p. 112.

confié cette crainte a ajouté : « Bon, c'est parce que je n'aime pas ce type, que je le trouve visqueux et pas sympathique et qu'en plus il a les mains moites. »

Mais vous, vous n'avez rien contre cet homme qui vous a serré la main, il n'est pas particulièrement antipathique, et sa main était sèche comme la vôtre.

Ou encore, la question de la propreté vous assaille lorsque quelqu'un rentre dans votre appartement. « Il s'assied dans mes fauteuils, il marche sur ma moquette avec ses chaussures (Dieu sait où il les a traînées), il marche là où je marche moi-même pieds nus, où mes enfants jouent couchés sur le ventre. C'est sale ! »

« Bien sûr que c'est un peu sale ! » vous a-t-on répondu sans plus de commentaires.

Mais vous, vous n'arrivez pas à ne pas y penser. Les minutes passent, les heures passent, et vous vous sentez sale, souillé. Vous vous sentez mal, anxieux, tendu, préoccupé, bref, obsédé.

Voilà une obsession de propreté : c'est une pensée banale dans sa signification (quoi de plus banal que de se sentir sale ?), mais qui provoque chez vous une anxiété et une détresse qui durent, qui durent, lancinantes.

Les obsessions de souillure sont parfois associées simplement à l'idée qu'un contact sale pourrait entraîner une maladie : cancer et sida sont actuellement les thèmes les plus classiques.

➤ Les obsessions d'erreur

Vous quittez votre appartement, vous avez fermé la porte « comme d'habitude », et, pourtant, l'idée vous vient que vous ne l'avez peut-être pas fermée à clef. Vous vous dites que c'est ridicule, que ce n'est pas grave, et pourtant cette pensée vous envahit jusqu'à vous gêner longtemps après être parti de chez vous. Vous vous sentez mal, et cela peut durer plusieurs heures. L'imagination continue. Et la cafetière ? Avez-vous vérifié qu'elle était éteinte ? Mais si elle ne l'est pas, vous ne rentrerez que ce soir, votre appartement pourrait d'ici là prendre feu ! Et votre voiture dans la rue ? Avez-vous bien vérifié que le frein à main était mis ? La rue est légèrement en pente, la voiture pourrait dévaler, écraser un enfant... !

Voilà l'exemple d'une obsession d'erreur qui entraîne des catastrophes. Elle n'est pas totalement fausse, tout le monde a eu ce genre d'idée au moins une fois, mais vous, cette pensée vous accapare, et cette catastrophe vous préoccupe durant des heures.

Outre la crainte de l'oubli et de la faute, les obsessions d'erreur consistent aussi parfois en la crainte du désordre.

➤ Les obsessions de malheur

Ce soir-là, vous n'êtes pas dans votre assiette. Vous êtes en déplacement pour un rendez-vous important qui a lieu demain matin à 9 heures. Vous préférez dormir sur place et vous avez réservé une chambre d'hôtel. Une fois à l'hôtel, vous demandez la clef de votre chambre. On vous donne la 213. Sur le moment, vous ne remarquez rien, mais lorsque vous demandez à quel étage se trouve la chambre, on vous dit qu'elle est au deuxième étage. Arrivé devant la porte de votre chambre, vous voyez inscrit sur celle-ci le chiffre 13. À cet instant, l'idée vous vient que ce n'est pas un bon présage : « Ce n'est pas de chance que l'on m'ait attribué la 13, la veille d'un rendez-vous où je vais jouer gros. »

Quoi de plus banal, n'est-ce pas ?

Mais chez vous, cette idée est tenace et vous reste à l'esprit, durant le dîner, et, lorsque vous allez au lit, vous avez toujours cette pensée de malheur. Auriez-vous dû demander à changer de chambre ? Vous dormez mal, et, le lendemain matin, vous êtes plus anxieux que d'habitude. Si ce rendez-vous se passe mal, vous penserez sérieusement que cette chambre vous a porté malheur. Du reste, en allant à ce rendez-vous, vous vous êtes répété plusieurs fois que votre chambre était la 213, 213, 213 et non pas la 13...

Voici une obsession typique de malheur. Le fait de répéter plusieurs fois 213 est le début d'un rituel mental.

Les obsessions de malheur sont le plus souvent soit des superstitions obsédantes, comme dans l'exemple ci-dessus, soit des obsessions religieuses, comme on le verra plus loin.

➤ Les obsessions d'agressivité

Ce matin-là, votre fille de 3 ans vous en fait voir de toutes les couleurs. Elle vous désobéit, fait bêtise sur bêtise, vous n'en pouvez plus ! Tout à coup, de rage, l'idée vous vient que vous allez l'étrangler. Vous êtes à bout, vous avez envie de la frapper ! À ce moment-là, une frayeur vous envahit. « Mais qu'est-ce que je suis en train de penser là ? C'est horrible de vouloir faire du mal à cette enfant de 3 ans que j'aime plus que tout au monde et qui est sans défense. »

« Mais tout le monde a envie un jour d'étrangler son enfant ! Moi-même, j'ai eu envie de t'étrangler plusieurs fois, et tu es toujours en vie ! », vous a dit votre mère, non sans humour. Et votre mère ne semble pas tenaillée par le remords ou la culpabilité.

Mais chez vous, cette idée ne passe pas. Du coup, un balcon où vous êtes avec votre fille devient un lieu de mortelle agression. Un couteau devient un objet dangereux...

Voilà une obsession d'agressivité. Une idée agressive banale, comme tous les parents en ont régulièrement dans leur vie, devient, en cas d'obsession, une éventualité possible. La raison exclut le passage à l'acte, mais l'idée reste très présente à votre esprit.

➤ Les autres obsessions

On trouvera dans le chapitre consacré aux thèmes des obsessions-compulsions un développement beaucoup plus complet des obsessions. Ces obsessions reviennent presque toujours à l'un de ces quatre thèmes.

Il est important de noter que la pensée obsédante n'est *jamais absurde*, comme le montrent ici les réactions de l'entourage ou les superstitions courantes. Il n'est jamais tout à fait faux de penser que l'on peut être sali par le contact avec un objet extérieur, ni que l'on a pu « oublier » de fermer une porte. Mais, chez ceux qui souffrent de trouble obsessionnel-compulsif, cette pensée est longue et pénible.

▦ L'anxiété

L'anxiété est indispensable pour parler de trouble obsessionnel-compulsif. C'est la raison pour laquelle celui-ci fait partie du groupe des troubles anxieux en psychiatrie*.

Quelles sont les caractéristiques de cette anxiété dans le cas du trouble obsessionnel-compulsif ?

---

* Pour en savoir plus sur les autres troubles anxieux, lire « Avec quoi ne pas confondre le TOC », p. 112.

C'est une anxiété « de fond »

C'est-à-dire qu'elle est lancinante, pénible mais rarement paralysante. Le plus souvent, les sujets souffrant d'obsessions-compulsions continuent à pouvoir vivre presque normalement. L'anxiété peut durer quelques minutes ou plusieurs heures. Le plus souvent, une bonne partie de la journée

C'est une anxiété qui retentit sur l'humeur

C'est-à-dire qu'elle finit par provoquer une baisse de moral, des moments de désespoir, même s'il ne s'agit pas de dépression. Cependant, si elles ne se soignent pas, environ la moitié des personnes atteintes feront une véritable dépression dans leur vie*.

Cette anxiété est le plus souvent calmée par le rituel

Il arrive que celui qui souffre de TOC se plaigne peu d'anxiété car celle-ci est bien « contrôlée » par les rituels et les évitements. En revanche, que le sujet soit empêché de ritualiser ou incapable d'éviter, alors l'anxiété apparaît, immense, paralysante, insupportable.

Question : Mon rituel n'est-il pas aussi une bonne façon de faire baisser mon anxiété ?

Réponse : Le rituel n'est qu'un moyen médiocre pour baisser l'anxiété :
1. Lorsque le rituel réussit à baisser l'anxiété, ce n'est que transitoire. Le rituel est l'action que vous trouvez spontanément pour apaiser quelque peu cette obsession : vous vous êtes senti obligé de faire votre rituel, et cela vous a momentanément tranquillisé, jusqu'à la prochaine fois. Le rituel n'est une stratégie utile qu'à très court terme.
2. De plus, les comportements d'évitement ultérieurs et la nécessité de répéter plusieurs fois de suite le rituel démontrent que la

---

* Pour en savoir plus sur la dépression, voir « Quelles sont les complications possibles ? », p. 103.

compulsion ne soulage que partiellement l'anxiété. Souvent, l'anxiété demeure, même si vous réalisez la compulsion.

3. Si les rituels soulageaient efficacement l'anxiété, les compulsions resteraient limitées à quelques activités, et vous vous sentiriez bien par ailleurs. Or les rituels ont tendance à s'étendre à des activités de la vie quotidienne de plus en plus nombreuses.

▪ *Les rituels et les compulsions*

Comment se définissent les compulsions ?

La compulsion est l'autre principal aspect de la maladie. Compulsion vient du mot latin *compulsare* qui veut dire « contraindre ». On parle également fréquemment de rituel. La compulsion souligne que le sujet se sent « forcé », tandis que le rituel souligne que l'acte accompli se présente toujours sous la même forme. Mais rituel ou compulsion décrivent le même phénomène. Dans le langage courant, on appelle parfois le rituel une « manie ». Ce terme est rarement utilisé par les psychiatres car la manie est le nom d'une autre maladie qui est sans rapport avec les obsessions-compulsions.

La compulsion (ou le rituel) est un acte qui est destiné à chasser l'obsession et à apaiser l'anxiété qu'elle provoque.

Nous verrons dans ce livre de multiples exemples de compulsion.

Comment se caractérisent les compulsions ?

➤ C'est un acte que l'on est obligé d'accomplir

Un acte est volontaire, c'est-à-dire que nous en décidons. Le rituel est bien un acte, mais, en fait, c'est un peu plus compliqué que cela. Car, en pratique, le plus souvent, celui qui souffre de trouble obsessionnel-compulsif ne peut pas s'empêcher d'effectuer cet acte, ou bien ne peut s'en empêcher que très peu de temps. En effet, il se sent rapidement « obligé » d'accomplir une action précise : se laver la main, vérifier cette serrure ou cet interrupteur. Le rituel s'impose au sujet. Le rituel n'est pas inventé par hasard. Il existe en effet une véritable pulsion à accomplir les rituels, d'où le terme de compulsion. Progressivement, le rituel devient un acte pratiquement automatique, que certains individus atteints de TOC appellent « mes gestes ».

Si la personne atteinte de TOC n'accomplit pas le rituel, si elle résiste à l'envie de faire un rituel ou de « ritualiser », alors un malaise anxieux intense l'envahit, et cette sensation ne s'apaisera pas tant qu'elle n'aura pas accompli le rituel. Il existe une force intérieure qui la pousse à accomplir cette compulsion. Intérieurement, elle se dit en même temps : « C'est absurde » et : « Fais-le. » Ceux qui souffrent de trouble obsessionnel-compulsif vivent avec honte et culpabilité l'absurdité de leur « gestes », et se reprochent cette « faiblesse ». Du coup, ils dissimulent au maximum leurs rituels, comme l'illustre l'histoire suivante.

Un homme de 33 ans, cadre supérieur et brillant ingénieur, vient un jour me consulter pour des rituels de lavage.
— Quand se produisent vos pires rituels ? lui demandé-je.
— C'est dès que je rencontre quelqu'un qui n'est pas de ma famille.
Immédiatement je pense à notre rencontre dans ce cabinet médical.
— Mais ici, vous n'avez pourtant pas l'air si mal ?
— Après vous avoir serré la main, je me suis immédiatement frotté la main droite avec une compresse en coton, que j'avais imbibée d'alcool avant de venir vous voir. Je n'ai rien touché d'autre depuis.
— Mais je n'ai rien vu de tout cela !
— Je l'ai fait en prenant la compresse dans ma main gauche. La compresse se trouve dans la poche gauche de mon blouson. Je me suis essuyé la main droite dans mon dos, et je l'ai fait durant le bref instant où vous me tourniez le dos pour aller vous asseoir.

➤ C'est un acte qui apaise momentanément

Il existe aussi un lien entre l'obsession et le rituel : l'obsession précède le rituel, et le rituel apaise l'obsession. On dit parfois que le rituel « chasse » l'obsession. C'est particulièrement le cas des rituels de lavage et de vérification. Ainsi, les rituels obéissent à une certaine « logique » qui rassure la personne. Même si le sujet admet qu'ils sont absurdes et les critique parfaitement, il se sent obligé de faire ces rituels pour calmer l'obsession. Du fait de l'absurdité, et malgré l'apaisement momentané obtenu, la compulsion entraîne un fréquent sentiment de culpabilité.

➤ C'est un acte stéréotypé

Face à une situation particulière, le rituel sera toujours le même, c'est le sens du terme « stéréotypé ».

Lionel quitte l'appartement tous les matins pour se rendre au travail. Avant de partir, il vérifie d'abord du regard que le bouton de la cafetière est bien éteint, puis, de la main, que le câble de la cafetière est bien débranché en touchant la prise vide. Il fait de même pour le fer à repasser. Ensuite il fait le tour de l'appartement et contrôle que la lumière de sa chambre et celle de la salle de bains sont bien éteintes. Le rituel se déroule toujours dans le même ordre : d'abord la cafetière (visuellement, puis il touche la prise), ensuite le fer à repasser (il touche la prise du fer), après quoi il va dans sa chambre et enfin dans la salle de bains.

Marc se lave le matin ainsi : « Sous la douche, je commence par me laver les mains avec du savon au robinet de la douche et je me les rince. Ensuite je rince la pomme de la douche et la robinetterie. Puis je me lave la tête, le visage et le corps au savon et au shampooing. À ce moment, il y a le premier rinçage de tête : il consiste à enlever le plus gros de la mousse avec le jet. Puis il y a un deuxième rinçage avec ma main et le jet d'eau. Il y a le rinçage de la pomme de la douche et de la robinetterie, et le rinçage des mains. Je fais un nouveau rinçage au jet. Je lave à nouveau la pomme de la douche et la robinetterie. Ensuite je passe au rinçage du visage : je savonne le visage et le cou. Je rince l'oreille droite après avoir dégagé les cheveux, puis l'oreille gauche. Ma barbe au jet, puis mon cou au jet. Toujours dans le même ordre. Je passe au lavage du corps : savonnage du corps, toujours de haut en bas (pour que le « sale » descende et que ce qui est en haut soit plus propre que ce qui est en bas). Je me rince les mains.

Je rince la pomme de douche et la robinetterie. Je me rince le bras gauche, puis le droit. Rinçage du gant de toilette. Rinçage de la bouteille de gel de douche. Je me rince les mains, la pomme de la douche et la robinetterie. Je rince le rideau de la douche, les parois carrelées de la douche, je rince à nouveau la tête et le visage selon le protocole complet que j'ai fait plus tôt. Et enfin les doigts de pied un par un. Si j'ai un doute sur l'ordre de rinçage, je refais tout depuis le début. À ce moment-là, je m'essuie. Une douche me prend environ une demi-heure. »

Dans ce cas, l'acte stéréotypé sert à garder en mémoire les différentes séquences du rituel et à suivre un plan intérieur dans lequel le sujet est « sûr » de ne pas oublier quelque chose.

Parfois, les rituels sont tellement complexes et longs que celui qui les exécute n'en a plus l'analyse détaillée et a du mal à les décrire dans tous leurs détails. Dans d'autres cas, les rituels sont tellement automatiques que les personnes les accomplissent sans y réfléchir. Là aussi, elles ont du mal à les décrire. Dans ce cas, le motif de consultation est la perte de temps qui parasite leur vie et les rend si différentes des autres.

➤ C'est un acte répétitif

Le plus souvent, le rituel n'est pas seulement stéréotypé : il est répété. C'est là sans doute l'aspect le plus spectaculaire de la maladie : le sujet atteint de TOC répète un certain nombre de fois le même geste : ainsi, il peut être conduit à se laver sept ou huit fois de suite mais parfois soixante fois ; ou à vérifier trois ou quatre fois que la porte est fermée, mais parfois trente fois. On peut être très étonné de cette répétition. Car pourquoi trois, quatre fois ou plus ? Après tout, si une fois n'a pas suffi, qu'est-ce qui dit que trois fois suffiront ? C'est là une des énigmes de la maladie : ce nombre de répétitions d'actes est le plus souvent assez fixe, pour chaque situation, pendant des mois. Puis le nombre de répétitions va fluctuer légèrement au fil des années*. Ce nombre correspond au moment où le sujet se trouve apaisé. Il s'agit d'un nombre sans logique : la seule logique, c'est que le sujet se sent légèrement apaisé au bout de cette répétition.

---

* Pour en savoir plus, voir « Au fil du temps : les fluctuations du TOC », p. 46.

➤ Ce n'est pas un trait de personnalité

Comment s'assurer qu'il s'agit bien de rituel et non d'un trait de personnalité ? En effet, il y a des gens assez « à cheval » sur la propreté ou sur le rangement et l'ordre. Souffrent-ils de trouble obsessionnel-compulsif ? Eh bien, à vous de savoir : c'est un rituel si vous trouvez cela absurde et si, quand vous résistez à l'envie de réaliser cet acte, vous vous sentez soudainement très anxieux. Sinon, c'est un trait de personnalité.

Si l'on fait remarquer à quelqu'un ayant une personnalité obsessionnelle, qu'il est un peu trop précis et méticuleux sur la propreté, celui-ci répondra par une phrase comme : « Oui, c'est vrai, je suis un peu maniaque. » Il n'y verra aucune gêne particulière, sauf celle de vous contrarier. Tandis qu'un individu souffrant de trouble obsessionnel-compulsif dira : « Je sais que mon rituel est absurde. Je sais qu'il en appellera un autre, et que c'est sans fin. Je sais que le soulagement recherché est faible par rapport aux inconvénients qu'il provoque, mais c'est plus fort que moi : je le fais quand même. »

Les différents types de rituels

On distingue trois types principaux de rituels qui regroupent la majorité des thèmes possibles.

➤ Les rituels de lavage

Ils s'observent le plus souvent dans les obsessions de saleté. On vient d'en voir un exemple dans le rituel de la douche de Marc.

Globalement, ces rituels de propreté vont créer des « degrés de propreté » différents selon les lieux : en général, plus il s'agira de lieux intimes, plus il faudra que ce soit propre : par exemple, la maison devra être « propre », et au sein de la maison, la chambre ; dans la chambre, le lit devra être encore « plus propre », et l'intérieur des draps devra être encore plus propre, c'est-à-dire « parfaitement propre ». Plus les lieux seront anonymes (la rue, la gare), plus ils seront considérés comme sales. Du coup, ces lieux seront le plus souvent évités.

Si les rituels concernent l'entourage, la propreté sera d'autant plus exigée qu'il s'agit de gens proches : famille, enfants, parents, conjoints. Parce qu'ils ont accès aux lieux intimes de la maison, et aussi parce que la personne ne veut pas souiller ceux qu'elle aime.

➤ Les rituels de vérification et de perfection

Ils s'observent le plus souvent dans les obsessions d'erreur.

Écoutons à ce sujet Catherine, 41 ans, standardiste dans une compagnie d'assurances :

> « Je place la lettre dans l'enveloppe et, pour être sûre de la présence de la feuille dans l'enveloppe, je vérifie en sortant la feuille et en la serrant un peu entre mes doigts. Puis je la remets dans l'enveloppe et je regarde fixement et intensément la feuille dans l'enveloppe, qui n'est pas encore cachetée. Au moment de lécher l'enveloppe pour la cacheter, je perds du regard la feuille et je sens alors le besoin irrésistible de vérifier à nouveau que la feuille est bien dans l'enveloppe. C'est là que tout se joue : soit cette vérification suffit, soit je perds tout contrôle, et je repars de zéro : sortir la feuille, la serrer, la regarder, la remettre dans l'enveloppe, cacheter l'enveloppe. Mais voilà que resurgit l'obsession : est-ce vraiment fait ? Si j'ai eu besoin de vérifier une deuxième fois, qu'est-ce qui me dit que cette deuxième fois est la bonne ? Alors je recommence tout, et là je ne sais plus quand cela va s'arrêter. Cela peut être répété jusqu'à dix fois. Je m'arrête quand je sens que le besoin de vérifier s'apaise, que la lettre est dans l'enveloppe et que cela ne m'angoisse plus. »

➤ Les rituels mentaux

Ce sont des phrases ou des chiffres « magiques ». Voici un exemple dans lequel le sujet compte mentalement.

> « Je mets mon doigt sur l'interrupteur, je compte jusqu'à trois et après, j'appuie sur l'interrupteur pour l'allumer ou l'éteindre. Je peux répéter l'opération en allumant et en éteignant plusieurs fois, en me disant à la fin "ça va bien". Cela ne veut rien dire, mais cela m'apaise. Si je ne le fais pas, j'ai l'impression d'avoir "mal" éteint ou allumé la lumière et que cela va porter malheur. »

Les rituels mentaux concernent surtout les obsessions de malheur, qu'elles soient de simples superstitions, des croyances religieuses ou des obsessions d'agressivité. Ces petites phrases sont très longtemps dissimulées à l'entourage, puisqu'elles sont intérieures, sauf si la personne se sent obligée de parler à voix haute, ce qui est plus rare.*

▪ *Les évitements*

Dans certaines situations, la souffrance est parfois telle que le sujet atteint de TOC préfère « éviter » la situation qui déclenche les obsessions. L'évitement est un moyen assez efficace de lutter contre les rituels, mais perturbe considérablement la vie. Les évitements sont très importants dans les obsessions de saleté, dans les obsessions d'agressivité ou de malheur. Ils sont plus rares dans les obsessions d'erreur. Les évitements peuvent être plus ou moins importants.

Les évitements massifs

Quelqu'un qui souffre d'obsessions de saleté peut, par exemple, être incapable de faire rentrer quelqu'un chez soi, de peur qu'il ne contamine la maison.

Quand Hélène rentre de la gare où elle travaille, elle pénètre chez elle par la fenêtre de sa chambre, elle se déshabille dans sa chambre, va dans la salle de bains, se lave. Elle porte des lunettes. En rentrant du travail, elle va se laver avec ses lunettes. Une fois lavée, elle ne retourne plus dans sa chambre, qui est une sorte de sas : elle dort dans la salle à manger. En effet, la gare est l'endroit le plus sale qu'elle connaisse. Elle a un sac à main, des chaussures et des vêtements spéciaux pour aller travailler à la gare, ils ne sont utilisés que pour cela. Tous ses effets personnels sont donc en double.

---

* Nous donnerons d'autres exemples de compulsions dans le chapitre « Vous voulez en savoir plus sur les thèmes des obsessions-compulsions », p. 63 et dans le chapitre « Jean-Charles, Claire et les autres : leur histoire, leur traitement », p. 230.

Les évitements subtils et discrets

Dans les obsessions de saleté, l'évitement peut consister à se protéger les mains en portant des gants ; ou encore, dans les obsessions d'erreur, alors que l'on vient de quitter la maison, à demander à sa femme d'aller rechercher quelque chose à l'intérieur pendant qu'on l'attend dans la voiture. Ainsi, c'est elle qui, la dernière, fermera la porte de la maison à clef.

Les évitements inconscients et méconnus

Un sujet souffrant d'obsession de contamination dira qu'il « n'aime pas prendre le train » alors qu'il est gêné par le contact « salissant » avec des inconnus. Ou encore, un autre dira qu'il n'a « pas envie de conduire » pour éviter d'être confronté à la crainte d'écraser quelqu'un par erreur. Un sujet souffrant de rituels de vérifications refusera une promotion en disant que ce travail ne l'« intéresse pas », alors qu'il craint que les responsabilités n'augmentent ses rituels de vérification.

Jean-Claude part systématiquement en vacances d'été à la montagne en disant toujours à sa femme qu'il préfère la montagne à la mer. Il a totalement perdu de vue que la mer, et surtout la plage, déclenche des obsessions de saleté très importantes sur lui.

Le TOC chez les enfants

Les enfants souffrent aussi de trouble obsessionnel-compulsif, bien qu'il s'agisse d'un domaine moins bien connu que le TOC de l'adulte.

Le diagnostic a tendance à être fait assez tardivement. En effet, il est rare que les parents amènent leurs enfants chez le psychiatre devant des symptômes obsessionnels-compulsifs, et le trouble passe parfois inaperçu des médecins généralistes. Pourtant, le trouble prend la même forme chez l'enfant que chez l'adulte.

▨ *Les obsessions les plus fréquentes*

Les obsessions les plus fréquemment observées[5] concernent, par ordre décroissant :
- les germes et la contamination,
- le fait de provoquer des catastrophes ou de faire du mal aux autres,
- des préoccupations sur ce qui est juste et faux,
- le fait d'avoir une « petite musique dans la tête ».

▨ *Les principales compulsions*

Ce sont, par ordre décroissant :
- les rituels de lavage (mains, douche, bain, ou brossage des dents),
- les rituels de répétition (entrer et sortir, s'asseoir et se lever, les répétitions de phrases, les relectures),
- les vérifications (fermeture des portes et des fenêtres, appareils électriques débranchés, le travail scolaire à la maison « fait »),
- compter, ranger, toucher et accumuler.

▨ *Les signes qui alertent*

Les symptômes de l'enfant sont donc très proches de ceux de l'adulte. Les thèmes d'obsessions vont également changer au cours des années comme chez l'adulte : par exemple, des rituels de lavage vont laisser la place, au cours de plusieurs années d'évolution, à des rituels de vérification. Comme les adultes, la majorité des enfants ont des rituels mixtes.

Le premier motif de consultation de l'enfant est parfois un syndrome de Gilles de La Tourette auquel peut être associé un trouble obsessionnel-compulsif*.

Du fait de la dissimulation fréquente de l'enfant, ce sont les signes observés par l'entourage qui amènent souvent la consultation. Ils sont résumés dans le tableau suivant :

COMMENT LES PARENTS SE RENDENT-ILS COMPTE DU TOC DE LEUR ENFANT ?

1. Des lavages de mains exagérés.
2. L'usage de trop fréquents pense-bêtes.
3. Une augmentation incompréhensible du linge sale ou des serviettes qui ne sont utilisées qu'une fois.
4. Une difficulté à porter certains vêtements.
5. Des vérifications interminables (devoirs du soir, cartable, lampes de chevet).
6. Des stations très prolongées au cabinet de toilette ou à la salle de bains ou bien une utilisation exagérée de papier toilette.
7. Des difficultés à quitter la maison.
8. Des rituels de coucher trop longs et en dehors de l'âge habituel.
9. Des demandes de réassurance exagérées qui ne s'améliorent pas avec l'âge.
10. Des collections inhabituelles d'objets, comme des coupons de réduction, des canettes de jus de fruits vides ou des sachets de supermarché (donc très différents des « trésors » habituellement collectionnés par les enfants).
11. Des façons de marcher particulières.
12. La lenteur : des heures occupées à des activités apparemment improductives, comme la lecture répétée du même texte, ou un lever de plus en plus tôt pour se préparer.

---

* Nous en parlerons dans le chapitre « Vous voulez approfondir vos connaissances sur le TOC », p. 97.

Les répercussions du TOC

Pour dire que quelqu'un souffre de trouble obsessionnel-compulsif, il faut que les obsessions ou les rituels lui fassent perdre au moins une heure par jour en moyenne, ou bien, indépendamment du temps perdu, gênent considérablement sa vie quotidienne.

Ce critère est souvent d'évaluation difficile, et il ne faut pas le prendre avec un chronomètre en main. Il détermine un seuil entre le normal et le pathologique, et nous expliquerons un peu plus tard ce seuil. D'ores et déjà, vous pouvez vous demander combien de temps vous préoccupent vos obsessions et la durée de vos rituels. Outre cette durée, votre vie est-elle considérablement gênée dans au moins un domaine ?

Question : À qui parler de ce trouble ?

Réponse :

— D'abord à votre médecin traitant. Celui-ci vous soignera lui-même ou vous conseillera un spécialiste.

— À un spécialiste. Tous les psychiatres sont censés connaître ce trouble. La plupart le soignent par des médicaments. Les psychothérapies comportementales et cognitives constituent l'autre traitement du trouble obsessionnel-compulsif, mais peu de psychiatres savent les pratiquer en France. De même pour les psychologues. Vous pouvez vous procurer la liste des psychothérapeutes compétents en psychothérapie comportementale et cognitive en vous adressant à l'Association française de thérapie comportementale et cognitive (AFTCC) ou à l'Association francophone de formation et de recherche en thérapie comportementale et cognitive (AFFORTHECC). Une précision importante cependant : certains psychiatres ont une pratique exclusive de psychothérapie psychanalytique et ne prescrivent pas de médicaments. N'hésitez pas à vous renseigner sur la pratique du psychiatre que vous rencontrez : « Prescrivez-vous des médicaments ? Faites-vous des thérapies comportementales et cognitives, ou bien des thérapies psychanalytiques, docteur ? »

— À l'Association française de personnes souffrant de troubles obsessionnels-compulsifs (AFTOC). Là, on vous donnera de nombreux renseignements pratiques*.

LES CARACTÉRISTIQUES
DU TROUBLE OBSESSIONNEL-COMPULSIF

1. L'OBSESSION

Définition : L'obsession est une pensée consciente pénible qui s'impose à l'esprit automatiquement, de façon répétitive, contre votre volonté. Cette pensée concerne toujours un événement dangereux, plus ou moins grave, que l'on pourrait provoquer si l'on n'y prend pas garde et dont il faudrait se protéger. L'obsession est source d'angoisse ou d'anxiété.

Caractéristiques :
- La pensée obsédante a un thème qui lui donne un sens.
- les thèmes restent les mêmes pendant des mois ou des années.

2. L'ANXIÉTÉ

Définition : C'est une émotion pénible pouvant aller jusqu'à l'angoisse.

Caractéristiques :
- C'est une anxiété « de fond » chronique et lancinante.
- Elle est liée au thème de l'obsession qui la provoque.
- Elle entraîne des chutes de moral et des instants de désespoir.
- Cette anxiété est le plus souvent calmée par le rituel.
- Elle est réactivée si l'on s'empêche de faire le rituel.

---

* Pour plus de renseignements concernant l'AFTCC, l'AFFORTHECC ou l'AFTOC, veuillez vous référer aux « Adresses », p. 319.

3. LE RITUEL OU COMPULSION

Définition : C'est un acte que l'on se sent obligé d'accomplir dans certaines situations bien précises, de façon stéréotypée et répétitive.

Caractéristiques :
• Il est lié à une obsession particulière, avec ou sans logique.
• Il apaise momentanément.
• Le sujet se rend compte de la démesure de cet acte.

4. L'ÉVITEMENT

Définition : Il consiste à ne pas affronter ou à contourner une situation, un lieu ou une action connus pour déclencher des obsessions et des rituels.

Caractéristiques :
• Il est assez efficace pour lutter contre les obsessions ou les rituels.
• Il perturbe considérablement la vie de l'individu.
• Le sujet peut parfois utiliser une autre personne pour agir à sa place.

LE TROUBLE OBSESSIONNEL-COMPULSIF FAIT PERDRE AU MOINS UNE HEURE PAR JOUR OU BIEN GÊNE CONSIDÉRABLEMENT LA VIE DU SUJET

LES PRINCIPALES ASSOCIATIONS DE SYMPTÔMES DANS LE TROUBLE OBSESSIONNEL-COMPULSIF

OBSESSIONS	RITUELS ET COMPULSIONS	ÉVITEMENTS
Saleté =>	Lavage =>	très fréquents
Erreur =>	Vérifications =>	fréquence variable
Malheur =>	Rituels mentaux =>	fréquence variable
Agressivité =>	Rituels mentaux =>	très fréquents

Au fil du temps :
les fluctuations du TOC

▓ *Selon les heures et les jours*

Les obsessions et les compulsions sont le plus souvent stables et chroniques au fil des mois et des années. Cependant, au quotidien, les obsessions et les compulsions sont oscillantes et d'allure cyclique. Même si un sujet a « ritualisé » à un moment donné, le même phénomène obsédant émerge à nouveau le lendemain matin alors que les rituels sont « accomplis ». Cela montre bien que la survenue des obsessions est assez indépendante de l'accomplissement du rituel.

Parfois, la personne réussit à résister à son rituel. L'anxiété et l'obsession finissent par disparaître momentanément. Puis le phénomène recommence, quelques heures plus tard ou le lendemain. Le sujet peut croire que l'anxiété réapparaît parce qu'il a résisté à son besoin de ritualiser. Mais, en réalité, l'obsession habituelle réapparaît, qu'il ait ritualisé ou non. Cela s'explique par le fait que la crainte obsédante est quotidienne, d'intensité fluctuante et que le rituel n'apaise que momentanément.

▓ *Au cours des mois et des années*

Si la maladie reste souvent chronique au fil des jours, des mois ou des années, les thèmes des obsessions et des rituels peuvent varier au fil des ans. Un homme de 42 ans m'expliquait un jour qu'il était surpris que son rituel de vérification de la fermeture Éclair du pantalon (ce rituel répondait à l'obsession « ma braguette est-elle bien fermée ? ») réapparaissait alors qu'il avait disparu durant plusieurs années. Pourquoi ? Eh bien, parce que la maladie

fluctue naturellement au fil du temps avec des périodes d'aggravation et d'amélioration.

◼ *Les situations aggravantes*

L'action a un caractère définitif

Ce problème est souvent rencontré dans les rituels de vérification : par exemple, la vérification de la porte de son habitation
s'arrête parce qu'on est parti et que l'on ne peut plus vérifier. Du
coup, cette impression qu'« après, il sera trop tard pour vérifier »
sera d'autant plus importante que l'on quitte sa maison pour une
longue durée, comme lors d'un départ en vacances. Poster une
lettre est une autre situation où la vérification est « définitive »
puisque l'on ne peut plus récupérer la lettre. Les rituels de lavage
sont moins concernés par le caractère définitif de l'action, car on
peut souvent se laver où que l'on soit.

Les responsabilités sont importantes

C'est particulièrement le cas des obsessions d'erreur. Par exemple, la remise d'un rapport écrit à son supérieur n'est pas sans
importance. De même, la signature d'un chèque d'une grosse
somme est un moment où l'erreur aurait plus de conséquence que
si l'on se trompait sur le prix d'une baguette de pain. Ou encore
la préparation d'un médicament pour son enfant éveille plus d'obsessions d'erreur que la préparation de son repas.

Des proches sont concernés

Cette situation est commune à presque tous les thèmes des
obsessions-compulsions. Les obsessions de saleté sont plus pénibles si elles concernent la propreté de son enfant que si elles touchent la propreté de la voiture. On observe le même phénomène
avec les obsessions de malheur, qui sont d'autant plus pénibles s'il
s'agit d'êtres chers à qui l'on pourrait nuire.

Il s'agit de situations de stress

Un concours, un entretien d'embauche, une réunion importante, une naissance, un deuil, le chômage, des problèmes finan-
ciers, des problèmes conjugaux sont des situations qui créent de
l'anxiété chez chacun d'entre nous. Ces situations aggraveront souvent les obsessions et les compulsions chez celui qui en souffre
déjà.

La personne est fatiguée

Par exemple, ceux qui souffrent de TOC remarquent souvent
que leurs obsessions augmentent en fin de semaine lorsqu'ils sont
plus fatigués par le travail. Il s'établit alors un cercle vicieux : la
fatigue aggrave les obsessions, ce qui augmente les rituels. L'aggravation des rituels peut diminuer le temps de repos, en particulier
s'ils ont lieu le soir avant le coucher. Et la fatigue ainsi occasionnée
aggrave alors encore les obsessions...

▪ *Les pics d'anxiété*

Comme toutes les maladies anxieuses, le trouble obsessionnel-
compulsif peut entraîner des pics d'angoisse. Il est exceptionnel
que ces situations nécessitent l'intervention d'urgence d'un médecin. Dans les cas critiques, les sujets font des rituels massifs ou des
évitements, comme dans l'exemple de Gilles que nous allons
décrire. Dans la majorité des cas, il ne faut pas céder à la pression
de l'excitation, ce qui renforcerait l'idée qu'il y avait effectivement
urgence, mais attendre que l'anxiété passe. Voici un exemple de
fausse urgence dans le trouble obsessionnel-compulsif :

*Gilles souffre d'obsessions de contamination depuis douze ans.
Ce jour-là, il vient en consultation en urgence car il a marché
sur un préservatif à son travail et il ne peut pas rentrer chez
lui : « Le préservatif véhicule des maladies, et je vais en mettre
partout. » Gilles ne connaît aucune maladie qui puisse être*

transmise par un contact entre un préservatif et une semelle de chaussure. Le lendemain, Gilles revient en consultation et m'apprend qu'il a jeté ses chaussures en rentrant chez lui. Cependant, il est toujours assailli par l'obsession selon laquelle il s'est contaminé en marchant sur ce préservatif. La semaine suivante, cette obsession a disparu sans qu'il ait fait de rituels supplémentaires. Dans le trouble obsessionnel-compulsif, l'urgence n'est souvent que de l'angoisse.

**CE QUI EST SUSCEPTIBLE D'AGGRAVER
LE TROUBLE OBSESSIONNEL-COMPULSIF**

1. La fluctuation naturelle de la maladie, quotidienne ou au fil des mois.
2. Si l'action rituelle est définitive.
3. Si l'action rituelle est à forte responsabilité.
4. Si les proches sont concernés par l'action rituelle.
5. Si le sujet est stressé.
6. Si le sujet est fatigué.

CHAPITRE 2

Vous voulez savoir ce qui est normal et ce qui ne l'est pas

Interview de Jean Alesi, pilote de formule 1[6].
— Vous avez des manies ?
— Jean ALESI : Je ne supporte pas la poussière. Dès que je rentre quelque part, je passe un doigt sur les meubles. Je peux aussi faire le tour et aller voir derrière le canapé ! J'aime les choses bien rangées, je crois que je suis maniaque. Si on va à la plage et qu'au moment de m'allonger, la serviette bouge et fait des plis, il faut que je me relève. Ça déteint sur ma fille Héléna. Elle m'a vu faire, alors quand elle se met sur sa serviette à elle, elle s'assoit pile au milieu. À deux ans et demi...
— Vous êtes superstitieux ?
— Jean ALESI : Bien sûr ! Le matin, si je vois une araignée, la journée est fichue. Le soir, c'est bon, mais le matin, ça porte malheur. Je l'oublie, mais dès qu'il y a un truc qui ne va pas, je fais aussitôt le rapprochement. À part ça, c'est du classique. Ne pas passer sous une échelle, poser le pied droit par terre en me levant du lit. En théorie, c'est automatique, mais si je me rends compte que mes deux pieds vont toucher le sol ensemble, je peux faire n'importe quoi pour l'éviter, quitte à me casser complète-

ment la gueule. En F1, je n'ai rien de spécial. Sinon que je ne peux pas monter dans la voiture par la gauche.

Qu'est-ce qui fait la différence entre une personne atteinte de trouble obsessionnel-compulsif et un sujet normal ? Par exemple, qu'est-ce qui fait la différence entre un souci normal d'exactitude et une obsession d'erreur ? Ou bien comment savoir si une hygiène rigoureuse et bénéfique n'est pas en fait une obsession de saleté ? Ou encore si une saine volonté de mettre toutes les chances de son côté ne conduit pas à des obsessions de superstitions ?

Ce chapitre vise à mieux comprendre les liens et les différences entre ce qui est habituel et ce qui est pathologique : qu'est-ce qui est normal en ce domaine et qu'est-ce qui ne l'est pas[7] ?

Certaines pensées vous obsèdent

▪ *Qu'est-ce qu'une obsession normale ?*

Il ne suffit pas d'avoir peur de la saleté ou de l'erreur pour dire que l'on souffre du trouble obsessionnel-compulsif. En effet, à peu près tout le monde a des idées obsédantes et des petits rituels. Plusieurs études successives se sont penchées sur ce phénomène en demandant à des sujets normaux s'ils éprouvaient des obsessions. Ces études ont interrogé plus de cinq cents sujets dans trois pays et sur trois continents. Il en est ressorti que 80 % à 99 % des gens normaux avaient éprouvé des obsessions dans le mois précédant le questionnaire. Les obsessions, définies comme des pensées pénibles qui s'imposent au sujet, sont donc un phénomène banal touchant la quasi-totalité de la population.

▪ *Quels sont les thèmes des obsessions normales ?*

Ces études ont montré que les thèmes des obsessions « normales » ne sont pas différents de ceux des obsessions des sujets souffrant de trouble obsessionnel-compulsif[8]. Une étude[9] a recensé les obsessions normales sur près de trois cents sujets normaux et a dénombré cinquante-deux thèmes différents. Le thème le moins fréquent concerne 6 à 11 % des sujets normaux : poignarder un membre de la famille. Le plus fréquent concerne 51 à 80 % des sujets normaux : se représenter des étrangers nus. La fréquence des thèmes n'est pas la même chez les hommes et chez les femmes, comme l'indique le tableau suivant.

LES THÈMES DES PENSÉES OBSÉDANTES CHEZ LES SUJETS NORMAUX		
	Femmes (en %)	**Hommes** (en %)
• Brûler ou ébouillanter par accident	79	66
• Laisser la porte de la maison ouverte	77	69
• Mettre la voiture dans le fossé	64	56
• Se représenter des étrangers nus	51	80
• Avoir des relations sexuelles en public	49	78
• Transmettre une maladie mortelle	22	19
• Se contaminer par les portes	35	28
• Poignarder un membre de la famille	6	11

Ces études démontrent que nous souffrons tous, à certains moments, d'obsessions qui sont normales. Ainsi, nous sommes tous un peu anxieux :

1. que le réveil ne sonne pas la veille d'un examen ou d'un rendez-vous important (obsession d'erreur),

2. d'avoir oublié de fermer la porte de la maison le jour du départ en vacances (obsession d'erreur),

3. lors de contacts de mains après lesquels on a envie d'aller se laver (obsession de saleté),

4. d'être confronté à des événements « néfastes », comme passer sous une échelle, croiser un chat noir, casser une glace ou être treize à table (obsession de malheur).

▨ *Comment faire la différence ?*

Les sujets souffrant de TOC ont des obsessions incomparablement plus longues, plus fréquentes et plus intenses que les individus normaux. En définitive, on peut résumer cette comparaison par le tableau suivant :

COMPARAISON DES OBSESSIONS CHEZ LES SUJETS NORMAUX ET DANS LE TROUBLE OBSESSIONNEL-COMPULSIF	
Obsessions normales	**Obsessions dans le trouble obsessionnel-compulsif**
rares	très fréquentes
brèves	très longues
retentissement émotionnel faible	très pénibles
conduisent rarement à des rituels	conduisent très souvent à des rituels
les thèmes sont globalement les mêmes : préoccupation de saleté, d'erreur, d'événement malheureux, d'idées agressives	

Il vous arrive d'avoir des rituels

▪ *Les rituels sans obsession*

Les rituels amoureux

Les rituels amoureux sont des actes stéréotypés qui dépendent de l'histoire des groupes sociaux, des peuples ou des civilisations. Il s'agit d'actes qui visent à être immédiatement repérés par l'autre et qui sont sans ambiguïté. Les rituels amoureux sont assez immuables selon les cultures. Certains hommes se pareront de leurs plus beaux vêtements, d'aucuns apporteront des fleurs, là où d'autres offriront un cadeau coûteux afin de montrer leur richesse et leur détermination. Un compliment appuyé peut être également, tant chez l'homme que chez la femme, la marque d'un rituel amoureux. Ces rituels s'observent également chez les animaux qui font la « parade » amoureuse, bien connue des éthologues.

Les rituels religieux et sociaux

Dans la vie quotidienne, les rituels de propreté (se laver les mains avant de manger), d'alimentation (deux ou trois repas à heure fixe), de mise en ordre (les préparatifs du voyage) traduisent une organisation particulière de la vie issue de multiples facteurs. Par exemple, l'hygiène alimentaire est la résultante de l'expérience acquise sur des milliers d'années d'alimentation. L'interdiction de la viande de porc dans certaines religions prend en compte le fait que cet animal était plus porteur de maladies transmissibles à l'époque où il n'y avait pas de contrôle sanitaire et vétérinaire. La circoncision du sexe dans les religions juive et musulmane diminue les risques de maladies infectieuses vénériennes. Depuis, l'hygiène corporelle due à l'eau courante (qui en principe est propre) et des mœurs sexuelles plus prudentes ont rendu ces rituels désuets. Pourtant, ils se sont maintenus par tradition religieuse. Tous ces « rituels » peuvent être plus ou moins rigides selon les religions, les cultures ou les individus.

L'expression « je croise les doigts », même si elle n'est pas forcément suivie de l'acte lui-même, traduit un rituel superstitieux communément répandu. Elle est apparentée à d'autres rituels normaux, comme le fait de ne pas passer sous une échelle, d'éviter les chats noirs ou de ne pas renverser le sel à table. Quelques footballeurs de haut niveau montrent régulièrement leur rituel à des millions de téléspectateurs en embrassant la pelouse avant le début du match. D'autres se mettent toujours à la même place dans le vestiaire, demandant à porter sur leur maillot un numéro qui leur a réussi par le passé. Certains tennismen mettent un soin très particulier à repositionner leur bandeau à chaque point important, et le nombre de fois qu'ils font rebondir la balle avant de servir est souvent fixe.

Les rituels normaux de propreté et de vérification

Nous avons déjà parlé des vérifications du réveille-matin, les veilles de dates importantes ou lorsque l'on part en voyage. Il est évident que, dans notre entourage, il existe des gens plus ordonnés, plus organisés ou plus « maniaques » que d'autres. Un ami m'avouait ne pas supporter prendre le moindre risque de rater le train ou l'avion lorsqu'il partait en voyage. Ainsi, régulièrement, il arrivait une à deux heures en avance à la gare ou à l'aéroport, ce qui avait le don d'exaspérer son entourage. Cet homme sera sans doute mal toléré par ceux qui considèrent la vie comme une aventure quotidienne ou qui croient qu'il ne faut pas perdre une seconde de son existence. D'un autre point de vue, quelqu'un d'aussi prévoyant est très rassurant. On sait qu'avec lui tout se déroulera comme prévu et que l'on est à l'abri des contretemps.

Les rituels du coucher

Les rituels du coucher de l'adulte (comme le verre d'eau sur la table de nuit, une brève lecture au lit, ranger ses vêtements d'une certaine façon en se couchant) sont banals et visent à mettre en ordre le milieu environnant et à le contrôler. Ainsi, tout est reposant et sans surprise, et l'on peut s'abandonner tranquillement au sommeil.

Les rituels des enfants

Les enfants ont fréquemment des rituels qui auront tendance à diminuer, puis à disparaître.

1. Les rituels du coucher sont les plus habituels chez l'enfant entre 2 et 5 ans : ils consistent, par exemple, en la disposition des peluches sur le lit toujours au même endroit ; ou bien l'un des parents devra chanter une chanson particulière, toujours la même.

2. La présence rituelle d'un morceau de tissu ou d'une peluche qui accompagne le petit enfant partout et sans cesse apparaît vers 8 mois et disparaît progressivement vers 6 ans. Elle est liée à l'anxiété de séparation normale de l'enfant.

3. Entre 7 et 10 ans, les enfants peuvent se répéter des petites phrases ou des chiffres magiques ; ils peuvent aussi chercher à ne pas marcher sur certaines lignes de trottoir. Ces petits rituels aident l'enfant à contrôler son anxiété et à se rassurer face à certaines épreuves de son âge, par exemple une interrogation écrite à l'école.

4. Les enfants, à partir de 3 ans, posent parfois sans cesse à leurs parents les questions rituelles « pourquoi » et « comment ».

Ces rituels sont normaux et sans rapport avec le trouble obsessionnel-compulsif.

▪ *Les rituels normaux*
liés aux obsessions normales

Le rituel est un mode spontané pour « gérer » les obsessions chez les sujets normaux. Ces rituels « normaux » sont rares, brefs et peu pénibles, à la différence des rituels des sujets atteints de trouble obsessionnel-compulsif [10].

Comme pour les obsessions, des chercheurs ont démontré que la majorité des gens normaux présentaient des rituels. Ceux-ci sont cependant moins fréquents, moins intenses et moins désagréables que chez les sujets souffrant de trouble obsessionnel-compulsif [11]. Une étude [12] a consisté à demander à cent vingt-cinq personnes normales comment elles procédaient pour gérer leurs obsessions. Observons les résultats sur le tableau suivant :

STRATÉGIES DE MAÎTRISE DES OBSESSIONS NORMALES	
• Se concentrer sur la pensée obsédante	69 %
• Essayer de remplacer cette pensée par une autre	55 %
• Tenter de se rassurer	51 %
• Rechercher de la réassurance auprès des autres	50 %
• Ne rien faire	49 %
• Dire « stop »	48 %
• Réaliser une pensée ou une action pour neutraliser l'obsession	41 %
• Chercher à se distraire	41 %
• Se concentrer attentivement sur quelque chose d'autre	30 %
• Autre	16 %

Notons que seulement 49 % des gens n'ont aucune stratégie et ne font rien de spécial. Les autres ont des stratégies qui consistent finalement à faire un acte stéréotypé pour chasser l'obsession. Autrement dit, la moitié fait un rituel « normal ». On peut se demander si ces « rituels normaux » sont utiles.

▓ *Comment faire la différence ?*

Les différences entre rituels normaux et rituels pathologiques sont les mêmes que pour les obsessions. Les rituels normaux sont moins fréquents, moins longs à réaliser, et il est moins pénible d'y résister ; on peut s'en distraire, c'est-à-dire que la force qui pousse à accomplir le rituel est faible. Enfin, il n'y a que très rarement des répétitions, c'est-à-dire qu'un seul lavage ou une seule vérification suffit.

COMPARAISONS DES RITUELS CHEZ LES SUJETS NORMAUX ET DANS LE TROUBLE OBSESSIONNEL-COMPULSIF	
Rituels normaux	**Rituels dans le trouble obsessionnel-compulsif**
banals et communément admis	sophistiqués et complexes
rares	fréquents
brefs	longs ou très longs
sans retentissement émotionnel	pénibles
le sujet peut y résister	le sujet ne peut s'en défaire et ressent une force compulsive à les exécuter
sans conséquences sur la vie quotidienne	entraînent un handicap objectif en termes de perte de temps et d'entrave à l'action
les thèmes sont globalement les mêmes : laver, vérifier, conjurer le sort	

Vous vous sentez parfois anxieux

On n'est pas malade d'anxiété si l'on a peur de faire une erreur ou d'être sali. Il est même tout à fait normal d'avoir ce type de craintes. Que dirait-on de quelqu'un qui n'aurait aucune idée de l'hygiène, qui ferait jouer ses enfants dans une décharge d'ordures ou qui camperait à la sortie d'un égout sans aucune inquiétude ? Que dirait-on de quelqu'un qui n'aurait aucune appréhension concernant la bouée de son enfant qui ne sait pas nager, avant qu'il ne parte se baigner ? Qui ne s'inquiéterait pas de son parachute avant de sauter de l'avion ? Un homme normal vérifiera son parachute ou la bouée de son enfant, car ces situations sont « normalement angoissantes », et parce que la vérification rassurera celui dont l'anxiété aura été brève et peu intense. La vérification est un comportement logique dans cette situation. Il en est tout autrement dans le trouble obsessionnel-compulsif.

COMPARAISON DE L'ANXIÉTÉ CHEZ LES SUJETS NORMAUX ET DANS LE TROUBLE OBSESSIONNEL-COMPULSIF	
Anxiété normale	**Anxiété dans le trouble obsessionnel-compulsif**
occasionnelle	fréquente
compréhensible et banale en fonction de la situation	hors de proportion avec la situation
brève	longue
peu pénible	intense et pénible
on peut s'en distraire et penser à autre chose	tenace et résistante quoi qu'on fasse
conduit parfois à un bref rituel normal (vérification, lavage, petite phrase ou geste magiques)	conduit presque toujours à un rituel long et pénible
sans conséquence sur la vie courante	entraîne un handicap objectif en termes de souffrance émotionnelle

Vous évitez délibérément certaines situations

Un évitement n'est pas toujours pathologique. Beaucoup de personnes s'abstiennent de s'asseoir sur les toilettes publiques, surtout les femmes. Certains étudiants refusent de prendre leur voiture avant d'aller à un examen important, comme si le stress allait leur faire perdre leurs automatismes. Aux USA, il n'y a pas de treizième étage dans certains hôtels ou immeubles. On évite souvent d'être treize à table. Il n'y a pas de numéro 13 dans certaines courses automobiles. Il n'y a parfois pas de chambre 13 dans les hôpitaux. Les sportifs modifient souvent leurs habitudes de préparation à une compétition s'ils viennent de subir une sévère défaite. Ces évitements ont cependant peu de rapports avec ceux du trouble obsessionnel-compulsif.

COMPARAISON DES ÉVITEMENTS CHEZ LES SUJETS NORMAUX ET DANS LE TROUBLE OBSESSIONNEL-COMPULSIF	
Évitement normal	**Évitement dans le trouble obsessionnel-compulsif**
rare et occasionnel	fréquent et régulier
banal en fonction de la situation	inhabituel
limité à de rares situations	fréquent et diffusant à de nombreuses situations
avec un peu d'attention, le sujet peut ne plus éviter	l'affrontement entraîne : • une souffrance hors de proportion avec la situation • des rituels très pénibles
sans conséquence sur la vie courante	entraîne un handicap objectif en termes de souffrance émotionnelle

Où est la limite ?

Dans la population normale, les obsessions et les compulsions sont donc bien présentes (vous n'êtes pas si différent des autres), mais amènent peu de conséquences en termes de handicap, peu d'émotions pénibles et peu de temps perdu.

Parfois, certains sujets souffrent objectivement de quelques situations obsédantes, mais sans pour autant rentrer dans les critères de gravité du trouble obsessionnel-compulsif. Dans le jargon des spécialistes, nous qualifions ces obsessions ou ces rituels de « sub-cliniques » ou « infra-cliniques » parce qu'ils sont en dessous du seuil qui définit la pathologie. En voici deux exemples :

Véronique a de temps en temps des obsessions au moment d'aller se coucher : elle se demande si les volets sont bien fermés et si elle a bien éteint le gaz de la cuisinière. Cela survient environ deux à trois fois par semaine, lorsqu'elle est au lit. Le plus souvent, elle résiste à ces obsessions, mais, parfois, c'est plus fort qu'elle, elle doit aller faire le tour de la maison et vérifier tous les volets ainsi que le gaz. Une ou deux fois par mois, elle est obligée d'y retourner une seconde fois, ce qui exaspère son mari qui la traite de « froussarde ». Parfois, de peur de réveiller son mari en se levant, elle reste au lit, et cela passe.

Jean, 22 ans, se lave les mains assez souvent. Dès qu'il touche les poignées de porte ou des clefs, il va se passer les mains sous l'eau très brièvement, en quelques secondes. Ses brefs passages de mains sous l'eau se produisent aussi le soir, après avoir lu un livre ou un journal. En tout, cela arrive une quinzaine de fois par jour, ce qui lui prend dix minutes par jour. Pourtant, s'il s'empêchait de faire ce petit rituel, il se sentirait assez mal à l'aise.

Dans ces exemples, Véronique et Jean n'ont pas les critères de diagnostic de la maladie, dans la mesure où le trouble a un très faible retentissement sur leur vie et où tous deux passent bien moins d'une heure par jour en moyenne en obsessions et en rituels. Pourtant, il existe parfois une authentique souffrance liée à ces rituels.

Voilà ! Nous avons fini d'expliquer ce qui relevait du trouble obsessionnel-compulsif et ce qui relevait de phénomènes normaux.

À ce stade de cet ouvrage, vous devez savoir si vous, ou la personne pour qui vous lisez ce livre, êtes atteint de cette maladie ou non. Si vous avez repéré qu'il s'agit du TOC, alors poursuivez la lecture de ce livre. Car le trouble obsessionnel-compulsif est une vraie maladie, et vous avez besoin d'autres informations pour y faire face.

CHAPITRE 3

Vous voulez en savoir plus sur les thèmes des obsessions-compulsions

Vous en savez beaucoup sur le trouble obsessionnel à présent. Maintenant, examinons les différentes obsessions et compulsions une par une.

Si, jusqu'ici, vous n'avez pas trouvé le thème précis d'obsession ou de rituel que vous cherchez, ou si vous voulez vous pencher sur les différents cas possibles, nous vous conseillons la lecture de ce chapitre. Mais si vous en savez assez sur les thèmes des obsessions-compulsions, vous pouvez passer au chapitre suivant et éviter de lire celui-ci.

Il existe de nombreuses descriptions plus ou moins détaillées des symptômes du trouble obsessionnel-compulsif. Parmi ces descriptions qui occupent les psychiatres depuis plus de cent ans, nous vous présentons un « catalogue » assez complet, sans toutefois citer les histoires exceptionnellement rares. Vous pourrez ainsi relever les obsessions et les rituels dont vous ou votre entourage souffrez. Rappelons, en effet, que la majorité des sujets atteints ont plusieurs thèmes d'obsessions (par exemple contamination *et* erreur, ou erreur *et* malheur) et qu'au sein d'un seul thème d'obsessions il y a bien plus souvent plusieurs types d'obsessions (par exemple saleté *et* maladie, ou encore peur de tuer par erreur *et* peur d'être incorrect).

**Question : Est-ce que le fait de lire
des histoires de personnes qui souffrent d'obsessions
va aggraver mon trouble ?**

Réponse : Cette question m'est souvent posée. Certains n'arrivent pas à lire les livres de vulgarisation car ils ont peur que cela « réveille » les obsessions qu'ils ont eues dans le passé et dont ils ne souffrent plus. Ou bien ils ont peur que cela en provoque d'autres. Or, ne pas oser lire un livre sur les obsessions-compulsions, c'est déjà pratiquer un évitement au nom d'un danger présumé. Soyez certain que la meilleure façon de s'occuper de ses obsessions est de les affronter. Le début de cet affrontement, c'est de connaître cette maladie.

Les obsessions

Parfois, les obsessions ont des thèmes sophistiqués. Parfois, elles sont simples et précises. D'autres fois, elles sont floues et mal définies. Dans ce cas, une personne peut dire : « Si je ne fais pas mes rituels, je ne sais pas vraiment ce que je crains. Je pense que c'est négatif, qu'il va m'arriver un malheur... »

▓ *Les obsessions de souillure*

C'est le thème le plus fréquent des obsessions. Touchant plus souvent la femme que l'homme, la souillure concerne essentiellement ce qui est intime au sujet : il craint de souiller ses vêtements, sa peau et en particulier ses mains, ses objets personnels. La maison est généralement vécue comme l'endroit devant rester absolument propre, la « citadelle de la propreté ». Dans la maison, la chambre à coucher est souvent l'endroit le plus propre. Dans la chambre, le lit est parfois un véritable « sanctuaire de propreté ».

Le sujet a peur de se salir, mais il a aussi souvent peur de salir ses proches, en particulier ses enfants. Parfois, c'est le contraire, c'est-à-dire que même les proches peuvent être considérés comme salissants. Celui qui souffre d'obsessions de souillure s'isole alors de ses enfants, de son conjoint, de sa famille. Ce cas est cependant moins fréquent*.

Les thèmes de souillure sont souvent assez élaborés, comme nous allons le voir.

Les obsessions liées aux déchets et aux sécrétions

C'est l'obsession de saleté la plus banale. C'est une exagération de l'hygiène normale, avec une alerte anormale face aux agents extérieurs salissants comme la poussière, la transpiration, l'urine, les selles, la salive. Le monde est classé en zones propres et en zones sales avec des espaces intermédiaires de propreté. Les sanitaires (le siège de la cuvette des W-C), les poignées de porte, le fait de devoir serrer la main, les linges de toilette, les lieux publics comme les gares, les trains, les bus, ou les rues passantes sont le plus souvent redoutés.

Pauline, 24 ans, étudiante en cinquième année de psychologie : « *Je ne supporte pas d'aller chercher quelqu'un à la gare car il s'y trouve des clochards. J'ai peur de les frôler, de marcher là où ils ont marché. Pour moi, un clochard est ce qu'il y a de plus sale au monde. Quand j'en vois un, je m'écarte de plusieurs mètres. Un jour, un clochard s'est approché de moi pour me demander de l'argent. Je ne l'avais pas vu venir, et il s'est trouvé à une trentaine de centimètres de moi. J'ai eu l'impression qu'il m'avait touchée. J'avais un manteau presque neuf. Je suis rentrée chez moi, j'ai enlevé le manteau, je l'ai mis dans un sac plastique bien fermé dans un placard et je ne l'ai jamais remis.* »

Les obsessions liées aux microbes ou aux germes

C'est le deuxième grand thème obsédant lié à la saleté et aux rituels de lavage. Beaucoup plus complexe que le thème de la

---

* L'histoire et le traitement de Claire, Michel et Ludovic, qui souffrent d'obsessions de souillure, sont détaillés dans le chapitre « Jean-Charles, Claire et les autres... », p. 230.

saleté, il repose sur le doute qu'un élément invisible dangereux (virus, bactérie) puisse contaminer la personne. Le sida est venu amener son lot d'arguments objectifs à l'infection « cachée et grave ». Plus récemment, la maladie de Creutzfeld-Jakob (dont on suspecte qu'elle soit transmise à l'homme s'il mange de la « vache folle ») est apparue dans les thèmes des obsessions de contamination.

Les déclencheurs des obsessions de contamination sont très proches de ceux observés pour la saleté : tout ce qui est à l'extérieur de la maison, tout ce qui touche au sang, aux liquides de l'organisme (urine, salive, sperme, sueur), les animaux familiers (chien, chat, cobaye...). Dans le cas de la crainte de la maladie de la vache folle, les aliments sont également sources d'obsessions*.

Les obsessions liées au cancer

Les situations qui déclenchent des obsessions sont les mêmes que pour la saleté ou la contamination. Elles entraînent non plus l'idée de la souillure mais celle d'être atteint d'un cancer. Les obsessions augmentent au contact des lieux ou des personnes qui évoquent le cancer : hôpitaux, personnes âgées, salles d'attente de médecin.

Denise, 59 ans, est chercheur dans un grand laboratoire pharmaceutique privé : « Je travaillais depuis six ans avec Yves, un collègue spécialisé comme moi en bactériologie. Yves m'annonce un jour que sa mère a un cancer. Très touché, il venait souvent se confier à moi car nous étions assez proches. Plus il me parlait de sa mère, plus il me dégoûtait. Je ne pouvais plus ni le toucher ni même être à un mètre de lui. J'avais l'obsession qu'il allait me transmettre le cancer de sa mère. Pourtant, je sais bien que le cancer ne se transmet pas par contact. Malgré tout, je faisais n'importe quoi pour éviter de le rencontrer. Yves ne comprenait pas pourquoi j'étais si distante. Un jour, il est passé à mon domicile et a déposé une lettre dans ma boîte. J'ai eu l'obsession

---

* Pour découvrir des histoires d'obsessions de contamination, veuillez vous référer à « contamination » dans l'index.

que cette lettre avait contaminé ma boîte aux lettres et, pire, que j'avais contaminé mon appartement en lisant cette lettre chez moi. Puis je me suis mise à imaginer que toutes les lettres qui m'étaient adressées m'amenaient le cancer, parce qu'elles étaient passées par la boîte aux lettres qui les avait contaminées. J'ai commencé alors à ne prendre mon courrier qu'avec des gants. »

C'est le mystère de la maladie obsessionnelle que de constater que le thème du « toucher » déclenche des obsessions de cancer, alors que tout le monde sait que cette maladie n'est pas transmissible par un contact quel qu'il soit. Ceux qui sont touchés par le TOC aussi le savent bien, mais ils ne peuvent s'empêcher de douter.

Les obsessions liées à l'environnement

Ces obsessions concernent le plus souvent l'amiante, les radiations ou la pollution. Comme dans le cas des maladies transmissibles, ces thèmes sont très influencés par l'actualité. Dans le cas de la pollution, les personnes peuvent se mettre des masques sur le visage. Même si ce type de comportement peut parfois se justifier (les cyclistes à Paris mettent parfois des masques sur le visage), il devient totalement exagéré et absurde, comme en témoigne l'histoire suivante.

Pierre, 27 ans : « J'étais très heureux de ma réussite au concours de documentaliste, mais lorsque je suis arrivé dans la bibliothèque où j'étais affecté, je me suis rendu compte que cette faculté avait été construite dans les années 1960. À l'époque, on bâtissait avec de l'amiante, comme la faculté de Jussieu. Bien que l'on m'ait affirmé qu'il n'y avait pas d'amiante dans les bâtiments (cela avait été vérifié par des spécialistes), j'y pensais du matin au soir et je ne pouvais plus me concentrer sur mon travail. Je me couvrais de vêtements de plus en plus épais, quelle que soit la température, pour me protéger de l'amiante. Cela faisait croire aux gens que j'étais malade. J'ai fini par démissionner car je ne pouvais plus supporter ce travail »

Les obsessions liées à une anomalie physique

C'est un thème plus rare et plus complexe d'obsession.

Charlie, 24 ans, forain : « Lorsque je me regarde dans la glace et que je vois un bouton sur mon visage, je crains que ce soit le début d'un cancer, d'une infection ou d'une maladie que je ne connais pas. Je ne vais plus consulter les médecins car ils me rassurent toujours en me disant que ce n'est rien. Je ne peux cependant pas m'empêcher de me regarder dans la glace jusqu'à cinquante fois par jour. »

Cet exemple est typique de ce type d'obsession. Mais, dans ce cas, il est quand même très utile d'aller demander l'avis d'un spécialiste pour confirmer qu'il est bien question d'une obsession. Il peut s'agir en effet de trouble anxieux généralisé, d'hypocondrie ou de certaines formes de dépression*.

Les obsessions liées à l'idée de transmettre une maladie

Il arrive parfois que le sujet ne craigne pas spécialement la maladie pour lui-même, mais ait surtout peur de la transmettre aux autres, de provoquer une maladie chez les autres. C'est, par exemple, le cas d'Anne.

Anne a des obsessions de contamination par le prion de la « vache folle » en mangeant des yoghourts. Mais, fondamentalement, c'est pour ses enfants qu'elle craint une maladie. Aussi, elle leur interdit de manger des yoghourts, alors qu'elle prend moins de précautions pour elle-même.

C'est le thème de contamination « altruiste ». Dans ce cas, deux thèmes d'obsession sont réunis en un seul : d'une part, la peur de contaminer et, d'autre part, la peur de faire du mal à l'autre par

---

* Si cette question vous intéresse, vous pouvez lire « Avec quoi ne pas confondre le TOC ? », p. 112.

erreur. Ce deuxième thème d'obsession est développé en détail un peu plus loin.

▪ *Les obsessions d'erreur*

C'est le deuxième thème le plus fréquent après l'obsession de la souillure. Les obsessions d'erreur peuvent prendre des formes variées et subtiles qui relèvent toutes du même principe : c'est une alerte anxieuse anormale concernant une erreur possible que le sujet aurait pu éviter « s'il avait fait attention ». Les obsessions d'erreur conduisent au « doute » obsessionnel, qui fait dire en permanence au sujet : « L'ai-je bien fait* ? »

La peur obsédante
de ne pas avoir fermé quelque chose

C'est l'obsession la plus fréquente dans les obsessions d'erreur : « Le gaz et l'électricité sont-ils bien éteints ? Les fenêtres ou la voiture sont-elles bien fermées ? Le frein à main de la voiture est-il bien serré ? Le réveil est-il bien réglé ? »

La simple crainte de faire une erreur risque de devenir une obsession plus élaborée selon laquelle la personne peut provoquer des catastrophes par des scénarios complexes. Dans ce livre, de nombreux exemples illustrent les obsessions d'erreur. Pour les retrouver, vous pouvez vous référer à l'index.

La peur obsédante de mal faire son travail

C'est un thème également très fréquent.

Marie, 32 ans, est infirmière à l'hôpital. Bien qu'elle n'ait pas la responsabilité complète des malades, qui sont sous la surveillance du médecin, elle a toujours peur de se tromper dans la

---

* L'histoire et le traitement de Jean-Charles et Bernard, qui souffrent d'obsessions d'erreur, sont détaillés dans le chapitre « Jean-Charles, Claire et les autres... », p. 230.

délivrance des médicaments. Elle vérifie ainsi deux à trois fois ceux qu'elle donne à chaque malade : dans l'office des infirmiè-res, elle contrôle chaque comprimé lorsqu'elle le sort de sa boîte car elle se demande de façon obsédante si c'est bien le bon cachet, s'il n'y a pas une erreur d'étiquetage du médicament. Elle a appris à reconnaître tous les médicaments à la couleur et à la taille des comprimés. Dans la chambre, au moment de donner le comprimé au malade, elle s'assure que ce médicament est bien celui qui a été prescrit par le médecin, tel que c'est inscrit sur la fiche du malade au pied de son lit. « N'y a-t-il pas eu une erreur de transcription qui aurait consisté, par exemple, à se tromper sur le nom du malade à l'infirmerie ? » Et puis enfin : « Est-ce que ce patient est bien le bon malade ? Est-ce que je ne lui donne pas le traitement d'un autre ? »

La peur obsédante de ne pas dire des choses exactes

L'obsession de « ne pas dire ce qu'il faut » s'exprime surtout chez ceux qui ont un devoir d'apprendre aux autres : les parents vis-à-vis des enfants, les professeurs vis-à-vis des élèves, les frères aînés vis-à-vis des cadets, bref, tous ceux qu'on écoutera et croira sur parole. Mais ce peut être aussi dans le milieu professionnel :

André, 49 ans : « Lors de la réunion mensuelle du groupe privé auquel j'appartiens, tous les chefs de service et les directeurs généraux étaient là. Je présentais le bilan financier de la branche dont je suis responsable. Ce bilan était mitigé, et je devais expli-quer pourquoi nous n'avions pas obtenu de meilleurs résultats. J'avais peur de dire quelque chose qui induise en erreur mon directeur général : si je l'informais mal, il pourrait décider un licenciement de personnel à cause des résultats médiocres ; ou bien, au contraire, investir dans cette branche alors que les pers-pectives sont limitées. Dès que j'énonçais un chiffre, je me per-dais en détails et en circonlocutions pour l'expliquer. Je voyais des signes d'agacement autour de la table. Dès que je voulais aller plus vite, j'avais encore plus peur d'être imprécis, inexact ou d'induire en erreur. C'était ridicule car toute décision sérieuse est prise en fonction de rapports écrits. À la fin de la réunion, mon directeur m'a gentiment mais fermement demandé de veiller à ne pas dépasser les dix minutes habituelles dans les présentations de bilans. »

La peur obsédante de perdre quelque chose

En voici un exemple très typique :

Jean-Marc craint sans cesse d'avoir perdu son portefeuille. Il le place toujours au même endroit dans la maison, sur la tablette du portemanteau de l'entrée. Lorsqu'il est chez lui, il vérifie souvent du regard que le portefeuille est bien à sa place. Lorsqu'il quitte son domicile, il glisse ses doigts dans la poche intérieure gauche de sa veste pour s'assurer que le portefeuille est bien là, puis il confirme l'absence du portefeuille visuellement en regardant le portemanteau. Une fois qu'il a quitté son domicile, il teste la présence du portefeuille soit en glissant les doigts dans sa poche, soit en tapotant à travers sa veste pour sentir sa présence. L'obsession est encore plus pénible lorsqu'il change de position, car il a peur que le portefeuille ne tombe. Dès qu'il se lève ou qu'il s'assied, dès qu'il interrompt un mouvement ou qu'il le commence (par exemple s'il arrête de marcher parce qu'il attend de pouvoir traverser une rue), il vérifie que le portefeuille est bien là.

La peur obsédante du désordre

L'obsession du désordre touche souvent les vêtements, les meubles, les objets familiers ou les objets de travail. La crainte du désordre est le plus souvent associée à la crainte de faire une erreur du fait du désordre. Mais le thème peut parfois être assez flou, comme une crainte de perdre le contrôle de l'environnement, sans conséquence précise. Dans ce cas, elle est assez proche d'une obsession de malheur*.

---

* Vous trouverez dans le chapitre « Jean-Charles, Claire et les autres... », p. 230, les histoires de Bernard et de Léonard détaillant des obsessions de désordre.

La peur obsédante d'oublier

La journée de Fabien commence par l'élaboration d'une liste de choses à faire. Tout est écrit. Il regarde la liste vingt à trente fois dans la journée. Il lui arrive de se lever la nuit pour inscrire quelque chose à faire sur la liste, par exemple, « ne pas oublier de mettre de l'essence dans la voiture ». Parfois, Fabien appelle sa mère au téléphone pour lui demander de le contacter au travail le lendemain, afin qu'elle lui rappelle de bien réserver l'hôtel pour les vacances. Enfin, il vérifie « dans sa tête » ce qu'il doit faire en se répétant mentalement la liste.

La peur de jeter par erreur

Franck, 30 ans, a peur de jeter par erreur. S'il manipule un objet près d'une poubelle, c'est-à-dire dans sa cuisine ou dans son bureau, il a peur que cet objet ne tombe accidentellement dans la poubelle. Il jette sans cesse un regard dans la poubelle pour s'assurer qu'il ne s'y trouve aucun objet important. Il vide rarement la poubelle. Quand le sac poubelle est plein à craquer, il doit alors en verser le contenu dans la cuisine et trier les objets, pour vérifier qu'il n'y a rien mis par erreur. Ce dernier tri réalisé, il peut enfin jeter la poubelle définitivement. Il garde aussi les revues et les journaux car il pense qu'il a peut-être oublié de lire une information capitale, comme une adresse utile ou les références d'un livre important. Son appartement est devenu un véritable capharnaüm où il ne retrouve plus rien.

La peur obsédante de ne pas avoir fait ce qu'il faut

Cette obsession est très proche de la peur d'oublier ou de la peur de ne pas dire ce qu'il faut.

Le soir, Lætitia ne peut s'empêcher de raconter sa journée à son ami. Quand elle rentre chez elle, elle lui énumère tout ce qu'elle a fait en détail, même les choses qui n'ont aucune importance, comme le fait d'avoir pris le bus. Si elle ne raconte pas tout, elle a l'impression qu'elle a peut-être fait quelque chose qui ne va pas. Souvent, elle recommence deux ou trois fois jusqu'à ce que, dans sa tête, elle puisse se dire : « Ça va. » Ou bien elle demande à son ami de lui dire : « Ça va. »

▪ *Les obsessions d'agressivité*

Le thème global de ces obsessions est la crainte de faire du mal aux autres. Selon elles, on peut faire du mal à quelqu'un :

• soit par une pensée superstitieuse : par exemple, le simple fait de penser du mal de quelqu'un provoquerait le malheur de celui-ci,

• soit directement par un acte : par exemple, on pourrait perdre le contrôle de soi-même et tuer son enfant avec un couteau de cuisine.

Ces obsessions peuvent être une simple idée, ou bien prendre la forme de véritables images de violence ou d'horreur : « Je me vois en train de le poignarder », ou « de le violer », ou encore « de l'écraser ».

Ces obsessions donnent l'impression que la pensée et l'action se confondent, et que le fait de penser revient à agir*.

Celui qui souffre de TOC ne comprend pas pourquoi ces idées lui viennent à l'esprit. De ce fait, ces obsessions entraînent souvent chez lui un intense sentiment de culpabilité. C'est dans ces cas que l'on observe parfois des tentatives de suicide, lorsque la culpabilité devient insupportable et même si le sujet ne souffre pas de dépression.

Détaillons maintenant les différents thèmes des obsessions agressives.

La peur obsédante de faire du mal

➤ Par un acte volontaire et dangereux

Ces obsessions sont parfois appelées des phobies d'impulsion : le sujet a peur de faire du mal « par perte du contrôle de soi ». Il

---

* L'histoire et le traitement de Jeanine et de Jacques, qui souffrent d'obsessions d'agressivité, sont détaillés dans le chapitre « Jean-Charles, Claire et les autres... », p. 230.

semble que ces obsessions touchent plus les femmes que les hommes. La naissance d'un enfant est parfois un facteur qui aggrave brutalement le trouble obsessionnel-compulsif, qui était jusque-là minime ou bien supporté.

Huguette, 66 ans, retraitée : « Je garde mon petit-fils le mercredi et, lorsque je me promène avec lui au parc, je pense tout à coup que je pourrais le jeter dans l'étang. Quand nous marchons dans la rue, l'idée me vient que je pourrais le pousser sous les roues du bus. Alors j'évite d'être seule avec lui au bord de l'eau et, quand nous marchons sur le trottoir, je le mets toujours du côté opposé à la chaussée. »

Parfois, l'acte redouté est moins impulsif que dans le cas d'Huguette et implique une séquence de comportements successifs dont le sujet perd le contrôle : voler une banque, être malhonnête avec une caissière.

Question : Quelqu'un qui souffre d'obsessions d'agressivité peut-il passer à l'acte ?

Réponse : Non. Le passage à l'acte exclut le diagnostic de trouble obsessionnel-compulsif. Généralement, ceux qui souffrent d'obsessions d'agressivité posent mille fois cette question : « Puis-je passer à l'acte ? » Ils la posent à leur famille, leurs parents, leur conjoint, leurs médecins. Ceux-ci leur répondent toujours la même chose. « Mais non, voyons ! » Alors ces hommes et ces femmes disent : « Mais vous êtes vraiment sûr que je ne peux pas passer à l'acte ? » Alors l'entourage répond : « Oui, bien sûr ! » Et puis ils demandent : « Mais comment pouvez-vous en être si sûr ? Expliquez-moi ce qui vous permet d'en être si sûr ! » Et ainsi, la mécanique obsessionnelle se met en place : sans fin. Les obsessions d'agressivité ne sont pas « réassurables » par la parole. Qu'on se le dise ! Donc inutile de répondre à cette question plus d'une seule fois. Après avoir répondu à celui qui souffre d'obsession agressive, il suffit de dire : « Je t'ai déjà répondu. Au lieu de me reposer sans cesse la question, tu ferais mieux de lire ce livre ! »

➤ Par inadvertance ou par erreur

Dans ce cas, le problème est très proche de celui d'une obsession d'erreur : peur de laisser une bouteille d'un liquide toxique ou des couteaux à portée d'un enfant. Le rituel est le plus souvent un rituel de vérification.

La peur obsédante de se faire du mal

C'est un thème un peu plus rare.

➤ Par un acte volontaire et dangereux

Christian, 36 ans, militaire de carrière : « Lorsque j'attends le bus, le métro ou le train, l'idée me vient que je pourrais tout à coup me jeter sous ses roues ou sur les rails. Pourtant, je n'ai aucune envie de me suicider. J'ai l'impression que je pourrais faire n'importe quoi. Cela m'arrive aussi sur les balcons, je me vois tout à coup enjamber la balustrade et me jeter dans le vide. Et pourtant je n'ai pas le vertige. »

➤ Par inadvertance ou par erreur

Patrice, 34 ans, ébéniste, divorcé : « Lorsque je quitte la salle de bains, j'ai toujours peur d'avoir avalé les petits objets, comme le bouchon de dentifrice. Je vérifie visuellement qu'il est bien sur le tube. Parfois, je le visse fort. De même pour le bouchon de mon flacon d'eau de toilette. Dans la cuisine, ce sont les bouchons de canettes de bière ou ceux des bouteilles de vin. J'ai peur aussi d'avaler la bonde de l'évier. Lorsque je jette un papier, je le froisse en une boule afin qu'elle soit trop grosse pour l'avaler par erreur. Je brûle les ordures plutôt que de les mettre à la poubelle afin d'être certain que tous les petits objets sont bien détruits et que je ne peux plus les avaler par erreur. »

Comme on le voit, cette obsession est assez proche des obsessions d'erreur.

La peur obsédante de laisser échapper des obscénités ou des insultes

Pascal, voyageur de commerce, 32 ans : « Lorsque je vois un client, je lui présente mes produits. À mesure que je parle, j'ai peur d'être incorrect ou agressif dans ce que je dis. Je ralentis alors mon débit de parole et j'essaie de chercher dans les yeux de mon client des signes de surprise. J'emploie souvent des tournures de phrases telles que « je m'excuse », ou « pardonnez-moi », ou « je m'excuse de vous importuner ». Je peux le dire à chaque phrase, ce qui exaspère mon interlocuteur et le rend agressif... Si je téléphone à un ami et que je tombe sur sa femme, je crains aussi qu'elle pense que je suis incorrect avec elle. Le plus souvent, lorsque c'est elle qui répond, je raccroche immédiatement. Dans un restaurant, pour appeler le serveur, j'ai toujours peur de me mettre à crier ou à lancer des insultes. Aussi, je préfère attendre patiemment et surtout ne rien dire. »

Le rituel consiste à avoir un langage exagérément châtié et finalement très maniéré. Parfois, cette obsession est prise à tort pour une timidité pathologique, que les spécialistes appellent la « phobie sociale* ».

▪ *Les obsessions de malheur*

C'est une pensée superstitieuse ou « magique ». Le centre de l'obsession est une superstition plus ou moins bizarre. Ces obsessions sont moins précises que la contamination ou l'erreur et comportent rarement des scénarios élaborés. La crainte obsédante est parfois floue et correspond à un malheur diffus. L'aspect le plus marquant de cette forme d'obsession tient aux rituels complexes et spectaculaires**.

---

* Pour en savoir plus sur la phobie sociale, voir « Avec quoi ne pas confondre le TOC », p. 112.
** L'histoire et le traitement de Roberta et Léonard, qui souffrent d'obsessions de malheur, sont détaillés dans le chapitre « Jean-Charles, Claire et les autres... », p. 230.

L'obsession de malheur liée aux nombres et aux couleurs

Marcel, 55 ans, agriculteur : « Si je suis dans la rue et que je passe devant une boulangerie, je sais que le mot "boulangerie" comporte dix lettres. Dix lettres, "cela ne va pas". Il faut que ce soit un chiffre impair. Je ne peux pas vraiment dire ce qui ne va pas. Il faut seulement que le chiffre qui me vient à l'esprit ne soit pas pair. Je cherche alors du regard un commerce dont le nom ait un nombre impair de lettres comme un bar (trois lettres) ou un tabac (cinq lettres). Pharmacie (neuf lettres), ça va, mais restaurant (dix lettres), ça ne va pas. Si je ne trouve pas de magasin ayant un nombre de lettres impair, je pense très fort à un magasin qui ait un nombre impair de lettres. Le pire, c'est quand je conduis et que le chiffre de la plaque minéralogique de la voiture devant moi est pair. Par exemple une voiture immatriculée : 7432 FG 33. Cette plaque ne va pas. Car 7432 est un nombre pair : je suis obligé de faire quelque chose. Si j'additionne les quatre chiffres 7+4+3+2 j'arrive encore à un chiffre pair. Je cherche un moyen d'arriver à un chiffre impair. Je peux me concentrer sur la plaque minéralogique d'une autre voiture, mais le plus souvent, je fais un calcul : ici les deux premiers chiffres du numéro minéralogique sont le 7 et le 4 ; je fais donc : 7+4=11 (impair) et les deux suivants sont 3 et 2 ; je fais : 3+2=5 (impair) et 5×11=55 (impair) donc ça va. G, c'est la septième lettre de l'alphabet, c'est impair, ça va. F est la sixième. Ça ne va pas. Mais 6+7=13 : impair, ça va. 33, cela ne va pas du tout ; cela a beau être impair, c'est deux fois le même chiffre, donc pair. Je multiple alors les deux chiffres : 3 par 3 cela fait 9, c'est impair, et il n'y a plus qu'un seul chiffre, et ça va. »

Les obsessions liées à l'espace

Elles sont liées aux formes, aux lignes et aux positions d'objets.

Nadia, 27 ans, secrétaire : « En marchant dans la rue, je cherche à être à un endroit parfaitement plat. Si ce n'est pas plat, il faut que je touche du pied quelque chose de plat un nombre impair de fois. Il m'arrive de me rapprocher du mur et de brièvement toucher le mur trois fois ou un multiple de trois. S'il y a un trou ou un arbre, je dois toujours passer à gauche. S'il y a des carreaux, je dois briser la ligne de jointure des carreaux un nombre impair de fois ou toucher un nombre impair de fois au moment de passer la ligne. Sinon, je redoute que quelque chose de négatif n'arrive. »

Les superstitions

La peur obsédante que quelque chose de terrible puisse arriver est généralement assez précise et concerne un malheur décrit clairement : le feu, un cambriolage, la mort, ou la maladie d'un parent ou d'un ami.

➤ La peur obsédante de porter malheur à autrui

Adrien, 20 ans : « Je passe devant un cimetière, et l'image de mon grand-père m'apparaît en pensée. L'idée me vient que cela pourrait lui porter malheur. J'adore mon grand-père. Plus j'essaie de ne pas penser à lui, plus son image est forte à l'esprit, et cela m'angoisse énormément. Si je vois une ambulance, un hôpital ou une pharmacie, l'idée me vient que cela va lui porter malheur. »

➤ La peur obsédante de porter malheur à soi-même

Carlos, commerçant en prêt-à-porter, 41 ans : « Je monte une affaire immobilière et, bien sûr, je prends le risque que cela ne marche pas. Parfois, je pense à mon ami Pierre qui a ouvert un magasin et qui a fait faillite. Je me dis que cette pensée va me porter malheur. Mon rituel consiste donc à penser immédiatement à un autre ami qui a réussi. Je me concentre dessus jusqu'à ce que la pensée négative disparaisse. Tous les échecs d'entreprises que l'on peut entendre à la télé (licenciements, dépôts de bilan, interpellations ou mises en examen de dirigeants d'entreprise pour malversation) déclenchent mes obsessions de malheur. Pour ne pas faire mes rituels, j'évite de regarder la télévision et spécialement les informations. »

▓ *Les obsessions sexuelles*

Ce thème d'obsession est moins fréquent que la contamination ou l'erreur. Les obsessions sexuelles ont fait couler beaucoup d'encre : trahissaient-elles au fond les désirs inconscients du sujet ? S'agissait-il de fantasmes refoulés, d'une libido mal assumée ? En fait, elles sont toujours très pénibles au sujet qui en souffre, à la différence des fantasmes qui sont agréables, ou du goût de l'interdit qui peut être excitant. Vécues avec culpabilité et honte, les obsessions sexuelles n'empêchent pas celui qui souffre de TOC d'avoir par ailleurs une vie sexuelle sans particularité.

Les obsessions de sexualité débridée

Jérémie est marié et a deux jeunes enfants. Dépanneur électroménager, il va souvent chez les clients réparer leur télévision ou leur lave-linge. L'obsession lui vient alors qu'il pourrait avoir des relations sexuelles avec des clientes. Il se voit soudainement perdre le contrôle de lui-même, faire des avances à la cliente et l'embrasser. Cette idée survient en dehors de tout désir et n'est pas liée au fait que la personne lui plaît ou non. C'est ce qui lui a fait comprendre qu'il s'agit d'une obsession. Il ne ressent aucun désir. Au contraire, le fait que cette pensée survienne sans raison, sans envie et sans plaisir le glace profondément. Il se sent très déprimé car il a l'impression d'être un pervers sexuel. Il essaie de se faire accompagner par un collègue dans ses dépannages, car, à force d'avoir ces pensées absurdes, il craint de passer à l'acte. Il veut donc se protéger de lui-même. Parfois, il croise une jolie fille dans la rue. Il se fait la réflexion qu'elle lui plaît beaucoup et éprouve du plaisir à la regarder. Il se dit que, s'il n'était pas marié, voilà une femme qu'il aurait aimé séduire ! Dans ce cas, il sait bien qu'il s'agit d'un désir normal, il fait bien la différence avec une obsession sexuelle.

Voilà une obsession sexuelle typique qui est bien différenciée d'un désir normal.

Les obsessions sexuelles agressives ou perverses

Souvent intriqué au premier cas décrit, ce type d'obsession est en fait plus fréquent que les obsessions de sexualité débridée. Les obsessions sexuelles perverses ou agressives choquent profondément le sujet qui en est atteint. Il souffre fréquemment de dépression quand il vient consulter. Il a l'impression de perdre la raison.

➤ Le thème des enfants

Écoutons Jérémie qui a aussi ce type d'obsession sexuelle.

« Lorsque je rentre chez moi et que je prends ma fille de 3 ans dans mes bras, l'idée me vient que je pourrais avoir des attouchements sexuels avec elle, lui mettre les doigts dans la culotte. Je me vois en train de le faire, c'est une image insupportable. »

➤ Le thème du viol et de la violence

Et toujours Jérémie à propos de sa fille :

« Il y a un an, je me voyais la battre puis la violer. Vous vous rendez compte ? Ma fille de 3 ans ! Je ne supportais plus de rester seul avec elle. Quand elle venait vers moi pour faire un câlin, je la repoussais. C'était horrible, j'avais vraiment l'impression de devenir fou. Je ne pouvais en parler à personne. Quand je voyais les affaires de pédophiles aux informations à la télévision, je me dégoûtais. Je me disais que j'étais comme eux. J'ai sérieusement pensé me tuer. »

Dans ce cas, on voit que le thème sexuel est intriqué à des obsessions d'agressivité : battre son enfant et la violer. Si le cas de Jérémie vous émeut, soyez rassuré. Jérémie a guéri avec un traitement par médicaments qui a été ensuite complété par une psychothérapie comportementale et cognitive.

➤ Le thème de l'homosexualité

Naturellement, il ne s'agit pas là d'homosexualité refoulée ou mal assumée. L'obsession homosexuelle est vécue comme étrangère au sujet, à ses désirs ou à ses valeurs :

Florence, 28 ans, mariée, une fille de 2 ans : « Je suis dans un supermarché en train de faire mes courses. D'autres clientes sont à côté de moi et l'idée me vient que je pourrais leur faire des avances, les embrasser sur la bouche. Je suis obligée de me répéter plusieurs fois dans ma tête "je ne veux pas !". Je ne me suis jamais sentie attirée par l'homosexualité. Il m'est arrivé, lorsque j'avais une quinzaine d'années, d'échanger des caresses avec une copine, mais j'ai rapidement arrêté. Si mes obsessions se réalisaient vraiment et si je faisais des avances à des femmes, certaines d'entre elles seraient d'accord. Je pourrais alors avoir des rapports sexuels, alors que je n'en ai pas envie, personne ne m'en empêcherait ! Cette image m'effraie car ce n'est pas du tout moi. »

➤ Les autres thèmes possibles

Nécrophilie, zoophilie, tout est possible. Ces obsessions sont encore une fois très déprimantes. Les personnes présentant ces obsessions sont terriblement honteuses et très affectées. En effet, autant le risque d'erreur est vécu comme un excès de méticulosité frileuse sans jugement de valeur trop négatif, autant les obsessions sexuelles entraînent un doute auprès des sujets atteints : « suis-je un sadique ? », « suis-je un pervers ? » se demandent-ils. C'est dans ces cas-là qu'il existe un risque suicidaire chez les individus souffrant de trouble obsessionnel-compulsif.

Les thèmes d'obsessions sexuelles sont rarement isolés, ce qui aide d'ailleurs à faire la différence entre fantasme et obsession. Nous avons vu que les obsessions sexuelles peuvent être intriquées à un thème d'agressivité à travers le viol. Mais elles sont aussi souvent associées au thème de la contamination : la « souillure morale » rejoint alors la « saleté physique ».

▪ *Les obsessions religieuses*

Les obsessions religieuses ont pour spécificité la crainte de déplaire à Dieu, de commettre un péché important ou un sacrilège et d'être un « suppôt de Satan ». Les obsessions religieuses rejoignent le plus souvent un thème de perfection, d'exactitude, de sexualité ou de malheur. Les rituels sont assez spécifiques car ce sont le plus souvent des rituels de confession et de prières. Les obsessions religieuses touchent toutes les religions.

Les obsessions religieuses de perfection et d'exactitude

C'est la forme la plus commune : la personne souffre d'un souci de perfection dans sa conduite, sa moralité et son culte. La différence avec un croyant pratiquant est que ce dernier ne prétend pas à la perfection. Le sujet obsessionnel considère, quant à lui, qu'il n'en fait jamais assez. Les prières sont répétées, ritualisées selon des chiffres magiques. Toute pensée négative ou blasphématoire doit être expiée par un rituel de prière. En voici un exemple chez un jeune homme de religion musulmane.

Samir, 23 ans, est en école d'ingénieur et vit chez ses parents : « Si mes petits frères et sœurs me posent une question et que je leur réponds quelque chose dont je ne suis pas vraiment certain, je vais toujours les revoir pour leur dire que je ne suis pas sûr de ce que je leur ai dit ou pour corriger ce que j'ai dit. Je n'ai pas le droit de les tromper. Si je les trompe, Dieu m'en voudra d'avoir abusé de la confiance qu'ils ont en moi. Évidemment, si je commets une erreur et que je ne m'en rends pas compte, Dieu ne m'en voudra pas, puisque ce ne sera pas intentionnel. Car nul n'est parfait hormis Dieu. Mais il peut m'en vouloir de ne pas avoir fait attention, de ne pas avoir vérifié, d'avoir été imprudent, car la frivolité est un péché. Alors je vérifie ce que je dis, et je corrige mes erreurs. Sinon, je commets une faute et un péché. Parfois, il est impossible de corriger car il est trop tard. Dans ce cas, je multiplie mes prières pour demander pardon à Dieu. Mais est-ce que mes prières seront suffisantes ? Est-ce que ce sont de "bonnes" prières ? Est-ce que je les ai bien faites ? Dieu ne va-t-il pas trouver que je manquais de conviction en priant ? Que je n'étais pas assez sincère ? Comment peut-on savoir que Dieu ne m'en voudra pas ? S'il m'en veut, c'est ma vie éternelle qui est menacée. Je préfère me repentir vingt fois, multiplier mes prières et demander pardon. »

On voit ici que l'obsession religieuse de commettre un péché est intriquée avec l'obsession d'erreur qui consiste en la crainte de ne pas être exact à tout moment.

Les obsessions religieuses sexuelles

Voici un exemple pour quelqu'un de religion chrétienne catholique.

Mireille a 72 ans. Elle est hospitalisée à la suite d'une tentative de suicide par médicaments. Elle est très réticente à livrer ses pensées et à expliquer ce qui lui arrive. Son mari me dit qu'elle passait de plus en plus de temps à l'église en prières. Dernièrement, elle demandait à se confesser deux ou trois fois par jour, ce qui exaspérait le curé de sa paroisse. Au bout de quelques jours d'hospitalisation, je commençais à suspecter un thème d'obsession sexuelle devant l'incapacité de Mireille à parler de la cause de ses prières. J'essayais de la déculpabiliser en lui racontant quelques histoires d'obsessions religieuses. Elle m'explique alors enfin : « Lorsque je prie devant la croix, je m'imagine tout à coup le Christ en érection sous son pagne. Je répète mes prières Je demande pardon. Et je le vois à nouveau en érection. En fait, je ne le vois pas, je ne suis pas hallucinée. Mais quand je regarde la croix et que je vois le Christ crucifié pour le pardon des hommes, l'idée me vient qu'il est peut-être en érection. Je pense que le Christ, qui a donné sa vie pour nous, est en train de "bander". C'est un péché impardonnable ! Je me suis confessée, et le curé m'a dit d'abord que c'était un grave péché. J'ai dû réciter des prières. Plus je récitais des prières, plus j'avais cette idée. Je me suis de plus en plus confessée. Le curé ne voulait plus me confesser à la fin. C'est là que j'ai décidé de mettre fin à mes jours pour rejoindre le Seigneur et implorer son pardon. »

Les obsessions religieuses de malheur

Sandrine, 19 ans, vient accompagnée de sa mère. Sa mère parle pour elle et me raconte que sa fille a l'obsession du diable. Pour Sandrine, certains mots « sataniques » portent malheur.

— *Alors, vous avez peur du diable ? lui dis-je.*
— *Je ne peux pas évoquer ce dont vous parlez. Ce mot, je ne peux pas le prononcer. Si je le prononce, c'est que je me rapproche de lui, c'est que j'accepte ses pensées.*
Elle remarque alors une petite statuette péruvienne de six centimètres de haut en pierre noire, qui est sur mon bureau. Elle représente une femme portant un fardeau et symbolise le travail. Sandrine regarde fixement ma statuette.
— *Il y a un problème avec ma statuette ? lui demandé-je.*
— *Je n'aime pas cela, le noir, c'est la couleur de celui que vous savez.*
— *Pour elle, me dit sa mère, c'est sûrement un objet maléfique parce que cela peut rappeler les messes noires.*
La mère m'explique les obsessions de sa fille en disant « l'autre » pour parler du diable, car Sandrine interdit qu'on utilise le mot « diable » dans la famille. La maman ne peut plus dire qu'elle a mal à la tête car le mot « mal » est interdit. Un jour, une photo représentant un taureau était posée sur un fauteuil du salon. Depuis, Sandrine ne peut plus s'asseoir sur ce fauteuil car le taureau représente le mal et va porter malheur. Sandrine fait de petits gestes conjuratoires pour chasser le diable. Elle vérifie mentalement ce qu'elle a dit ou fait, pour s'assurer qu'elle n'a prononcé aucune des phrases maudites et qu'elle n'a touché aucun objet tabou. Elle se lave les mains avec de l'eau bénite. De même, elle lave les « objets touchés par le mal ». Elle a demandé souvent à être exorcisée et elle téléphone plusieurs fois par jour au curé de la paroisse pour qu'il lui donne l'absolution. Les stocks d'eau bénite sont régulièrement renouvelés.
— *Qu'est-ce que vous pensez du fait que, moi, je n'ai pas peur de prononcer le mot « diable » et que je l'ai déjà prononcé plusieurs fois depuis le début de notre entretien ? lui demandé-je.*
— *Cela va peut-être vous porter malheur, me répond-elle. Mais ce qui compte, c'est que, moi, je ne porte pas malheur, ni à moi ni à ma mère.*

Comme on le voit dans ces deux exemples, c'est la famille qui explique les obsessions au médecin : le mari de Mireille et la mère de Sandrine. Car les patients sont parfois terrorisés par l'obsession. Pourtant, les obsessions religieuses ne sont pas plus convaincantes que les autres. Mais le risque lié à cette obsession est incomparablement plus grave : il est logique pour un croyant de craindre beaucoup plus le châtiment de Dieu qu'une infection ou une erreur...

Les compulsions

Les rituels ou compulsions sont presque toujours assez spécifiques des thèmes des obsessions. Mais il arrive que les rituels soient beaucoup plus perfectionnés que le thème obsédant, en particulier dans les obsessions de malheur.

Le rituel est fréquemment la partie émergée de l'iceberg des obsessions-compulsions : c'est-à-dire qu'un individu touché par le trouble obsessionnel-compulsif peut aisément cacher ses obsessions (ce n'est qu'une pensée), mais plus rarement son rituel, qui est la plupart du temps un geste. Cependant, il est parfois possible de deviner le thème obsédant en fonction du type de rituel.

Aussi présentons-nous ici la liste des rituels et les obsessions qui leur sont le plus souvent associées.

▓ *Les compulsions de lavage*

Elles sont bien sûr fréquemment associées à des obsessions de souillure, mais pas toujours.

Dans les obsessions de souillure

Le lavage peut être excessif : dans ce cas, le sujet utilise des quantités importantes de savon (jusqu'à plusieurs par jour) ou d'alcool (plusieurs bouteilles par semaine). Parfois, le lavage obéit à une séquence de gestes qui reste immuable, comme le rituel de lavage des mains de Mathieu :

« J'ouvre le robinet avec mon coude et je passe les mains sous l'eau en commençant par asperger l'avant-bras, en mettant la

main en bas de manière que la saleté tombe du coude vers les doigts. Puis je saisis le savon et je me lave en commençant par les avant-bras pour remonter vers les mains. Je rince l'ensemble. À ce moment, je lave le savon. Je reprends le savon et je me resavonne dans l'autre sens, les mains en l'air en commençant par elles et en redescendant vers les avant-bras. À mesure que l'eau (qui est salie) coule, elle le fait vers les avant-bras et ne contamine pas les mains. Dès lors, les mains sont propres, et je lave alors le robinet avec le savon. Puis je relave le savon et je recommence exactement la même séquence : m'asperger depuis les avant-bras vers les mains, puis laver le savon et relaver en partant des mains vers les avant-bras. Désormais, je suis propre, le savon est propre, le robinet est propre, et je peux fermer le robinet avec les mains. Alors, je m'essuie avec un linge qui m'est réservé, et c'est fini. Si je sens que cela ne suffit pas, je recommence tout de zéro. »

➤ Le lavage des mains

C'est le rituel de lavage le plus commun. On en voit un exemple ci-dessus. Parfois, les rituels sont tellement importants qu'ils sont abrasifs et qu'ils provoquent des lésions de la peau dues au lavage. Ces dermatoses de lavage sont bien connues des dermatologues. Une étude a trouvé que 14 % des personnes venant en consultation de dermatologie pour démangeaisons souffraient de trouble obsessionnel-compulsif [13]. On juge de l'importance des rituels de lavage des mains par :

1. le temps que le sujet y consacre,
2. le nombre de lavages qu'il effectue par jour,
3. le nombre de séquences successives nécessaires.

➤ Les soins du corps

Le rituel concerne la douche, le bain, le brossage des dents, le lavage des cheveux, selon des séquences proches de celles du lavage des mains. Il arrive ainsi que la facture d'eau, d'électricité ou de gaz du chauffe-eau devienne très lourde du fait de l'importance des compulsions de lavage.

➤ Le nettoyage d'objets personnels

Ce rituel répond à une volonté de créer des endroits et des objet propres. Par exemple, le lit ou la chambre doivent être absolument propres. Ou, encore, certains sujets se mettent à nettoyer les boîtes de conserve ou les courses quotidiennes avant de les ranger dans la cuisine. Les chaussures sont nettoyées. Le lieu de travail peut être concerné, la voiture également, et particulièrement le volant et les poignées de portière.

➤ L'hygiène des proches

Les obsessions deviennent ici tyranniques, et le sujet commence à exiger que l'entourage (parents, enfants, visiteurs) se soumette à leurs règles d'« hygiène », sous des prétextes divers : les enfants de personnes souffrant de TOC peuvent alors utiliser plusieurs pyjamas par jour, voire plusieurs lits selon le degré de saleté imaginé.

Dans les obsessions de malheur

Parfois, les rituels de lavage ont un rôle magique. Les ablutions ont alors la valeur d'un « lavage moral » ou d'une purification de l'âme. Par exemple, la personne peut sentir le besoin de « se laver d'une obsession sexuelle ». Ou encore, elle peut avoir un rituel de toilette en réponse à une obsession de malheur floue : bien commencer la journée peut nécessiter un rituel de douche précis. Dans ce cas, le nombre de lavages est plus important que la volonté de nettoyer : par exemple, il faudra laver le bras un nombre impair de fois.

▪ *Les compulsions de vérification*

Dans les obsessions d'erreur

La vérification est l'attitude logique vis-à-vis des obsessions d'erreur. La caractéristique essentielle de la vérification compulsive réside dans le fait qu'elle concerne des détails mineurs (l'électricité du salon est-elle bien éteinte ?) ou qu'elle est faite plusieurs fois, en général trois fois ou plus : le sujet « vérifie la vérification ».

Le plus souvent, le sujet contrôle les portes, les fenêtres, les serrures, la cuisinière, les appareils ménagers, le frein à main dans la voiture, le gaz, l'électricité, les robinets. Là aussi, un ordre bien précis de vérification est adopté selon une séquence comportementale immuable et fréquemment répétée.

La vérification peut consister :

1. en un contact : tirer une porte pour s'assurer qu'elle est fermée ;
2. en un contrôle visuel : la lampe est-elle éteinte ?
3. à refaire le geste : rouvrir une porte pour la refermer ensuite en se concentrant sur ce que l'on fait ;
4. en une vérification « spatiale » : passer la main sous le robinet pour se convaincre qu'il ne coule pas ;
5. en une récapitulation : le sujet récapitule, par exemple, à l'aide d'une liste, ce qu'il a fait ou ce qu'il doit faire.

Dans les autres obsessions

Moins fréquentes, ces vérifications sont plus discrètes. Par exemple, la personne peut vérifier :

➤ Dans les obsessions de souillure

• qu'il n'y a rien de collé à sa chaussure au moment de rentrer chez elle,
• que les objets sales sont bien isolés, etc.

➤ Dans les obsessions agressives

• que la fenêtre est fermée, si elle a peur de se jeter par la fenêtre ou de précipiter un enfant par la fenêtre,
• que les couteaux sont rangés, si elle craint de poignarder quelqu'un, etc.

➤ Dans les obsessions de malheur

• que les éléments de ses superstitions sont bien en place :
• qu'il n'y a pas d'objet diabolique,
• que la disposition des objets ne porte pas malheur, etc.

➤ Dans les obsessions sexuelles

• qu'elle est à une bonne distance d'une autre personne,
• pour un homme, que sa braguette est bien fermée,

- qu'il n'y a pas de taches pouvant évoquer le sperme sur son pantalon, etc.

▪ *Les compulsions d'ordre, de symétrie et de rangement*

Ces rituels d'ordre, de symétrie et de rangement s'observent à la fois dans les obsessions d'erreur et dans les obsessions de malheur. Ils répondent à une règle intérieure selon laquelle chaque chose doit être à « sa place ». Il existe quasiment une infinité de rituels de ce type. Cependant, ceux-ci touchent généralement le corps ou la maison.

Le rituel de symétrie peut consister en une disposition spécifique d'objets de la maison :

- les fauteuils ou les tableaux,
- les couverts de chaque côté de l'assiette lors des repas,
- l'alignement des verres dans le buffet,
- la place exacte des stylos sur un bureau.

Les rituels de symétrie peuvent aussi toucher :

- les portions alimentaires qui doivent être égales entre les participants d'un repas,
- les livres ou les cahiers dont les feuilles doivent être parfaitement plates, ce qui conduit parfois à aplanir les feuilles avec un fer à repasser.

Ou encore les ongles devront être coupés de façon parfaitement symétrique, de même que les cheveux de chaque côté du visage.

L'habillage du matin et le déshabillage peuvent être marqués par des rituels d'ordre et de rangement :

- la jambe droite d'un pantalon devra être enfilée avant la jambe gauche,
- les vêtements seront rangés le soir à un endroit très précis, ou pliés d'une certaine manière.

Pour l'ensemble de ces rituels, l'obsession d'erreur fait craindre au sujet qu'il y a quelque chose de « dérangé » et le conduit à recommencer tout le rituel, même s'il vient de le faire.

▪ *Les rituels de répétition et du toucher*

Les rituels de répétition correspondent le plus souvent à des obsessions de malheur floues. Ce sont souvent des rituels du toucher, par la main ou le pied. Par exemple, la personne touchera le sol avec le pied, de part et d'autre d'une ligne, ou elle touchera avec la main un objet particulier. Mais la répétition peut aussi consister à :
- se lever et s'asseoir plusieurs fois de suite en quelques secondes,
  - ouvrir et fermer une porte sans passer la porte,
  - baisser et relever une poignée de porte plusieurs fois de suite,
  - allumer et éteindre une lumière très rapidement,
  - ou encore monter et descendre une seule marche d'escalier*.

Mélanie est étudiante et a des obsessions de pensées de malheur superstitieuses. Les rituels consistent à manipuler ses bagues en les ôtant et en les remettant un certain nombre de fois. Ce rituel ne se produit que le matin en se levant et le soir avant d'aller se coucher. Lorsqu'elle passe des examens, la manipulation est beaucoup plus longue le matin et le soir, et est répétée avant de commencer l'épreuve.

La répétition est généralement rapide. Le sujet n'effectue pas une vérification : il cherche à ce que le nombre de répétitions corresponde à un chiffre magique de gestes. Le nombre de séquences (se lever/s'asseoir ; allumer/éteindre un interrupteur) est très variable, mais cette répétition est souvent de l'ordre de cinq à dix séquences à chaque rituel. Souvent, le chiffre recherché sera, pour un individu, toujours pair ou toujours impair. Parfois, il est lié à des croyances superstitieuses : par exemple, le chiffre 8 est bon pour quelqu'un qui est né le 8 février 1968, parce qu'il est répété deux fois dans la date de naissance. Il peut être aussi lié à des croyances religieuses : par exemple, 3 sera un bon chiffre parce qu'il correspond à la Sainte Trinité du Nouveau Testament : le Père, le Fils et le Saint-Esprit.

---

* L'histoire et le traitement de Roberta et Léonard, qui souffrent de rituels de répétition, sont détaillés dans le chapitre « Jean-Charles, Claire et les autres... », p. 230.

Lorsque le nombre de répétitions correspond à un chiffre déterminé, la compulsion de répétition est alors associée à un rituel mental d'arithmomanie.

Mais, parfois, celui qui souffre de compulsions de répétition ne cherche pas à atteindre un chiffre déterminé. Le rituel s'arrêtera lorsqu'il sentira que la force qui le pousse à accomplir ses gestes diminue. Il se dit alors que « ça suffit ».

■ *Les rituels mentaux*

Les rituels mentaux sont souvent cachés et longtemps méconnus par l'entourage qui est seulement frappé de la lenteur du proche pour les tâches quotidiennes. Le sujet semble préoccupé, ou « être ailleurs ».

Les rituels mentaux sont souvent liés à des obsessions de malheur floues. Il en existe plusieurs types.

L'arithmomanie

C'est le plus fréquent des rituels mentaux. Elle consiste à compter mentalement ou à faire des opérations mentales à partir de chiffres. On en a déjà fait une description détaillée à travers les obsessions de malheur de Marcel (p. 77).

Les phrases conjuratoires

Elles s'observent en particulier dans les obsessions agressives religieuses ou sexuelles. Reportez-vous à la description de Mireille (p. 83) qui faisait de véritables prières. Dans les obsessions sexuelles, le sujet peut se dire de petites phrases telle « non, je ne veux pas ! », comme dans le cas de Florence (p. 81).

Le besoin de dire ou de faire dire

C'est un rituel de confession qui fait vérifier à celui qui écoute le patient (un parent ou le conjoint) que tout est en ordre. Parfois, la personne de l'entourage doit elle-même prononcer une phrase. Ce rituel s'observe dans les obsessions d'erreur ou de malheur, comme dans le cas de Lætitia (p. 72). La confession peut être aussi celle d'un péché ou d'une faute, comme dans le cas de Mireille (p. 83).

La répétition mentale de certaines phrases

Cette répétition mentale est proche des rituels de répétition. Le sujet se répétera mentalement la dernière phrase de son interlocuteur, par exemple deux ou trois fois. Ces rituels s'observent dans les obsessions d'erreur ou de malheur.

La récapitulation des actes

Ce rituel s'observe dans les obsessions d'erreur et, en particulier, dans la peur obsédante d'oublier. Il consiste à ce que le sujet récapitule les différentes actions qu'il vient de réaliser en visualisant mentalement les images successives ou en se concentrant sur une liste de choses à faire et qu'il a en mémoire.

Pierre-Yves, médecin généraliste, 37 ans : « Quand je quitte le travail, je récapitule les différentes actions que j'ai faites durant la journée. J'ai comme des photographies dans la tête : moi en train de prescrire ce médicament à tel malade, moi en train de regarder cette radiographie sur laquelle je suspecte une tumeur (ne l'ai-je pas rangée sans la regarder ?), moi en train d'écrire les résultats d'un examen dans le dossier d'un malade (l'ai-je bien noté ?), moi en train de signer le chèque de cotisation à la retraite (l'ai-je bien signé ?). Et, enfin, moi en train de fermer la porte du bureau (n'ai-je pas oublié de la fermer ?). Je peux énumérer cette "liste mentale" plusieurs fois de suite. Cela me sert à me persuader que je n'ai pas oublié de faire quelque chose d'important. Si, au bout de toutes ces récapitulations, j'ai encore un doute, je peux retourner au cabinet vérifier le dossier du malade, ou l'enveloppe, si elle n'est pas postée. Il m'est déjà arrivé de convoquer un malade pour m'assurer de mon ordon-

nance. Mais, plus subtilement, je lui téléphone pour lui deman-
der des nouvelles de son traitement... »

Le perfectionnisme et la lenteur

Le perfectionnisme correspond à l'exécution très lente d'un geste de la vie courante, par exemple le fait de se raser ou d'écrire. Il est le plus souvent lié à des obsessions d'erreur qui conduisent à exécuter de manière rituelle un geste simple, de façon à s'assurer qu'il est correctement fait. Cela peut prendre aussi la forme d'une lenteur au travail. Ce perfectionnisme est totalement inadapté et conduit à faire souffrir cruellement le sujet.

> *Jean-Marie a 31 ans et vit avec son père. La journée commence par une obsession lors de la toilette : celle-ci risque d'être imparfaite. Ainsi, tout acte est très lentement exécuté. Après s'être lavé le visage normalement, Jean-Marie l'inspecte afin de bien observer comment il doit se raser. Puis il se met de la mousse à raser « ni trop, ni pas assez ». Alors, il commence le rasage de son visage avec un rasoir mécanique. Il cherche à bien respecter le sens de la pousse des poils de manière à ne pas s'irriter la peau, et à couper la barbe « bien à ras ». Puis il réinspecte son visage afin de repérer des zones de peau qu'il considère comme mal rasées. Il se remet alors « harmonieusement » de la mousse à raser et recommence. Le rasage du matin peut prendre jusqu'à une heure.*

Comme on le voit dans cet exemple, le perfectionnisme est assez proche des rituels d'ordre et de symétrie. La personne obéit à une compulsion de « bien faire » ou de « parfaitement faire » qui reste assez floue. Ce perfectionnisme est toujours inadapté et conduit à faire souffrir cruellement le sujet.

Les évitements

Presque tous ceux qui souffrent de trouble obsessionnel-compulsif tentent d'éviter les situations qui déclenchent des obsessions ou des rituels. Pour eux, mieux vaut éviter la confrontation que prendre le risque de s'engager dans des obsessions et des rituels interminables. Cependant, les évitements sont plus ou moins aisés à réaliser selon les thèmes des obsessions.

▣ *Dans les obsessions de souillure*

Très fréquents, ces évitements restent le plus souvent discrets, on a pu en voir de nombreux exemples dans ce livre. Plus rarement, ils conduisent à un paradoxe majeur du sujet souffrant d'obsessions de souillure : il peut vivre dans un endroit d'une grande saleté. En effet, plutôt que de commencer un rituel de propreté interminable, il préférera ne jamais faire le ménage. Dans ce cas, il n'osera plus faire rentrer qui que ce soit chez lui, tellement il a honte de l'état de sa maison.

▣ *Dans les obsessions d'erreur*

Les évitements peuvent conduire le sujet à faire accomplir à des personnes de son entourage des actes ou des gestes susceptibles de créer une erreur : faire poster une lettre, faire vérifier le réveil, l'électricité, les portes par un proche. Il peut aussi refuser certains emplois à responsabilité qui augmentent ses obsessions.

Dans la peur de jeter par erreur, l'homme ou la femme peut accumuler des dizaines d'objets usagés plutôt que de prendre le risque de les jeter par erreur : c'est ce que l'on appelle le « collectionnisme » qui consiste à accumuler sans fin, sans raison ni utilité.

▪ *Dans les obsessions agressives ou sexuelles*

Les évitements consistent à ne pas approcher le lieu dangereux : se tenir à distance d'une fenêtre, ne pas approcher une femme, ne pas rester seul avec un enfant... Cette fausse froideur est souvent mal comprise par l'entourage.

Le dénominateur commun

Nous voilà au terme de ce catalogue un peu fastidieux, dû à la diversité avec laquelle cette maladie s'exprime. Mais au-delà de cette apparente complexité, le trouble obsessionnel-compulsif correspond en réalité à un ensemble homogène de situations. Les obsessions consistent en la peur de provoquer un dommage, un préjudice ou un malheur. Le noyau de la maladie réside dans cette crainte de « provoquer par soi-même » un événement indésirable. Le sujet va alors chercher à prévenir ce dommage, par un rituel ou un évitement. Mais, fondamentalement, il ne choisit pas de faire ce rituel, le rituel lui est imposé par la maladie, il ne peut s'en empêcher qu'avec grande difficulté, c'est une compulsion.

Si cette longue description a rendu cette maladie confuse à votre esprit, sachez alors qu'en pratique on repère presque tous les TOC grâce aux questions suivantes :

LES QUESTIONS POUR REPÉRER
UN TROUBLE OBSESSIONNEL-COMPULSIF

A) Répondez-vous « oui » à au moins une de ces questions ?

1) Avez-vous anormalement peur :
   - d'être souillé ou de souiller ?
   - de commettre une erreur ?
   - d'être scandaleux ?

2) Vous sentez-vous obligé :
   - de laver plus qu'il n'est normal ?
   - de vérifier plus qu'il n'est normal ?
   - de ranger plus qu'il n'est normal ?
   - de vous dire des petites phrases ?
   - de compter intérieurement ?
   - d'être anormalement lent ?

B) Cette gêne vous occasionne-t-elle une perte de temps réelle d'au moins une heure par jour et/ou une souffrance objective ?

Si vous avez répondu :
   - au moins une fois « oui » à la question A
   - et « oui » à la question B

alors vous feriez mieux d'aller consulter car vous avez peut-être un trouble obsessionnel-compulsif.

CHAPITRE 4

Vous voulez approfondir vos connaissances sur le TOC

Ce chapitre est destiné à apporter, à celui qui le désire, des informations scientifiques sur cette maladie. Ces notions ne sont pas indispensables pour se soigner. Si elles vous intéressent moins, vous pouvez passer directement à la deuxième partie « Les clés du changement ».

Les rituels et les obsessions ont été décrits par les écrivains, bien avant que les psychiatres ne s'y intéressent. Il n'y a, pour s'en convaincre, qu'à citer les rituels de lavage de Lady Macbeth dans la célèbre pièce de théâtre de Shakespeare *Macbeth* (vers 1605).

Macbeth, pour devenir roi d'Écosse, tue le roi Ducan. Sa femme, Lady Macbeth, déclare alors à son mari dans l'acte II : « Allez chercher de l'eau et laver de votre main cette tache accusatrice (...). Un peu d'eau va nous laver de cette action. » Mais Macbeth poursuit sa folie meurtrière et tue les prétendants au trône, leurs femmes et leurs enfants. Dans l'acte V, le médecin vient voir Lady Macbeth et parle ainsi à la servante :
« LE MÉDECIN : Qu'est-ce qu'elle fait là ?... Regardez comme elle se frotte les mains.

LA SERVANTE : *C'est un geste qui lui est habituel, d'avoir l'air de se laver les mains. Je l'ai vue faire cela pendant un quart d'heure de suite.*
LADY MACBETH : *Il y a toujours une tache (...). Va-t'en, maudite tache ! Va-t'en ! (...) Quoi, ces mains ne seront donc jamais propres ?*
LE MÉDECIN : *Cette maladie échappe à mon art (...). En pareil cas, c'est au malade à se traiter lui-même. »*

Au milieu du XIXe siècle, les psychiatres français décrivent des tableaux d'obsessions-compulsions. Jean Esquirol (1838) parle de « monomanie » en décrivant des obsessions de saleté, Jules Falret (1866) emploie le terme de « folie du doute », terme que reprendra Legrand du Saulle (1875) en lui ajoutant le terme de « délire du toucher ». Augustin Morel (1866) parle, quant à lui, de « délire émotif ». La plupart de ces auteurs soulignent que les personnes atteintes de ce trouble sont conscientes de l'absurdité de leurs craintes. Puis, en 1903, le médecin et psychologue français Pierre Janet (1859-1947) propose une analyse détaillée du trouble dans son ouvrage *Les Obsessions et la psychasthénie*. À ce titre, Janet est souvent reconnu comme le premier à avoir clairement décrit cette maladie. Par la suite, le célèbre médecin autrichien Sigmund Freud (1856-1939) lui donnera son individualité par rapport aux névroses phobique et hystérique avec le qualificatif de « névrose obsessionnelle »[14].

Dans « L'homme aux rats », Freud raconte la psychanalyse d'un jeune homme qui souffre de pensées obsédantes de malheur : il est obsédé par la crainte de se trancher la gorge, ou qu'il n'arrive quelque chose de terrible à ses proches. Une autre de ses obsessions consiste à croire que, s'il épouse la dame qui a ses faveurs, il arrivera un malheur à son père, dans l'au-delà puisque ce dernier est décédé. Il a aussi l'obsession de ne pas comprendre ce qu'on lui dit. Aussi, il fait répéter compulsivement ses interlocuteurs. Il souffre également de rituels mentaux d'arithmomanie.
Ce cas doit son nom d'« homme aux rats » au fait que le patient avait rapporté à Freud la description d'un supplice, pratiqué en

Orient, qui utilisait des rats, et qui lui avait été raconté par un
officier alors qu'il faisait son service militaire.

La psychanalyse en restera à cette dénomination de névrose obsessionnelle tandis que la psychiatrie inscrira cette maladie sous le terme de « trouble obsessionnel-compulsif » dans la classification américaine des troubles mentaux en 1980[15]. Depuis lors, cette dénomination est restée identique dans la classification américaine des troubles mentaux[16] ainsi que dans la classification de l'Organisation mondiale de la santé[17].

Connaît-on la fréquence du TOC ?

Le trouble obsessionnel-compulsif est une maladie fréquente. Elle touche entre 1,6 % à 2 % de la population adulte d'après les études épidémiologiques américaines[18][19]. Ces chiffres ont été retrouvés, avec quelques variations, dans tous les pays où la maladie a été étudiée. Le trouble obsessionnel-compulsif est ainsi reconnu comme étant la quatrième pathologie psychiatrique la plus fréquente après les troubles phobiques, les troubles liés à des toxiques (alcool et drogues) et les troubles dépressifs. En France, on ne dispose pas d'étude épidémiologique du TOC. Cependant, appliquée à la population française[20], la fréquence retrouvée dans les autres pays indiquerait que plus de neuf cent mille personnes adultes seraient touchées par le trouble obsessionnel-compulsif dans notre pays, sans compter les enfants et les adolescents.

Le trouble obsessionnel-compulsif peut toucher n'importe qui. À ce titre, un certain nombre de personnages célèbres en ont souffert. Le célèbre producteur de cinéma et milliardaire américain Howard Hugues (1905-1976) souffrait d'obsessions de souillure très marquées qui le confinaient dans son appartement où il vivait dans un état de saleté très importante et dans un isolement monacal, enferré dans ses évitements[21]. L'écrivain Émile Zola (1840-

1902) est décrit par le médecin Édouard Toulouse avec des obsessions de doute et de malheur. Il présentait des rituels d'arithmomanie et des rituels du toucher[22]. L'Association française de personnes
souffrant de troubles obsessionnels-compulsifs (AFTOC), en France,
et l'Obsessive Compulsive Foundation, aux États-Unis, examinent
régulièrement les biographies révélant ce trouble chez des personnages célèbres. Certains étant en vie, nous n'entrerons pas dans ce
débat, sauf pour prouver que le trouble obsessionnel-compulsif est
une maladie qui touche seulement l'une des fonctions psychiques. Il
ne fait pas de ces patients célèbres des incapables, mais seulement
des hommes et des femmes qui partagent une souffrance avec tant
d'autres anonymes.

Chez l'enfant, il n'y a que très peu d'études systématiques en
population générale, et celles-ci ont été réalisées sur de faibles
échantillons[23]. Les données disponibles estiment le trouble à 0,8 %
d'une population d'adolescents[24]. Seulement 10 % des enfants
souffrant de TOC viennent consulter avant l'âge de 7 ans. Les gar-
çons ont tendance à voir leur trouble se déclarer avant la puberté,
tandis que les filles viennent consulter au moment de la puberté.
Les formes précoces présentent plus de rituels que d'obsessions et
sont plus souvent associées à des tics. L'une des formes de tics
dont souffre l'enfant atteint d'obsessions-compulsions est le syndrome de Gilles de La Tourette dont nous parlerons un peu plus
loin.

Sait-on comment le trouble s'installe ?

Le début peut être progressif, et le sujet voit le trouble s'installer
lentement en plusieurs mois ou plusieurs années. Parfois, le TOC
s'installe plus brutalement, en quelques semaines.

C'est une maladie du sujet jeune puisque 65 % des patients
décrivent un début avant l'âge de 25 ans et environ un tiers dès
l'enfance[25]. L'âge de début est typiquement entre 3 et 18 ans[26], en

moyenne à l'âge de 12 ans[27, 28]. La maladie débute après 35 ans chez seulement 15 % des sujets.

Il y a globalement autant d'hommes que de femmes qui souffrent de TOC. Cependant, les thèmes des obsessions-compulsions sont influencés par le sexe : il y a plus de rituels de lavage et plus d'obsessions agressives chez les femmes, alors qu'il y aurait plus de rituels de vérification chez les hommes.

Peu de personnes racontent, comme Pierre, un début de trouble clairement identifié. Pierre souffrait de rituels de vérification et perdait trois à cinq heures par jour quand il vint me consulter. Il raconte le début de ses obsessions :

« Alors que j'avais 28 ans, c'est-à-dire il y a quinze ans, je me déplaçais fréquemment, du fait de mon métier de voyageur de commerce. Il m'arrivait donc souvent de dormir à l'hôtel, ou, lorsque j'étais dans des endroits plus isolés, chez l'habitant. Un soir d'hiver, je me trouvais dans l'est de la France, en Champagne crayeuse. J'ai pris une petite chambre, chez l'habitant, qui était chauffée avec un chauffage au gaz. Le chauffe-eau se trouvait dans ma chambre. Au moment de me coucher après mon dîner, la pensée m'est venue subitement que j'aurais pu mourir d'asphyxie durant mon sommeil. C'était la première fois que je ressentais une telle anxiété en pensant à une mort accidentelle. Ce soir-là, cette pensée ne voulait pas me laisser en repos. Impossible de dormir. Je me suis levé régulièrement pour vérifier que la veilleuse du chauffe-eau était bien allumée. Finalement, cédant à mon angoisse, j'ai ouvert la fenêtre de la chambre pour permettre au gaz, qui aurait pu fuir du chauffe-eau, de s'échapper et de ne pas m'asphyxier. Malgré cela, j'ai très mal dormi (peut-être aussi à cause du froid) et j'ai inspecté plusieurs fois le chauffe-eau. Dès le lendemain, j'ai changé de chambre. C'est de ce jour-là que j'ai commencé à vérifier. »

Quelle est l'évolution
sans traitement ?

Généralement, la prise de conscience du trouble par le sujet se fait par étapes. Bien toléré au début, le phénomène des obsessions-compulsions connaît des phases d'aggravation, suivies par des améliorations partielles qui laissent espérer une évolution favorable.

Mais le trouble fluctue et est susceptible de s'aggraver à l'occasion d'un événement particulier, et des rituels bien tolérés jusqu'alors deviennent inacceptables*.

Non traitée, l'évolution va avoir tendance à être chronique et fluctuante, si la personne n'est pas soignée. Les guérisons spontanées et sans traitement sont peu fréquentes [29]. Une étude récente [30] s'est intéressée à l'évolution du trouble chez 123 personnes souffrant de TOC. Elles ont été suivies durant plus de quarante ans, de 1954 à 1989, à une époque où les traitements étaient encore peu connus ou peu utilisés. Les chercheurs ont pu montrer que 12 % des sujets avaient souffert de TOC pendant une durée de moins de cinq ans, 37 % avaient souffert d'au moins deux épisodes d'obsessions-compulsions avec des périodes de rémission entre les épisodes, et 51 % des sujets avaient souffert de la maladie pendant plus de cinq ans.

L'évolution du trouble avec traitement sera abordée dans la deuxième partie du livre.

* Voir « Au fil du temps : les fluctuations du TOC », p. 46.

Quelles sont les complications possibles ?

La complication essentielle est la dépression majeure. Environ 50 % des personnes souffrant de TOC font un épisode dépressif majeur dans leur vie. La dépression majeure est une maladie qui associe de façon durable, c'est-à-dire pendant plus de quinze jours, des signes tels que tristesse, perte d'énergie, perte de plaisir, perte de désir, perte d'appétit, troubles de concentration, troubles de mémoire et troubles du sommeil. La tristesse peut aller jusqu'au désespoir, voire conduire à des idées suicidaires ou à des tentatives de suicide. L'anxiété peut être alors accrue jusqu'à une tension intérieure permanente. La dépression majeure est un trouble psychique qu'il convient de soigner en allant consulter un médecin.

Question : Est-il déconseillé d'être enceinte ou d'avoir un enfant à cause du trouble obsessionnel-compulsif ?

Réponse : Non, le trouble obsessionnel-compulsif ne vous empêche absolument pas d'avoir des enfants. Cependant, la grossesse risque d'aggraver le trouble obsessionnel-compulsif, surtout au troisième trimestre et après l'accouchement[31]. C'est également une période à risque de complication dépressive[32]. Il est donc très important d'être suivie par un spécialiste au cours de cette période.

Question : J'ai des problèmes sexuels en ce moment. Est-ce à cause de cette maladie ?

Réponse : À moins que les obsessions ne concernent le thème sexuel (par exemple, la « saleté » du sperme ou la peur d'un contact), le trouble obsessionnel-compulsif ne touche pas la sexualité. La vie sexuelle du sujet peut cependant être gênée par le fait qu'il a du mal à « s'abandonner » à l'intimité en repensant à ce qu'il a fait durant la journée. Il suffit dans ce cas de « finir ses vérifications ». Il y a les effets des médicaments sur la sexualité, mais nous en parlerons ultérieurement.

Chez l'enfant, la dépression est aussi la principale complication du TOC. La dépression majeure est retrouvée chez plus d'un quart des enfants souffrant de TOC[33]. La dépression associe, comme chez l'adulte, de la tristesse, des troubles de l'appétit avec de fréquentes difficultés au sommeil. La perte d'intérêt et de plaisir dans les activités habituelles se remarque par le fait que l'enfant joue moins, ou même plus du tout. Ses difficultés à se concentrer ainsi qu'une perte de mémoire entraînent fréquemment une chute des résultats scolaires.

Ces signes, que tous les enfants peuvent éprouver momentanément, s'installent ici durablement pour constituer une dépression.

Quelles sont les maladies parfois associées ?

Plusieurs maladies sont parfois associées au trouble obsessionnel-compulsif :

■ *Le syndrome de Gilles de La Tourette*

C'est une maladie rare (quatre sujets pour dix mille) qui débute durant l'enfance et l'adolescence et qui consiste en des tics d'un genre particulier.

Un tic est un mouvement dû à la contraction soudaine, rapide et répétée d'un ou plusieurs muscles. Un tic se différencie d'une compulsion par les caractéristiques suivantes :

1. Il n'y a aucune intention du sujet : c'est une activité automatique et incontrôlée.

2. Il n'y a aucune pensée qui précède le tic, ni aucune pulsion qui dirait au sujet lui-même « fais-le », au contraire d'un rituel.

3. Il n'y a pas d'anxiété qui précède le tic, mais plutôt une tension intérieure.

4. Un tic survient à n'importe quel moment, mais particulièrement lors de fortes émotions, alors qu'une compulsion est déclenchée par une situation particulière et est associée à une obsession. Enfin, il est beaucoup plus difficile de s'empêcher d'avoir un tic que de faire un rituel.

Mais les tics d'un syndrome de Gilles de La Tourette ont certaines particularités : les tics moteurs doivent être associés à un ou plusieurs tics vocaux : claquement de langue, grognements, aboiements, reniflement, toussotement, ou plus simplement un mot[34]. Ce mot est compréhensible ou non, et peut, dans de rares cas, être un mot grossier ou obscène qui met le sujet et l'entourage dans l'embarras. Les tics vocaux peuvent être associés à un mouvement de jambe ou de bras.

Seulement 7 % des personnes souffrant de trouble obsessionnel-compulsif souffrent aussi de syndrome de Gilles de La Tourette[35]. Tandis que le tiers des sujets souffrant de maladie de Gilles de La Tourette souffrent aussi de TOC[36]. Dans le cas où le sujet souffre à la fois de syndrome de Gilles de La Tourette et de trouble obsessionnel-compulsif, il est indispensable de consulter un spécialiste car le traitement diffère assez nettement du traitement d'un TOC isolé.

▪ *Les autres troubles*

Ces associations sont plus complexes et nécessitent elles aussi d'aller consulter un spécialiste. Les troubles qui peuvent être associés au TOC sont les suivants :

1. Les troubles des conduites alimentaires, en particulier l'anorexie mentale.

2. Le trouble bipolaire de l'humeur, fait de successions d'épisodes dépressifs et de phases d'excitation maniaque : dans ce cas, les obsessions et les rituels s'aggravent le plus souvent durant les pha-

ses dépressives de la maladie et ont tendance à s'améliorer durant les phases d'excitation. Rappelons que le terme d'accès « maniaque » est un terme psychiatrique qualifiant une des phases du trouble bipolaire. Cela est sans rapport avec le langage courant qui appelle « maniaque » une personne qui fait des rituels.

3. La trichotillomanie, qui consiste à s'arracher les cheveux, les cils ou les poils de façon compulsive.

4. Le jeu pathologique, qui consiste à jouer à des jeux d'argent et à perdre de façon répétée des sommes considérables sans pouvoir le contrôler.

5. Il a été montré que les sujets ayant un trouble obsessionnel-compulsif souffraient assez fréquemment [37] d'un autre trouble anxieux, en particulier de phobies ou de trouble panique*.

Comment expliquer l'origine et les mécanismes du trouble ?

La tentation est grande de relier un symptôme obsessionnel à un événement de la vie du sujet. Par exemple, on pourrait penser qu'un enfant peut acquérir des obsessions de saleté parce que sa mère lui fait laver les mains très consciencieusement : le message maternel serait ainsi détourné et exagéré. Cependant, on n'a jamais pu montrer de causalité nette entre l'éducation et le trouble obsessionnel-compulsif. De même, le début d'un trouble obsessionnel-compulsif peut coïncider avec un événement. Par exemple, la nomination d'un employé de bureau au poste de chef de bureau déclencherait chez lui des rituels de vérification. Cette nouvelle responsabilité engendrerait ces symptômes, parce qu'il est responsable d'autres employés. Cependant, on n'a pas pu prouver qu'un facteur de stress soit la cause de la maladie.

---

* Vous verrez la définition de ces troubles dans « Avec quoi ne pas confondre le TOC ? », p. 112.

Question : Quelle est la cause de mes symptômes ?

Réponse : La cause du trouble obsessionnel-compulsif est inconnue. Ainsi, la question « pourquoi est-ce que je souffre de trouble obsessionnel-compulsif ? » n'a pas de réponse claire à ce jour. Mais il est utile de préciser qu'en ce sens, le trouble obsessionnel-compulsif n'est pas différent de la plupart des maladies, que ce soit en psychiatrie ou en médecine. « La cause ? Cause toujours ! » disait un célèbre psychanalyste français des années 1970, Jacques Lacan. En effet, rares sont les maladies dont on connaît réellement la cause. Même dans la grippe, dont on connaît l'agent infectieux (le virus de la grippe), on ne sait pas pourquoi Pierre aura la grippe et non sa femme qui vit avec lui. À part quelques maladies, comme le cancer bronchique où le tabac est presque exclusivement incriminé, il est peu courant en médecine d'avoir des connaissances utiles concernant la cause. Pourquoi ce jeune garçon a-t-il été touché par un diabète et non son frère ? La maladie, comme la vie, garde sa part de mystère. Cependant, en médecine, il n'est pas nécessaire de connaître la cause pour soigner avec efficacité la maladie. Un psychiatre pourra dire à son patient souffrant de trouble obsessionnel-compulsif : « Je ne sais pas *pourquoi* vous souffrez de cette maladie, mais je sais *comment* vous soigner. » N'est-ce pas l'essentiel ?

Il existe plusieurs théories du trouble obsessionnel-compulsif. Ces théories regroupent un certain nombre de connaissances que nous allons aborder [38].

■ *La théorie neurochimique*

Le cerveau est organisé selon des circuits de neurones. La jonction entre deux neurones s'appelle la « synapse ». La transmission de l'information entre les neurones se fait par des substances chimiques particulières que l'on appelle des neuromédiateurs. Il existe plusieurs « neuromédiateurs » dans le cerveau, comme l'adrénaline, la sérotonine ou encore la dopamine.

Le neuromédiateur incriminé dans le trouble obsessionnel-compulsif est la sérotonine. Tout se passe comme si le circuit de neurones utilisant la sérotonine pour transmettre l'information était ralenti dans le TOC. Les principaux arguments sont issus des essais médicamenteux dans cette maladie. Ces essais ont prouvé très clairement l'efficacité spécifique d'une famille de médicaments qui agissent sur la sérotonine du cerveau. Ces médicaments sont les « inhibiteurs de la recapture de la sérotonine » qui augmentent la sérotonine dans la synapse. Cependant, la corrélation stricte entre le système de la sérotonine et le TOC est encore loin d'être établie. En particulier, d'autres neuromédiateurs sont impliqués partiellement dans le trouble, comme la dopamine.

■ La théorie neuro-anatomique

La théorie neuro-anatomique souligne que des zones particulières du cerveau sont concernées dans le trouble obsessionnel-compulsif. Ces zones sont habituellement riches en connexions synaptiques impliquant la sérotonine, ce qui vient confirmer la justesse de la théorie neurochimique. Cette théorie a profité des progrès considérables réalisés en imagerie fonctionnelle cérébrale par deux techniques particulières : la caméra à émission de positons et l'imagerie par résonance magnétique. Ces techniques permettent d'examiner le cerveau « en train de fonctionner », en produisant des images des zones cérébrales qui « travaillent ». Des études ont pu constater des images différentes entre les sujets normaux et les sujets souffrant de TOC[39]. Ces différences s'observent dans des zones particulières du cerveau, qui sont le noyau caudé, le cortex orbito-frontal et le cortex cingulaire. Cette théorie est cependant sans application directe sur le plan thérapeutique.

■ La théorie génétique

Les études des « vrais » jumeaux donnent les principaux arguments à une participation génétique du trouble. Certains jumeaux sont issus de la division du même « œuf », né de la fécondation d'un ovule par un spermatozoïde : ils ont exactement les mêmes gènes, et on les appelle des jumeaux « vrais » ou « homozygotes ».

Des études ont recensé les sujets souffrant de TOC et ayant un « vrai » jumeau, homozygote. Dans ces études, 60 % des jumeaux vrais [40] de sujets souffrant de TOC présentent eux aussi le trouble. Ce chiffre peut paraître important. Cependant, une théorie génétique stricte aurait prédit que 100 % des frères et sœurs jumeaux auraient dû être atteints. Ainsi, la théorie génétique, si elle a de solides arguments concernant le TOC, n'explique pas la maladie à elle seule. Cette théorie est, elle aussi, sans conséquence thérapeutique.

Question : Est-ce qu'il y a des risques de transmettre ma maladie à mes enfants ?

Réponse : Des études se sont intéressées aux familles des personnes souffrant de TOC. Concernant les parents du premier degré (frère, sœur, enfant, père et mère), on ne retrouve que 10 % de sujets présentant eux-mêmes un TOC, soit cinq fois plus que le risque de la population générale [41]. Autrement dit, 90 % des frères, sœurs, enfants, père et mère du sujet atteint de TOC ne présentent pas de trouble obsessionnel-compulsif. Ces études, encore peu nombreuses, indiquent ainsi que les enfants de parents souffrant de trouble obsessionnel-compulsif ont peu de risque d'avoir eux-mêmes ce trouble, même si ce risque est plus important que le risque de la population générale.

▪ *La théorie comportementale*

La théorie comportementale souligne deux phénomènes importants [42] :

1. Si la cause des obsessions-compulsions est inconnue, le maintien du trouble s'explique par un mécanisme d'apprentissage : si le sujet souffrant de TOC fait un rituel qui apaise momentanément l'anxiété, ou bien s'il évite une situation provocatrice d'obsessions, il renforce l'obsession. Ainsi, l'apaisement de l'obsession par le

rituel ou l'évitement conduit finalement à augmenter le rituel lui-même [43].

2. Le rituel empêche la confrontation du sujet aux obsessions. Ainsi, le rituel l'empêche de s'habituer à l'obsession. Au contraire, s'il affronte cette obsession pénible sans faire de rituel, l'obsession va perdre progressivement de sa fréquence, de son intensité et de sa charge anxieuse. Dans le jargon du modèle comportemental, cette baisse progressive des caractéristiques pénibles de l'obsession s'appelle l'« habituation ».

Cette théorie est très importante en pratique. Elle a entraîné la mise au point d'une technique majeure dans le traitement du trouble obsessionnel-compulsif, la psychothérapie comportementale par exposition graduée avec prévention de la réponse. Celle-ci sera largement développée dans la deuxième partie de ce livre.

■ *La théorie cognitive*

La théorie cognitive du trouble obsessionnel-compulsif constate que le thème obsédant, par exemple l'idée de saleté ou de l'erreur, est en elle-même un phénomène banal. Nous avons largement illustré cette constatation dans le chapitre « Vous voulez savoir ce qui est normal et ce qui ne l'est pas » (p. 50). En revanche, le modèle cognitif souligne que les conséquences psychiques de ce thème obsédant « normal » sont perturbées dans le TOC. Deux mécanismes expliquent le retentissement anormal du thème obsédant et permettent le développement de la maladie [44] :

1. La personne souffre d'une anxiété excessive face au thème obsédant banal qu'elle a à l'esprit.

2. Du coup, cette personne ne croit pas que cette pensée obsédante soit banale. Elle pense au contraire que des catastrophes vont se produire si elle ne prend pas des précautions. Par exemple, elle croit que la saleté entraîne un risque de contamination sérieux qui peut provoquer un cancer incurable, qui se transmettra à son conjoint ou à ses enfants. Ou encore, elle va penser qu'un oubli de fermeture de l'électricité de la maison peut avoir pour conséquence l'incendie de la maison, la mort des occupants ou la ruine de la

famille. Cette fixation dramatique et automatique de l'obsession est parfois inconsciente au sujet lui-même [45].

Cette théorie a abouti à un développement thérapeutique important, la psychothérapie cognitive, qui remet en cause et modifie les croyances obsessionnelles. Nous développerons longuement cette technique dans la deuxième partie de ce livre.

▪ *La théorie psychanalytique*

Les obsessions ont été l'objet de longs développements de l'école psychanalytique. La théorie psychanalytique postule que les obsessions-compulsions se développent à partir de fixations et de régressions au stade anal du développement psychologique de l'enfant. Selon la psychanalyse, les symptômes obsessionnels et les rituels sont des défenses psychiques contre l'expression d'une agressivité inconsciente. Par exemple, concernant les obsessions agressives, la psychanalyse part de l'idée que l'on peut nourrir des sentiments hostiles envers les gens que l'on aime. Cette ambivalence fonde le conflit.

Cette théorie a conduit à la mise au point d'une technique de psychothérapie particulière, la psychothérapie psychanalytique, pendant laquelle la personne s'exprime le plus librement possible pour prendre conscience de son agressivité refoulée.

Pour intéressante qu'elle soit, cette théorie n'a jamais eu de résultats pratiques : il n'a pas été observé d'efficacité de la psychanalyse dans le traitement du trouble obsessionnel-compulsif. Il existe cependant un certain vide scientifique dans ce domaine, dans la mesure où les psychanalystes n'incorporent pas de mesures objectives du trouble dans leurs publications, ce qui limite considérablement l'évaluation de ces psychothérapies.

Question : Mes rêves sont-ils importants ?

Réponse : Selon Freud, l'étude des rêves est la voie royale d'accès à l'inconscient où se trouvent les nœuds de fixation du développement psychique [46]. Nous avons comparé les rêves d'hommes et de femmes souffrant de trouble obsessionnel-compulsif à ceux de

sujets normaux par une méthode très précise de recueil et d'évaluation des rêves. Cette étude n'a pas retrouvé de différence entre
les rêves des sujets souffrant de TOC et les sujet normaux. Les
rêves, dans le trouble obsessionnel-compulsif, semblent donc sans
particularité [47].

Avec quoi ne pas confondre le TOC ?

En général, le trouble obsessionnel-compulsif est de diagnostic
facile. Cependant, les personnes souffrant de TOC ont parfois
entendu le nom d'une autre maladie pour qualifier leur problème.
Ainsi, j'ai pu voir de nombreux patients à qui l'on avait dit qu'ils
avaient une anxiété généralisée, des problèmes phobiques, une
dépression, voire parfois des idées délirantes, alors qu'ils souffraient de TOC typique. Il est donc important de se repérer. Signalons enfin que l'on peut souffrir de TOC et avoir un autre trouble
psychique, qui nécessite alors un autre traitement. En cas de doute,
il est nécessaire d'aller consulter un spécialiste.

▪ *Les autres troubles anxieux*

Le TOC faisant partie des troubles anxieux, il partage avec eux
la souffrance émotionnelle. Au-delà, il est très différent des autres
troubles anxieux, que nous allons détailler.

Le trouble panique

Il consiste à éprouver de brutales crises d'angoisse qui se manifestent par des sensations physiques alarmantes : palpitations car-
diaques, difficultés à respirer, vertiges, etc.
Ces signes physiques sont associés à des impressions tout aussi
alarmantes : impression de s'évanouir, de faire un infarctus ou une
attaque cérébrale, etc.

Ces crises sont en règle générale brèves et restent sans cause apparente, d'où les très fréquentes consultations du sujet auprès de nombreux médecins pour vérifier qu'il ne souffre pas d'une maladie. En dehors des crises, la personne se sent bien, mais elle appréhende de faire une nouvelle attaque de panique, ce qui la conduit parfois à éviter certains lieux où elle ne se sent pas en sécurité.

Les phobies spécifiques

L'angoisse est ici liée à une situation précise, comme l'avion, la hauteur ou à la présence d'un animal comme une souris, ou une araignée. La situation qui déclenche l'angoisse est appelée une situation « phobogène ». En dehors de la situation phobogène, la personne se sent parfaitement bien.

Ceux qui souffrent d'obsession de la saleté se sont souvent entendu dire qu'ils souffraient de « phobie de la saleté ». Pourtant, les obsessions de saleté ne sont pas une phobie pour deux raisons :

1. L'évitement de la saleté ne rassure pas totalement quelqu'un qui souffre de TOC, alors que l'évitement de l'avion rassure totalement un sujet phobique de l'avion. Dans le TOC, l'idée obsédante se maintient en une rumination, même en l'absence de saleté.

2. La présence d'un rituel de lavage exclut le diagnostic de phobie.

L'agoraphobie

C'est une peur phobique liée à l'espace. Les personnes craignent :

1. Soit l'éloignement de chez elles, que ce soit, selon les cas, le bout de la rue ou à cent kilomètres.

2. Soit d'être coincées dans un endroit clos et confiné, comme une foule ou une salle de spectacle.

Dans les deux cas, elles ressentent une angoisse insupportable proche de ce que l'on observe dans l'attaque de panique. Le train ou le bus réunissent les deux situations redoutées par l'agoraphobe : il s'éloigne de chez lui et ne peut s'échapper du véhicule.

Le sujet atteint d'obsessions-compulsions évite parfois certains lieux, mais pour d'autres raisons : ces lieux déclenchent des obsessions de saleté ou des rituels de symétrie ou d'ordre.

L'état de stress post-traumatique

Ce trouble consiste à avoir des souvenirs pénibles d'un traumatisme important, comme un accident, une agression, un viol ou un attentat. Ces réminiscences peuvent ressembler à des obsessions, mais le thème est toujours lié au traumatisme lui-même, qui s'exprime par des souvenirs en « flash-back ». On retrouve aussi d'autres signes, comme des troubles du sommeil ou des signes physiques d'hypervigilance qui font de l'état de stress post-traumatique une maladie très différente du TOC.

Le trouble anxieux généralisé

Il consiste à avoir des soucis excessifs concernant ce qui touche la vie quotidienne, comme la famille, la santé ou l'argent. Il se manifeste par une tension psychique et musculaire quasi permanente responsable d'une fatigue constante. À la différence des obsessions, les soucis du trouble anxieux généralisé sont variés, très fluctuants et ne sont pas réassurés par des rituels.

L'hypocondrie

Souvent décrite comme une forme particulière du trouble anxieux généralisé, l'hypocondrie consiste à avoir une peur chronique des maladies graves. Souvent, c'est une crainte lancinante d'avoir un cancer. Ces craintes peuvent parfois être très proches d'obsessions, mais, dans l'hypocondrie, il n'y a pas de compulsions. De plus, il n'y a pas d'évitements de situations extérieures comme dans les obsessions de contamination. Les hommes et les femmes hypocondriaques consultent très fréquemment de nombreux médecins, qui ne parviennent jamais à les rassurer malgré des examens complémentaires sophistiqués. C'est la crainte de mourir qui alimente le plus souvent ce trouble.

La phobie sociale

La phobie sociale est une timidité excessive entraînant des évitements sociaux importants : rencontrer des gens, participer à des réunions, avoir un entretien d'embauche. Parfois, la phobie sociale est limitée à une situation unique bien spécifique, comme parler en public ou écrire sous le regard des autres.

Si les obsessions-compulsions peuvent conduire à un retrait social, ce n'est jamais par timidité.

Question : Ai-je un problème de personnalité ?

Réponse : Il y a une confusion ancienne entre trouble obsessionnel-compulsif et personnalité obsessionnelle-compulsive. Les personnes qui présentent une personnalité obsessionnelle ont une tendance globale à être méticuleuses, ordonnées, réfléchies, un peu lentes et rigides. Mais à la différence du TOC, la personnalité fait partie du sujet, c'est-à-dire qu'il n'y a pas de souffrance chez lui. De plus, ces traits de personnalité ne sont pas forcément des défauts, et le sujet les trouve justifiés. Par exemple, les personnalités obsessionnelles sont fiables, précises, consciencieuses et honnêtes. Elles ont donc « les qualités de leurs défauts ». Une personnalité obsessionnelle fera sans doute un médiocre vendeur, mais sera très à l'aise pour des travaux bien léchés nécessitant d'être exacts. Les comptables comme les ingénieurs se doivent d'être un peu obsessionnels... Signalons cependant que la personnalité obsessionnelle et le TOC partagent un inconvénient, celui de rendre le sujet un peu agressif dès que l'on vient déranger ses affaires ou ses habitudes...

▪ *La dépression*

La dépression est une complication fréquente du trouble obsessionnel-compulsif, comme on l'a vu précédemment. Parfois, il arrive que les pensées négatives dépressives soient improprement appelées des « obsessions ».

Les ruminations dépressives sont tristes, à la différence des obsessions, qui sont toujours anxieuses. La dépression se caractérise par des signes spécifiques, en plus de la tristesse, qui sont la perte d'énergie, la perte de plaisir ou de désir, le désespoir, des troubles de mémoire et de concentration, des troubles du sommeil et des idées suicidaires.

▪ *La schizophrénie*

La schizophrénie est une maladie sévère associant des idées délirantes bizarres (comme l'impression que l'on est commandé à distance par quelqu'un ou que l'on est écouté par une télévision) et un retrait social confinant à une vie handicapée. Dans la schizophrénie, les patients peuvent présenter des gestes répétitifs appelés des « stéréotypies ».

Il arrive que, dans de très rares cas, des rituels obsessionnels soient confondus avec des stéréotypies et fassent porter à tort le diagnostic de schizophrénie. Mais la stéréotypie n'a pas de but, à la différence d'un rituel, qui a une certaine logique. En particulier, la stéréotypie n'est pas liée à une pensée obsédante et elle n'a pas de vertu apaisante. De plus, le sujet souffrant de schizophrénie n'a pas conscience de l'absurdité de ses stéréotypies, tandis que le sujet souffrant de TOC critique ses rituels.

Dans d'autres cas, des obsessions de malheur ou des superstitions obsédantes ont pu être prises à tort pour des idées délirantes. Mais, à la différence des obsessions de malheur, les idées délirantes n'ont pas de logique et n'entraînent pas de rituels complexes. Enfin, dans la schizophrénie, d'autres troubles du comportement ne laissent généralement aucun doute diagnostique avec le trouble obsessionnel-compulsif.

▪ *La paranoïa*

Dans le film de James L. Brook, *Pour le pire et pour le meilleur* (1997), Jack Nicholson joue le rôle de Melvin Udall qui souffre d'un

TOC assez typique. Il déclare, dans le film, qu'il est atteint de « paranoïa obsessionnelle-compulsive », ce qui ne veut strictement rien dire.

La paranoïa est une maladie rare qui consiste en l'impression insidieuse d'être persécuté et d'être l'objet d'un complot ou d'une machination. Le paranoïaque est donc excessivement méfiant, querelleur et fait parfois des procès à ses persécuteurs présumés.

La méfiance que peuvent exprimer les sujets obsessionnels n'est due qu'à la crainte obsédante que leur entourage ne les salisse ou ne déclenche des obsessions.

Question : Suis-je fou ou dément ?

Réponse : Ni l'un ni l'autre. Le trouble obsessionnel-compulsif n'est ni la « folie » ni la « démence ».

La folie est un terme un peu effrayant qui ne veut pas dire grand-chose. Si les premières descriptions psychiatriques du XIXe siècle ont pu parler de « folie du doute » pour les obsessions d'erreur ou de « délire du toucher » pour les rituels de répétition, ces termes sont à présent abandonnés. La folie est donc une expression populaire qui qualifie de nos jours les troubles délirants, dans lesquels le sujet n'a pas conscience de son trouble et ainsi « perd » la raison. Le trouble obsessionnel-compulsif n'a pas de point commun avec un délire puisque le sujet critique le plus souvent ses symptômes. Du reste, c'est aussi cette lucidité qui le fait cruellement souffrir.

De même, le trouble obsessionnel-compulsif n'est pas une démence et n'a rien de commun avec elle : une démence qualifie la perte des facultés mentales, en particulier la perte massive de la mémoire. La démence est une maladie du sujet âgé.

DEUXIÈME PARTIE

Les clés
du changement

CHAPITRE 5

Comment faire
pour changer ?

Le changement
est possible

Le TOC reste le plus souvent chronique sans traitement.

Si vous vous êtes largement retrouvé dans les descriptions faites tout au long de ce livre, ou si un ou plusieurs spécialistes vous ont confirmé que vous souffriez bien de TOC, n'espérez pas trop du côté de la guérison spontanée et soignez-vous : c'est la meilleure façon de vous en sortir. Car en vous soignant, vous pouvez guérir. De cela, on est sûr. De plus, même si vous ne guérissez pas totalement, vous avez de grandes chances de voir votre état s'améliorer.

De nombreuses recherches très rigoureuses ont étudié l'efficacité des traitements dans le trouble obsessionnel-compulsif. Ces études réalisées sur des centaines de sujets ont montré que deux types de traitement étaient efficaces :

1. les médicaments inhibiteurs de la recapture de la sérotonine,
2. la psychothérapie comportementale et cognitive.

Question : Qu'est-ce qu'une psychothérapie ?

Réponse : Une psychothérapie est un traitement qui passe par la parole. La parole du patient, d'une part, et la parole du psychothérapeute, d'autre part. Cette parole peut consister en des interventions variées en fonction des différentes techniques de psychothérapie. On compte actuellement environ quatre cents techniques dans le monde. Cependant, une seule technique a reçu la preuve scientifique de son efficacité dans le trouble obsessionnel-compulsif : la psychothérapie comportementale et cognitive.

Comment savoir si une méthode est efficace ?

François est suivi pour ses obsessions-compulsions par un psychothérapeute qui le voit toutes les semaines depuis quatre ans. Il ne lui a proposé aucun des traitements réputés efficaces contre le TOC. François est très attaché à son thérapeute qu'il décrit comme un être fin, subtil, chaleureux, bienveillant et discret. Il ne veut à aucun prix en changer. Au cours des séances hebdomadaires, François parle avec son thérapeute de ses difficultés quotidiennes, de ses rapports avec ses parents, de son enfance et de ses symptômes. François, que j'ai rencontré pour un protocole de recherche sur les obsessions-compulsions, m'a dit un jour : « Le seul traitement qui ait amélioré mes obsessions m'a été prescrit par un médecin que je n'ai vu qu'une fois, car il était très désagréable. Le médicament, c'était de la clomipramine. »

Pour prouver qu'un traitement (médicament ou psychothérapie) est efficace, il faut que :

1. un groupe de sujets traités par le traitement soit amélioré par rapport à un groupe de sujets sans aucun traitement ou sous placebo. Le placebo peut être, par exemple, une gélule contenant du sucre (placebo médicamenteux) ou bien des rencontres avec le patient sans programme particulier (placebo psychothérapeutique). En effet, le

placebo est sans efficacité ou d'action très faible dans le TOC, comme cela a été prouvé dans de très nombreuses études[48].

2. ce traitement soit testé sur un nombre suffisant de sujets : en général plusieurs centaines.

3. ces études aient été faites dans plusieurs centres géographiques différents (plusieurs hôpitaux, plusieurs villes, plusieurs pays) afin d'être sûr que les données concordent.

4. le traitement soit sans effet indésirable grave, c'est-à-dire qu'il ne soit pas dangereux pour la personne.

Question : Y a-t-il « déplacement de symptômes » après une psychothérapie comportementale et cognitive ou après un traitement médicamenteux ?

Réponse : Le déplacement de symptômes est issu de la théorie psychanalytique. Selon elle, le symptôme obsessionnel est l'expression d'un conflit interne refoulé. Ainsi, si une thérapie se consacre uniquement à la disparition des symptômes, le conflit inconscient devrait conduire à l'émergence de nouveaux symptômes, par un principe de vases communicants. Cette théorie a été contredite dans le TOC par la stabilité des résultats obtenus par la psychothérapie comportementale et cognitive ou par les médicaments.

Question : La psychanalyse est-elle efficace dans le trouble obsessionnel-compulsif ?

Réponse : En 1999, la technique de psychothérapie la plus répandue auprès des psychiatres et psychologues français est la psychanalyse, ou la psychothérapie psychanalytique. C'est ce qui explique pourquoi de nombreux patients suivis par un psychiatre n'ont pas encore bénéficié de psychothérapie comportementale et cognitive ni de traitements médicamenteux appropriés. Cependant, à ce jour, les techniques psychanalytiques n'ont pas fait la preuve de leur efficacité dans le TOC, que ce soit chez l'adulte ou chez l'enfant. Il existe, par ailleurs, de très grandes différences entre la psychanalyse et la psychothérapie comportementale et cognitive, comme le résume le tableau suivant.

	Psychanalyse	Psychothérapie comportementale et cognitive
COMPARAISON DE LA PSYCHOTHÉRAPIE COMPORTEMENTALE ET COGNITIVE AVEC LA PSYCHANALYSE		
Durée du traitement avec le psychiatre	non précisée au départ	environ 20 à 30 heures de thérapie
De quoi parle-t-on ?	expression libre du patient	situations pénibles où se manifeste le trouble obsessionnel-compulsif
Attitude du thérapeute	intervient peu	intervient fréquemment
Technique de base du thérapeute	analyse les conflits psychiques inconscients	1. remet en question et discute les croyances obsessionnelles 2. met au point des exercices thérapeutiques d'exposition graduée aux rituels
Efficacité	inconnue	prouvée par de nombreuses études y compris en comparaison avec des médicaments efficaces

Question : La thérapie comportementale et cognitive ou les médicaments sont-ils des traitements superficiels qui ne soignent que les symptômes ? Ne vaudrait-il pas mieux un traitement profond qui traite la cause et qui évite les rechutes ?

Réponse : Selon cette question, la notion de traitement superficiel des symptômes s'opposerait à un traitement profond qui traiterait les causes et éviterait les rechutes. La réalité est tout autre :
1. Traiter une maladie consiste, par définition, à soigner les symptômes.

2. On ne peut pas soigner la cause de la maladie, puisqu'elle est inconnue. Espérer soigner la cause du trouble obsessionnel-compulsif est donc obscur.

3. Pour la personne qui souffre de trouble obsessionnel-compulsif, l'important n'est pas de savoir si le traitement est superficiel ou s'il est profond, mais de savoir s'il est efficace. À ce titre, les seuls traitements dont l'efficacité est connue à ce jour sont ceux que nous avons cités.

4. Parler de rechute signifie que le trouble a été amélioré, que ce soit par la thérapie comportementale et cognitive ou par les médicaments. Comme pour toute maladie, la rechute du TOC après une amélioration est toujours possible. Elle nécessite de reprendre ou de modifier le traitement.

Question : Que se passe-t-il après les vingt ou trente heures de psychothérapie comportementale et cognitive ? Le psychiatre ou le psychologue me laissent-ils tomber ? Si je n'y arrive pas en trente heures, la technique est-elle abandonnée ?

Réponse : Vingt à trente heures de psychothérapie comportementale et cognitive avec le psychiatre constituent une *moyenne* de durée de traitement, après laquelle on peut juger de l'efficacité de cette méthode. En effet, celle-ci a été mise au point et a été évaluée scientifiquement avec cette durée de traitement. Vingt à trente heures de traitement avec le psychiatre sont en général suffisantes pour comprendre, mettre en pratique et ressentir les effets de cette méthode. Cependant, la psychothérapie avec le psychiatre ou le psychologue peut être plus longue ou plus brève en fonction des résultats. Vous continuerez naturellement à voir votre thérapeute après cette période si vous en avez besoin.

Quelles sont les chances d'amélioration ?

Si l'on ne se soigne pas, le trouble obsessionnel-compulsif reste le plus souvent chronique. Au contraire, si on se soigne correctement, le trouble obsessionnel-compulsif est le plus souvent très amélioré. C'est ce qui a été montré par de nombreuses études scientifiques qui ont fourni des résultats statistiques. Cependant, selon que l'on étudie les traitements chez des personnes ayant des troubles de gravité différente, les résultats peuvent varier considérablement : par exemple, une consultation de psychiatrie générale recevra des personnes souffrant de troubles moins anciens ou moins résistants qu'une consultation spécialisée dans le TOC, où se dirigeront des patients atteints de trouble ayant résisté aux autres traitements. Ainsi, des études menées dans l'un ou l'autre de ces centres de consultation donneront des résultats différents. Aussi citerons-nous des fourchettes de résultats thérapeutiques.

▓ *L'efficacité globale des traitements*

Le trouble peut être soigné soit par médicaments inhibiteurs de la recapture de la sérotonine, soit par psychothérapie comportementale et cognitive. Il est admis que, parmi les personnes qui se soignent, une majorité va s'améliorer nettement sous traitement. Selon les études [49, 50], on peut considérer que un à cinq ans après le début de la prise en charge :

• 10 à 30 % des sujets traités vont être en rémission, c'est-à-dire qu'ils ne présentent plus les critères de diagnostic de la maladie obsessionnelle-compulsive. Certains d'entre eux verront cependant leur maladie se déstabiliser ultérieurement et nécessiteront des compléments de traitement ;

• 30 à 60 % des sujets vont s'améliorer nettement tout en gardant les caractéristiques de la maladie ;

• 25 à 50 % vont résister aux traitements et être peu ou non améliorés.

Mon expérience m'a conduit à observer des chiffres similaires en étudiant l'évolution de vingt-huit hommes et femmes souffrant de trouble obsessionnel-compulsif et consultant pour traitement. Ces patients ont été soignés par médicaments et/ou psychothérapie comportementale et cognitive. En examinant les résultats de la prise en charge un an après la première consultation, les patients se répartissent en quatre groupes à peu près homogènes :

1. sept d'entre eux (25 %) sont en rémission de leur trouble (ils souffrent moins d'une heure par jour d'obsessions et/ou de rituels) ;

2. six autres (21 %) sont nettement améliorés (leur score progresse de plus de 30 % sur les échelles de mesure du TOC) ;

3. huit patients (29 %) sont peu ou non améliorés. Mais trois d'entre eux ont refusé de faire une thérapie comportementale et cognitive, et n'ont pris que des médicaments. Deux autres sont encore en cours de traitement ;

4. sept patients (25 %) interrompent la prise en charge et ne se soignent pas.

Ces chiffres peuvent se lire aussi ainsi : sur vingt-huit patients, treize d'entre eux sont nettement améliorés ou en rémission complète, après seulement un an de traitement. Dix patients ont refusé de se soigner complètement. On peut donc résumer la question de l'efficacité globale des deux traitements de la manière suivante :

• La majorité des patients qui se soignent correctement évoluent favorablement en un an.

• La première cause de chronicité dans le trouble obsessionnel-compulsif consiste en ce que les sujets atteints ne se soignent pas, ou pas complètement.

Question : Peut-on guérir du trouble obsessionnel-compulsif ?

Réponse : Cette question simple nécessite une réponse nuancée car il est nécessaire de définir certains termes. Le terme de guérison se définit par un retour à l'état dans lequel était le patient avant qu'il ne tombe malade[51]. Il est incontestable que les traitements actuels peuvent conduire à la guérison du trouble obsessionnel-compulsif, au sens que le sujet ne présente plus les critères de définition de la maladie. Cependant, la guérison ne signifie pas que la maladie n'est plus qu'un mauvais souvenir, un peu comme lorsque l'on guérit d'une angine qui vous a cloué au lit pendant huit jours. Le trouble obsessionnel-compulsif nécessite le plus souvent des traitements prolongés. Pour être plus précis, il vaut mieux parler alors de « guérison sous traitement » ou de « rémission complète sous traitement ». La rémission signifie l'atténuation des symptômes ou leur disparition transitoire, tout en sachant qu'elle peut récidiver ou rechuter.

■ L'efficacité des médicaments prescrits isolément

On considère habituellement que plus de la moitié des patients traités par un inhibiteur de la recapture de la sérotonine vont être améliorés ou très améliorés. Cette amélioration nécessite évidemment de définir des critères : le critère actuellement reconnu est une baisse de 25 % du score obtenu avec la principale échelle de mesure du TOC, l'échelle de Yale-Brown*.
Le nombre de sujets en rémission complète (ne correspondant plus aux critères du TOC) sous médicaments est moins bien connu. Un comité d'experts a estimé à 20 % le nombre de personnes « guéries » après traitement par médicaments[52].

■ L'efficacité de la psychothérapie comportementale et cognitive

Elle a été prouvée par de nombreuses études[53].
Quelques études ont comparé la thérapie comportementale et cognitive avec certains médicaments : la psychothérapie comporte-

---

* L'échelle d'obsessions-compulsions de Yale-Brown est une échelle de mesure du TOC que remplit le thérapeute, qu'il soit médecin ou psychologue, en interrogeant le patient. Cette échelle conduit à un score total qui est une mesure de la sévérité du trouble. Nous en reparlerons dans « Comment mesurer soi-même le trouble ? », p. 136.

mentale s'est révélée aussi efficace que la clomipramine [54, 55, 56, 57] ou la fluvoxamine [58, 59]. Cependant, les résultats de la psychothérapie comportementale se maintiennent après la fin de la psychothérapie, tandis que les personnes traitées par médicaments doivent les poursuivre au long cours.

La psychothérapie cognitive isolée a bénéficié de moins d'études. Cependant, cette technique semble aussi efficace que la thérapie comportementale isolée par exposition avec prévention de la réponse [60] et que la fluvoxamine [61]. Selon une étude [62], 20 % des sujets sont en rémission complète à la fin de la psychothérapie cognitive.

Ces résultats montrent très clairement que la psychothérapie comportementale ou cognitive est un traitement efficace du trouble obsessionnel-compulsif qui peut conduire à la rémission complète du trouble. En pratique quotidienne, les deux techniques (comportementale et cognitive) sont le plus souvent associées.

La psychothérapie comportementale est également efficace chez l'enfant. Cependant, les études démontrant cette efficacité ont concerné de plus petits groupes de sujets que chez l'adulte. Ces thérapies nécessitent que l'enfant établisse un bon contact avec le thérapeute et qu'une relation de confiance s'instaure. En France, peu de psychiatres et de psychologues sont formés à la psychothérapie comportementale chez l'enfant. Les années à venir verront peut-être le nombre de psychothérapeutes compétents en ce domaine augmenter.

Vaut-il mieux être soigné par médicament ou par psychothérapie ?

Il n'y a pas de réponse toute faite à cette question car il s'agit de deux approches radicalement différentes. Le tableau suivant résume les avantages et les inconvénients de chacun des deux traitements.

AVANTAGES ET INCONVÉNIENTS DES MÉDICAMENTS ET DE LA PSYCHOTHÉRAPIE COMPORTEMENTALE ET COGNITIVE DANS LE TRAITEMENT DU TROUBLE OBSESSIONNEL-COMPULSIF			
Médicaments		Psychothérapie comportementale et cognitive	
Avantages	Inconvénients	Inconvénients	Avantages
on n'y pense que quelques secondes par jour	il peut y avoir des effets indésirables	nécessite environ 1 heure d'exercice par jour en moyenne	augmente la connaissance du trouble
nécessite peu d'efforts	l'effet a tendance à cesser à l'arrêt du traitement	nécessite de se confronter à des situations légèrement anxiogènes	évite la prise de médicament
	il faut voir un médecin pendant des années régulièrement	il faut voir un psychiatre de nombreuses fois (20 à 40 fois) pendant un à deux ans	l'effet dure après la fin de la thérapie
L'efficacité est statistiquement la même. Des personnes dont le trouble a résisté aux médicaments s'améliorent souvent en psychothérapie comportementale et cognitive. De même, des sujets qui ne se sont pas améliorés en psychothérapie comportementale et cognitive sont fréquemment soulagés par des médicaments.			

Souvent, ceux qui souffrent d'obsessions-compulsions bénéficient des deux traitements : médicament et thérapie comportementale et cognitive. Mais, dans ce cas, il est utile de suivre d'abord l'un des deux traitements, puis l'autre (par exemple la thérapie comportementale et cognitive complétée ensuite par le médicament) afin de mesurer leurs effets respectifs[63].

Question : Mon médecin me suit depuis cinq ans pour mes obsessions-compulsions et je n'ai reçu aucun des traitements présentés comme efficaces dans ce livre : pourquoi ?

Réponse : Les explications les plus vraisemblables sont les suivantes :

1. Votre médecin pense que ces traitements ne sont pas utiles pour vous. Il doit vous expliquer pourquoi. Si ses explications ne vous ont pas convaincu, le mieux est de demander un deuxième avis car il a peut-être raison malgré tout. De nombreux patients, ne se voyant pas améliorés, demandent un deuxième avis. Quand nous, médecins, nous l'apprenons, nous n'avons pas à en être vexés. Quoi de plus normal qu'un individu qui souffre préfère prendre plusieurs avis avant de choisir ? Il vaut mieux que vous parliez clairement à votre médecin plutôt que de commencer à douter de lui sans rien dire.

2. Votre médecin n'a pas fait le diagnostic du trouble obsessionnel-compulsif. Nul au monde ne peut tout savoir, et les médecins ont parfois été formés brièvement à la psychiatrie. De plus, les connaissances ont rapidement évolué au cours des dernières années. Dans ce cas, le mieux est de lui parler franchement : signalez-lui précisément vos symptômes et glissez-lui que vous croyez souffrir de trouble obsessionnel-compulsif, sur lequel vous avez lu un livre ou vu une émission. S'il semble toujours perplexe, lisez le point suivant.

3. Votre médecin, pour une raison ou une autre, ne sait pas ou connaît mal le traitement du TOC. Dans ce cas, dites-lui que ce livre mentionne des traitements que vous ne prenez pas : qu'en pense-t-il ? Peut-être que lui-même demandera un avis spécialisé et il sera sûrement satisfait de pouvoir ainsi faire avancer les choses. Si vous souhaitez être traité par psychothérapie comportementale ou par médicament, demandez-lui de vous indiquer un confrère pratiquant ces traitements.

4. Votre médecin ne croit pas en l'efficacité de ces traitements. Ce cas est plus rare, mais se produit parfois, parce que le consensus n'existe pas toujours en psychiatrie. Dans ce cas, faites-vous votre

opinion. Si finalement vous souhaitez être soigné par les traitements mentionnés ici, contactez un autre médecin*.

Question : Comment me soigner si je souffre faiblement ou très faiblement de trouble obsessionnel-compulsif ?

Réponse : Vous avez probablement des obsessions-compulsions que l'on appelle « sub-cliniques » ou « infra-cliniques », c'est-à-dire que vous avez quelques moments de souffrance au milieu d'une journée normale**. Les médicaments semblent être un moyen excessif pour ce type de trouble. Les principes de psychothérapie comportementale et cognitive sont plus adaptés à votre cas. Nous vous conseillons d'appliquer à vos rares symptômes les principes de psychothérapie comportementale et cognitive que nous verrons plus loin (« Comment changer par des exercices réguliers ? », p. 161).

Pourquoi tant de personnes ne se soignent-elles pas ?

Le trouble obsessionnel-compulsif est le plus souvent dissimulé à l'entourage, sous-évalué par le sujet lui-même qui banalise le phénomène ou le cache habilement. Les personnes souffrant de TOC ont du mal à en parler, à s'en plaindre et à demander de l'aide. La majorité des patients viennent consulter après plusieurs années d'évolution du trouble, au moment où celui-ci devient insupportable. Les raisons les plus fréquentes sont les suivantes :

* Pour trouver un thérapeute, reportez-vous à la question « À qui parler de ce trouble ? », p. 43.
** Pour plus de détails, lisez « Où est la limite ? », p. 61.

▪ *La honte*

Le trouble obsessionnel-compulsif est chargé d'une gêne honteuse vis-à-vis des symptômes. Avoir des pensées que l'on considère soi-même comme absurdes est évidemment très douloureux. Cependant, le fait de céder à cette honte en cachant le trouble empêche le sujet de se soigner et d'être soulagé.

▪ *La culpabilité*

Certaines pensées sont en elles-mêmes culpabilisantes, comme l'idée de pouvoir faire du mal à quelqu'un qu'on aime. De plus, ceux qui sont touchés par le trouble obsessionnel-compulsif croient souvent qu'ils ont le « pouvoir » de s'empêcher de faire leurs rituels : c'est donc leur faute s'ils n'y parviennent pas. Pour soulager cette culpabilité, il convient d'abord d'accepter que ces pensées absurdes et ces compulsions soient une maladie. Ce constat amènera alors le sujet à se soigner.

▪ *La peur d'être considéré comme « fou »*

Les maladies psychiatriques restent parfois associées à l'idée angoissante de la folie, et cette idée fait encore craindre l'internement contre sa volonté dans un hôpital psychiatrique. Certains appellent l'hôpital psychiatrique l'« asile », dont la connotation négative est particulièrement pénible. Les psychiatres sont vus comme les médecins qui « enferment » les individus. Toutes ces croyances sont terrifiantes et conduisent à ne pas se soigner. Pourtant, le trouble obsessionnel-compulsif nécessite très rarement une hospitalisation. De plus, l'hôpital psychiatrique est un lieu de soins où l'on traite avec efficacité les maladies. Il n'est pas différent de ce point de vue d'un autre hôpital. Quant à l'internement contre la volonté du patient, il concerne des maladies psychiatriques très particulières qui mettent la personne malade en danger vital, ce qui n'est pas le cas du trouble obsessionnel-compulsif. Ces croyances sont donc toutes erronées. Elles ne font que dissuader le sujet atteint d'obsessions-compulsions de se soigner. En définitive, elles le conduisent à souffrir plus longtemps.

■ *L'espoir que le problème va passer tout seul*

Cette croyance est contredite par la fréquente chronicité de la maladie qui nécessite d'être soignée pour s'améliorer.

■ *Le manque d'informations*

Ce livre veut être un remède au manque d'information sur le TOC, comme d'autres livres, comme les émissions radiophoniques ou télévisées qui lui sont consacrées ou encore les articles de la presse. Pourra-t-on accepter que, s'il est normal de consulter un médecin pour une douleur ou pour une fièvre, il est aussi normal de le consulter pour l'irruption de pensées pénibles et absurdes ou de compulsions envahissantes ?

■ *La confusion entre un phénomène normal et son exagération pathologique*

En l'absence de limite claire, les sujets souffrant de trouble obsessionnel-compulsif ont parfois l'impression que cette exagération ne peut pas suffire à parler de maladie. Une plus grande information pourra aider les personnes à se repérer*.

---

* Voir à ce sujet « Vous voulez savoir ce qui est normal et ce qui ne l'est pas », p. 50.

▪ *La difficulté à concevoir que des pensées anxieuses et des actes répétitifs puissent être une maladie*

Et pourtant, c'est bien une maladie, comme le prouve le fait que des traitements spécifiques améliorent fortement ces pensées obsédantes et ces actes compulsifs.

LES RAISONS HABITUELLES À NE PAS ALLER CONSULTER UN MÉDECIN LORSQUE L'ON SOUFFRE DE TROUBLE OBSESSIONNEL-COMPULSIF

1. La honte vis-à-vis de ses symptômes.
2. La culpabilité d'avoir de telles pensées et de ne pouvoir s'empêcher d'avoir des rituels.
3. La peur d'être considéré comme « fou ».
4. L'espoir que les obsessions-compulsions vont passer toutes seules.
5. Le manque d'informations concernant le trouble obsessionnel-compulsif.
6. La confusion entre préoccupations normales et obsessions.
7. La difficulté à concevoir que des pensées anxieuses et des actes répétitifs puissent être une maladie.

CHAPITRE 6

Comment mesurer soi-même le trouble ?

Avant d'entreprendre de se soigner, il est utile de mesurer le trouble obsessionnel-compulsif.

« Comment étais-je il y a six mois avant de commencer à prendre des médicaments ? » Ou encore : « Comment étais-je il y a un an, avant de faire la psychothérapie comportementale et cognitive ? » La mémoire peut être insuffisante pour mesurer strictement l'évolution de vos obsessions-compulsions depuis six mois ou un an.

De plus, vous pouvez être plus heureux car vous avez rencontré l'homme ou la femme de votre vie sans pour autant que le TOC aille forcément mieux. Réciproquement, ce n'est pas parce que vous êtes depuis six mois au chômage que votre trouble en lui-même s'est aggravé, même si l'accumulation de difficultés ne peut pas être une aide. Il vaut donc mieux évaluer ce qui se rapporte strictement au trouble obsessionnel-compulsif.

Pour réaliser cette évaluation du TOC, on utilise des questionnaires posant des questions précises et spécifiques aux obsessions-compulsions. En répétant régulièrement ces questionnaires, vous disposerez d'un score qui reflète assez objectivement l'état de vos obsessions-compulsions à l'époque où vous avez répondu à ce questionnaire.

Identifiez
les obsessions-compulsions :
le catalogue des thèmes

On a déjà vu le détail des différents thèmes des obsessions-compulsions dans la première partie (voir p. 21). Ce qui a permis de comprendre la signification de chacun des thèmes et de s'y retrouver. Mais ces thèmes, qui vous font souffrir, fluctuent au cours des mois et des années. Il est donc utile de les recenser régulièrement par le « catalogue des thèmes d'obsessions-compulsions ».

1. Il permet d'observer le nombre de thèmes dont vous souffrez. Le traitement a-t-il fait disparaître certains thèmes dont vous ne souffrez plus ? Au contraire, certains thèmes nouveaux apparaissent-ils ?

2. Il facilite le travail de hiérarchisation que nous verrons dans le chapitre sur la pratique de la psychothérapie comportementale et cognitive. Cette hiérarchisation vous fera vous demander : quelles sont les obsessions les plus pénibles ? Les rituels les plus gênants ?

Date : ....

Instructions : Veuillez signaler par oui ou par non chaque thème d'obsession ou de rituel si vous en souffrez actuellement, c'est-à-dire au cours du mois écoulé. Ne signalez pas les thèmes dont vous avez souffert par le passé mais dont vous ne souffrez plus actuellement.

LES OBSESSIONS				
OBSESSIONS DE SOUILLURE	1. liées aux déchets ou aux sécrétions (urine, selles, salive, transpiration.)		oui	non
	2. liées aux microbes ou aux germes.		oui	non
	3. liées au cancer.		oui	non
	4. liées à l'environnement (amiante, radiations, pollution).		oui	non
	5. liées à une anomalie physique.		oui	non
	6. à l'idée de transmettre une maladie.		oui	non
OBSESSIONS D'ERREUR	1. peur obsédante de ne pas avoir fermé quelque chose.		oui	non
	2. peur obsédante de mal faire son travail.		oui	non
	3. peur obsédante de ne pas dire des choses exactes.		oui	non
	4. peur obsédante de perdre quelque chose.		oui	non
	5. peur obsédante du désordre.		oui	non
	6. peur obsédante d'oublier.		oui	non
	7. peur obsédante de jeter par erreur.		oui	non
	8. peur obsédante de ne pas avoir fait ce qu'il faut.		oui	non
OBSESSIONS D'AGRESSIVITÉ	1. peur obsédante de faire du mal :	1.1. par un acte volontaire et dangereux	oui	non
		1.2. par inadvertance ou par erreur.	oui	non
	2. peur obsédante de se faire du mal :	2.1. par un acte volontaire et dangereux.	oui	non
		2.2. par inadvertance ou par erreur.	oui	non
	3. peur obsédante de laisser échapper des obscénités ou des insultes.		oui	non
OBSESSIONS DE MALHEUR	1. liées aux nombres et aux couleurs.		oui	non
	2. liées à l'espace (formes, lignes, positions d'objets).		oui	non

	3. superstitions.	3.1. la peur obsédante de porter malheur à autrui.	oui	non
		3.2. la peur obsédante de porter malheur à soi-même.	oui	non
OBSESSIONS SEXUELLES	1. obsession de sexualité « débridée » sans thème « scandaleux ».		oui	non
	2. obsession sexuelle agressive ou perverse.	2.1. liée aux enfants.	oui	non
		2.2. comprenant un thème de viol ou de violence.	oui	non
		2.3. dont le contenu a trait à l'homosexualité.	oui	non
OBSESSIONS RELIGIEUSES	1. obsession religieuse de perfection et d'exactitude.		oui	non
	2. obsession religieuse sexuelle.		oui	non
	3. obsession religieuse de malheur.		oui	non
LES COMPULSIONS				
COMPULSIONS DE LAVAGE	1. dans les obsessions de souillure :	1.1. lavage des mains.	oui	non
		1.2. soins du corps.	oui	non
		1.3. nettoyage d'objets personnels.	oui	non
		1.4. hygiène des proches.	oui	non
	2. dans les obsessions de malheur.		oui	non
COMPULSIONS DE VÉRIFICATION	1. dans les obsessions d'erreur.		oui	non
	2. dans les obsessions de souillure.		oui	non
	3. dans les obsessions d'agressivité.		oui	non
	4. dans les obsessions de malheur.		oui	non
	5. dans les obsessions sexuelles.		oui	non
COMPULSIONS D'ORDRE, DE SYMÉTRIE ET DE RANGEMENT			oui	non
RITUELS DE RÉPÉTITION ET DU TOUCHER			oui	non
LES RITUELS MENTAUX	1. l'arithmomanie.		oui	non
	2. les phrases conjuratoires.		oui	non
	3. le besoin de dire ou de faire dire.		oui	non
	4. la répétition de certaines phrases.		oui	non
	5. la récapitulation des actes.		oui	non
LE PERFECTIONNISME ET LA LENTEUR			oui	non

Fréquence : Il est utile de relever les thèmes d'obsessions-compulsions au début de la prise en charge de son trouble, puis tous les six mois. Vous pourrez remplir régulièrement cette mesure en utilisant chaque fois une photocopie de ce catalogue.

Évaluez la gêne occasionnée : l'autoquestionnaire Yale-Brown

Cette échelle est l'adaptation en autoévaluation de l'échelle de référence dans le trouble obsessionnel-compulsif [64, 65, 66, 67]. Ce questionnaire considère le phénomène obsédant et le rituel dans leur globalité, sans tenir compte des thèmes précis. Avant d'y répondre :

1. Il est recommandé d'avoir établi auparavant la liste des différents thèmes d'obsessions et de rituels dont on souffre, grâce au catalogue des obsessions-compulsions que l'on vient de voir.

2. Il est indispensable d'avoir lu les consignes d'utilisation ci-dessous.

Date : ....

Consignes pour l'utilisation de l'échelle d'obsessions-compulsions d'auto-Yale-Brown

Le trouble obsessionnel-compulsif dont vous souffrez consiste en la coexistence de deux phénomènes distincts qui sont liés entre eux :

— Les obsessions ou pensées obsédantes, d'une part, sont des pensées pénibles, des images ou des impulsions qui vous viennent à l'esprit d'une manière répétitive. Elles apparaissent contre votre volonté. Vous pouvez reconnaître qu'elles sont dénuées de sens, ou estimer qu'elles ne correspondent pas du tout à votre personnalité. Elles sont souvent source d'angoisse ou d'anxiété.

— Les compulsions ou rituels, d'autre part, sont des comportements ou des actes que vous vous sentez obligé d'accomplir, même si vous les reconnaissez comme dénués de sens ou excessifs. Parfois, vous essayez de résister et de ne pas les faire, mais cela s'avère souvent difficile. Les compulsions sont destinées à chasser les obsessions.

Pour chacune des questions, *veuillez entourer le numéro de la phrase* correspondant le mieux à votre état actuel, en moyenne dans la semaine écoulée (une seule réponse par question).

A) LES OBSESSIONS OU PENSÉES OBSÉDANTES

1/O : Combien de temps durent les pensées obsédantes par jour ? Ou bien à quelle fréquence surviennent les obsessions ? Autrement dit, combien de temps gagneriez-vous par jour si vous ne souffriez pas d'obsessions ?
0 : durée nulle.
1 : durée légère (moins d'1 h par jour) ou survenue occasionnelle (pas plus de 8 fois par jour).
2 : durée moyenne (1 à 3 h par jour) ou survenue fréquente (plus de 8 fois par jour), mais la journée se passe la plus grande partie du temps sans obsession.
3 : durée importante (de 3 h à 8 h par jour) ou survenue très fréquente (plus de 8 fois par jour) et occupant une très grande partie de la journée.
4 : durée extrêmement importante (supérieure à 8 h par jour), ou envahissement pratiquement constant de pensées tellement nombreuses que l'on ne peut les compter, et il est très rare de passer 1 h dans la journée sans obsessions.

2/O : Dans quelle mesure vos pensées obsédantes vous gênent-elles dans votre vie sociale ou professionnelle ?
0 : gêne nulle dans mes activités sociales ou professionnelles.
1 : gêne légère ou faible dans mes activités sociales ou professionnelles, mais mon efficacité globale n'est pas altérée.
2 : gêne moyenne et nette dans mes activités sociales et professionnelles mais je peux encore faire face.
3 : gêne importante, l'angoisse cause une altération réelle dans mes activités sociales et professionnelles
4 : gêne extrêmement importante et invalidante.

3/O : Quel niveau d'angoisse ces pensées obsédantes créent-elles en vous ?
0 : angoisse nulle.
1 : angoisse légère, rare et très peu gênante.
2 : angoisse moyenne, fréquente et gênante, mais que je gère encore assez bien.
3 : angoisse importante, très fréquente et très gênante.
4 : angoisse extrêmement importante, pratiquement constante et d'une gêne invalidante.

4/O : Quel effort fournissez-vous pour résister aux pensées obsédantes ?
0 : je fais l'effort de toujours résister, ou mes symptômes sont si minimes qu'ils ne nécessitent pas que je leur résiste.
1 : j'essaie de résister la plupart du temps.
2 : je fais quelques efforts pour résister.
3 : je cède à toutes les obsessions, sans essayer de les contrôler, mais je suis contrarié de ne pouvoir mieux faire.
4 : je cède totalement à toutes mes obsessions.

5/O : Quel contrôle exercez-vous sur vos pensées obsédantes ? Dans quelle mesure arrivez-vous à stopper ou à détourner vos pensées obsédantes ?
0 : j'ai un contrôle total sur mes pensées obsédantes.
1 : j'ai beaucoup de contrôle ; je suis généralement capable de stopper ou de détourner mes obsessions avec quelques efforts et de la concentration.
2 : j'ai un contrôle moyen sur mes pensées obsédantes, je peux de temps en temps arriver à stopper ou à détourner mes obsessions.
3 : j'ai peu de contrôle sur mes pensées obsédantes, j'arrive rarement à stopper mes obsessions, je peux seulement détourner mon attention avec difficulté.
4 : je n'ai pas de contrôle, je suis totalement dépourvu de volonté, je suis rarement capable de détourner mon attention de mes obsessions, même momentanément.

B) LES RITUELS OU COMPULSIONS

6/C : Combien de temps passez-vous à faire des rituels ? Combien de temps vous faut-il de plus qu'à la majorité des gens pour accomplir les activités quotidiennes, du fait de vos rituels ? Quelle est la fréquence de vos rituels ? Autrement dit, combien de temps gagneriez-vous par jour si vous ne souffriez pas de rituels ?

0 : durée nulle.
1 : durée faible (moins d'1 h par jour) ou rituels occasionnels (pas plus de 8 fois par jour).
2 : durée brève (passe de 1 h à 3 h par jour), ou apparition fréquente des rituels (plus de 8 fois par jour, mais le temps, en majorité, n'est pas envahi par les rituels).
3 : durée importante (je passe plus de 3 h et jusqu'à 8 h par jour) ou apparition très fréquente des conduites ritualisées (plus de 8 fois par jour ; la plupart du temps est prise par les rituels).
4 : durée extrêmement importante (je passe plus de 8 h par jour) ou présence pratiquement constante de conduites ritualisées (trop importantes pour être dénombrées) ; une heure se passe rarement sans qu'apparaissent plusieurs compulsions.

7/C : Dans quelle mesure les rituels vous gênent-ils dans votre vie sociale ou profession-nelle ?

0 : gêne nulle dans mes activités sociales ou professionnelles.
1 : gêne légère ou faible dans mes activités sociales ou professionnelles mais mon efficacité globale n'est pas altérée.
2 : gêne moyenne, nette gêne dans mes activités sociales et professionnelles mais je peux encore faire face.
3 : gêne importante, altération réelle de mes activités sociales et professionnelles
4 : gêne extrêmement importante, invalidante.

8/C : Comment vous sentiriez-vous si l'on vous empêchait de faire votre (vos) rituel(s) ? Quel serait votre degré d'anxiété ?

0 : anxiété nulle.
1 : anxiété légère, je serais seulement légèrement anxieux si on m'empêchait de ritualiser.
2 : anxiété moyenne, l'angoisse monterait mais resterait contrôlable si on m'empêchait de ritualiser.
3 : anxiété importante, augmentation très nette et très éprouvante de l'anxiété si mes rituels sont interrompus.
4 : anxiété extrêmement importante, invalidante dès qu'une intervention vise à modifier l'acti-vité ritualisée.

9/C : Quel effort fournissez-vous pour résister aux rituels ?

0 : je fais l'effort de toujours résister, ou mes symptômes sont si minimes qu'ils ne nécessitent pas qu'on leur résiste.
1 : j'essaie de résister la plupart du temps.
2 : je fais quelques efforts pour résister.
3 : je cède à tous les rituels, sans essayer de les contrôler, mais je suis quelque peu contrarié de ne pouvoir mieux faire.
4 : je cède totalement à tous mes rituels.

10/C : Quel contrôle pouvez-vous exercer sur les rituels ? Parvenez-vous à les stopper ou à les diminuer ? Comment vos efforts de contrôle sont-ils récompensés ?

0 : j'ai un contrôle total sur mes rituels.
1 : j'ai beaucoup de contrôle. Je ressens une certaine obligation à accomplir les rituels, mais je peux généralement exercer un contrôle volontaire sur cette pression.
2 : j'ai un contrôle moyen, j'ai une forte obligation à accomplir mes rituels, je peux les contrôler avec difficulté.
3 : j'ai peu de contrôle, j'ai une très forte obligation à accomplir mes rituels. Je dois aller jusqu'au bout de mon activité ritualisée, je ne peux les différer qu'avec difficulté.
4 : je n'ai aucun contrôle, je suis obligé d'accomplir les rituels. Ces rituels sont complètement involontaires et irrésistibles, je ne peux que rarement différer même momentanément l'activité.

Le score total consiste à additionner les numéros des réponses à chaque question. On obtient un score sur 40, que l'on peut interpréter ainsi :

— Score compris entre 0-10 : le sujet n'est pas ou très peu gêné par le TOC. Présente-t-il réellement un trouble obsessionnel-compulsif ? Ne s'agit il pas d'obsessions-compulsions sub-cliniques ?

— Score compris entre 11-20 : le sujet est légèrement ou moyennement gêné par le TOC.

— Score compris entre 21-30 : le sujet est nettement gêné par le TOC.

— Score compris entre 31-40 : le sujet est sévèrement gêné par le TOC.

Fréquence : Cette échelle est une mesure du trouble, tel qu'il est au moment où le sujet répond au questionnaire : c'est une mesure sur la période actuelle. Elle permet aussi de suivre l'évolution du trouble au fil du temps et des traitements. Il suffit pour cela de répondre au questionnaire régulièrement, par exemple tous les mois. Ne cherchez pas à vous souvenir de ce que vous avez répondu la fois précédente. Mesurez le trouble tel qu'il est actuellement. Vous pouvez utiliser des photocopies de cette échelle pour répéter cette mesure.

Quantifiez les situations-problèmes : la liste des activités compulsives

Cette échelle[68] est très utile pour repérer concrètement et avec précision les activités de la vie quotidienne dans lesquelles le sujet est gêné. Par ailleurs, elle repère et mesure les évitements.

Date : ....

Instructions : Évaluez chaque activité sur l'échelle ci-dessous en fonction de la gêne présentée.
Cochez le nombre approprié. Par exemple, si vous mettez deux fois plus de temps que la plupart des gens pour prendre un bain ou une douche, faites une croix à l'intersection entre la colonne 2 et la ligne de l'activité n° 1, comme indiqué ci-dessous.

0 — Pas de problème — même temps pour cette activité que n'importe qui — pas besoin de répéter ou d'éviter.

1 — L'activité prend environ deux fois plus de temps que pour la plupart des gens, doit être répétée deux fois, ou tend à être évitée.

2 — L'activité prend trois fois plus de temps que pour la plupart des gens, ou doit être répétée trois fois ou plus, ou est habituellement évitée.

3 — Incapacité de réaliser ou de tenter cette activité.

	X		**ACTIVITÉS**
	X		**1.** Prendre un bain ou une douche.
			2. Se laver les mains et le visage.
			3. Laver, peigner, brosser ses cheveux.
			4. S'habiller et se déshabiller.
			5. Utiliser les toilettes.
			6. Manier des détritus ou des poubelles.
			7. Laver des vêtements.
			8. Laver les plats.
			9. Manipuler ou faire cuire la nourriture.
			10. Nettoyer la maison.
			11. Tenir les choses en ordre.
			12. Faire les lits.
			13. Toucher les poignées de porte.
			14. Fermer ou ouvrir la lumière ou les robinets.
			15. Fermer ou verrouiller les portes et les fenêtres.
			16. Faire de l'arithmétique ou des comptes.
			17. Faire son travail.
			18. Poster des lettres.
			19. Autres situations (décrivez-les) :

Le score final consiste à additionner les scores obtenus pour chaque activité. Dans l'exemple donné, le score de 2 a été obtenu pour l'activité « Prendre un bain ou une douche ». Le score total va de 0 à 57.

Le score final est cependant peu indicatif de la gravité du trouble. En effet, on peut avoir un score presque normal bien qu'étant sévèrement atteint, si un seul domaine de la vie est touché : par exemple, le sujet incapable d'occuper un emploi du fait d'obsessions-compulsions au travail cotera 3 à l'item 17. S'il n'a pas d'autre problème, son score total sera de 3, c'est-à-dire un score « normal » alors qu'il ne peut plus travailler. Réciproquement, on peut avoir un score à 12 en ayant des rituels seulement dans la salle de bains et aux W-C (s'il remplit 3 aux items 1, 2, 3, 5).

En revanche, cette échelle est très utile pour suivre l'évolution du trouble au fil des mois.

Fréquence : Si vous répétez la mesure régulièrement, par exemple tous les mois, le score sera un bon repère de votre propre évolution. Vous pourrez utiliser des photocopies de cette échelle pour répéter cette mesure.

En conclusion, voici un tableau qui vous aidera à vous repérer :

MESURER SOI-MÊME LE TROUBLE OBSESSIONNEL-COMPULSIF			
Questionnaire	Fréquence recommandée de l'évaluation	Intérêts du questionnaire	Inconvénients du questionnaire
LE CATALOGUE DES THÈMES D'OBSESSIONS-COMPULSIONS	au début de la prise en charge puis tous les 6 mois	1. recense tous les thèmes d'obsessions-compulsions 2. permet de suivre l'évolution du trouble	ne mesure pas l'intensité du trouble
L'AUTOQUESTIONNAIRE YALE-BROWN	au début de la prise en charge puis tous les mois	1. est une mesure de l'intensité du trouble 2. le score obtenu est un bon indice d'évolution du trouble	1. ne mesure pas précisément de thème spécifique d'obsession-compulsion 2. ne mesure pas les évitements liés au trouble
LA LISTE DES ACTIVITÉS COMPULSIVES	au début de la prise en charge puis tous les mois	1. mesure précisément les thèmes d'obsessions-compulsions 2. mesure les évitements liés au trouble 3. le score obtenu est un bon indice d'évolution du trouble pour un sujet donné	le score obtenu n'indique pas la sévérité du trouble

CHAPITRE 7

Comment utiliser les médicaments ?

Quels sont les médicaments efficaces ?

Les médicaments actifs dans le trouble obsessionnel-compulsif appartiennent à une famille pharmacologique particulière que l'on appelle les inhibiteurs de la recapture de la sérotonine. Ces médicament servent, d'une part, à baisser la force compulsive et, d'autre part, à baisser les obsessions, leur fréquence, leur caractère pénible et leur intensité. Vous trouverez dans le tableau ci-dessous les principaux médicaments connus à ce jour pour leur efficacité dans le trouble obsessionnel-compulsif : leur nom commercial, le nom de la molécule, la dose habituelle dans le TOC et la présentation en comprimés, en soluté buvable ou en ampoules injectables. Dans les années à venir, d'autres produits s'ajouteront probablement à cette liste.

LES MÉDICAMENTS ACTIFS DANS LE TROUBLE OBSESSIONNEL-COMPULSIF (présentés par ordre alphabétique)			
Nom commercial	**Nom de la molécule**	**Dose habituelle dans le TOC**	**Condition-nement**
Anafranil®	clomipramine*	150 à 250 mg/j	comprimés à 10 mg, 25 mg, 75 mg ampoules injectables à 25 mg
Deroxat®	paroxétine	20-60 mg/j	comprimés à 20 mg
Floxyfral®	fluvoxamine	200-300 mg/j	comprimés à 50 mg, 100 mg
Prozac®	fluoxétine	20-80 mg/j	gélules à 20 mg, soluté buvable à 20 mg/5 ml
Zoloft®	sertraline	50-200 mg/j	gélules à 25 et 50 mg

Tous ces médicaments font partie de la famille des antidépresseurs car c'est leur action antidépressive qui a été découverte en premier. Cela ne signifie pas pour autant que vous êtes déprimé. Ils agissent à la fois contre les obsessions-compulsions et contre la dépression.

• La clomipramine fait partie d'une famille particulière d'antidépresseurs qu'on appelle les antidépresseurs tricycliques. C'est un inhibiteur de la recapture de la sérotonine non sélectif car il a une action sur d'autres neuromédiateurs comme la noradrénaline.

• Les autres font partie de la famille des antidépresseurs séroto-

---

* Le nom commercial le plus connu de la clomipramine est l'Anafranil. Cependant, la clomipramine existe aussi sous la forme de génériques, identiques en efficacité à l'Anafranil : il s'agit de la Clomipramine MERCK (comprimés à 10 et 25 mg) et de la Clomipramine RPG (gélules à 10 et 25 mg).

ninergiques non tricycliques. Ce sont des inhibiteurs sélectifs de la recapture de la sérotonine car leur action principale porte plus sélectivement sur la sérotonine, qui est le neuromédiateur principalement incriminé dans le TOC*.

Certains médicaments plus récents n'ont pas encore été suffisamment étudiés pour pouvoir affirmer leur efficacité, mais celle-ci est probable. D'autres apparaîtront. C'est pourquoi les médecins doivent régulièrement suivre l'actualité psychopharmacologique.

Quelle est la conduite habituelle du traitement ?

La mise en place et la conduite du traitement dépendent de beaucoup de facteurs qu'il est impossible de résumer ici. Je développerai seulement le mode de traitement le plus habituel[69]. Si votre traitement est très différent de celui-ci, demandez à votre médecin des explications, il vous les donnera bien volontiers. Il préférera que vous posiez toutes les questions plutôt que vous doutiez de lui et que vous ne lui fassiez plus confiance.

■ *Le choix du produit*

Il n'existe pas de critère précis pour choisir le premier traitement. Généralement, le médecin sélectionne parmi les produits que nous avons énumérés en fonction de son expérience personnelle. Mieux il connaît le produit, mieux il le maniera.

■ *La dose*

Le produit est prescrit à doses croissantes jusqu'à atteindre sa dose habituelle d'efficacité.

* Pour en savoir plus, lire « La théorie neurochimique », p. 107.

◼ *Les effets indésirables*

Ils surviennent souvent dès la première semaine. Vous trouverez plus loin le descriptif détaillé des effets indésirables.

◼ *L'efficacité du produit*

Tous les produits ont à peu près le même profil d'action[70] : c'est-à-dire que le début de l'effet apparaît vers la quatrième semaine de traitement, et son action maximale, pour une dose déterminée, se situe vers trois mois (dix à douze semaines). Il est fréquent qu'au bout de la sixième semaine le médecin décide d'augmenter la dose, car au-delà de la sixième semaine l'amélioration a tendance à se ralentir. Ainsi, si vous êtes faiblement amélioré au bout de six semaines, il est moins probable que vous vous amélioriez de façon spectaculaire par la suite à la même dose. En revanche, si vous êtes très amélioré pour une posologie donnée (par exemple 40 mg de fluoxétine), le médecin va avoir tendance à attendre trois mois afin d'avoir le maximum d'action du traitement et de discuter l'utilité d'augmenter la dose.

◼ *La posologie finale*

1. En pratique, si chaque augmentation de dose apporte une nouvelle amélioration, le médecin juge souvent utile de continuer d'augmenter la posologie.
2. Cependant, les effets indésirables augmentent aussi parallèlement à l'augmentation des doses prescrites. Ce sont souvent eux qui mettent une limite à la dose et qui peuvent faire préférer changer de produit.
3. Si les doses habituelles peuvent être prescrites par votre médecin généraliste, il est justifié qu'il demande l'avis d'un spécialiste pour prescrire des posologies plus élevées.
4. Quelle que soit la dose, le traitement doit être bien supporté,

c'est-à-dire que le rapport entre les effets positifs et négatifs du traitement doit être très largement en faveur des effets bénéfiques.

Question : Mon psychiatre me prescrit 3 comprimés de Deroxat®. Est-ce que cela veut dire que ma maladie est plus grave que celle de mon voisin, qui ne prend qu'un comprimé ?

Réponse : Non. La gravité de la maladie ne se mesure pas en fonction de la dose du produit utilisé, mais en fonction de l'amélioration obtenue avec le traitement. La maladie est d'autant plus sévère qu'elle est mal contrôlée par le traitement. Votre voisin peut avoir une maladie beaucoup plus sévère que la vôtre, bien qu'il prenne seulement 1 comprimé de Deroxat® par jour. Il suffit pour cela que votre voisin se soit peu amélioré avec 1 comprimé par jour et qu'il ne puisse pas bénéficier d'une augmentation de dose, soit à cause des effets indésirables, soit parce que 3 comprimés de Deroxat® ne sont pas plus efficaces qu'un seul. Les médicaments agissent différemment selon les individus, et il n'existe pas de dose systématique.

▪ *En cas d'échec ou d'action insuffisante*

Généralement, le médecin va arrêter le premier produit et en prescrira un autre, en suivant les règles que nous venons de voir[71]. Il est aussi fortement recommandé de faire une thérapie comportementale et cognitive. D'autres prescriptions sont possibles qui sont l'affaire de spécialistes.

▪ *La durée du traitement*

Si le traitement est efficace, il est très conseillé de poursuivre le traitement tant que vous n'avez pas fait de psychothérapie comportementale et cognitive. La durée recommandée du traitement médicamenteux est d'au moins un à deux ans. Les études réalisées chez des sujets arrêtant le traitement médicamenteux sont rares. Cependant, elles ont montré des taux de rechutes importants si les sujets n'avaient pas fait au préalable de psychothérapie comportementale. Avec la clomipramine, 90 % des personnes rechutaient dans les deux mois après l'arrêt du traitement[72]. Avec la fluoxétine, 23 % des sujets rechutaient dans l'année qui suivait[73]. En cas d'arrêt du traitement, les doses doivent être réduites très progressivement[74]. En cas de rechute à l'arrêt du traitement, il est nécessaire de reprendre le traitement. Il sera alors important de pratiquer une psychothérapie comportementale et cognitive avant d'envisager un nouvel arrêt de médicament. Un point important à discuter est la question des effets indésirables des médicaments, qu'il faut limiter au maximum : on ne peut prendre un traitement à long terme que s'il est très bien supporté.

Question : Si je prends des médicaments et que le traitement est efficace, j'en serai dépendant. N'est-ce pas un problème ?

Réponse : Ceux qui souffrent de trouble obsessionnel-compulsif se plaignent souvent d'une dépendance au médicament au sens que, s'ils l'arrêtent, ils risquent de rechuter. Mais, en réalité, ce n'est pas du médicament qu'ils sont dépendants, c'est de la maladie. Évidemment, il n'est pas agréable de devoir garder un traitement pendant une longue durée. Cependant, le TOC n'est pas différent de très nombreuses maladies de ce point vue. Des centaines, pour ne pas dire la plupart, nécessitent des traitements pendant des années. Par exemple l'hypertension artérielle, l'insuffisance cardiaque, la myopie, la surdité, l'asthme, le diabète, le lupus, l'eczéma, le psoriasis, etc. ! Pourquoi pas le TOC ? Quel est l'inconvénient de prendre un traitement pendant plusieurs années ? Je donne souvent l'exemple suivant : lorsque j'enlève mes lunettes, je ne vois plus, la rechute est immédiate et totale. Et je n'ai aucune autre solution que de remettre mes lunettes immédiatement ! J'en suis donc dépendant depuis plus de vingt ans. Mais qu'il est agréable de bien voir !

▣ L'association avec une psychothérapie comportementale et cognitive

Il est toujours utile de faire une thérapie comportementale et cognitive. Si celle-ci vous améliore encore, alors on peut raisonnablement diminuer très progressivement les doses : vous appliquerez les règles comportementales aux obsessions et aux rituels, si ceux-ci réapparaissent.

Quels sont les effets indésirables et les contre-indications ?

Ils sont différents selon les produits.

▣ Le cas de l'Anafranil® (clomipramine)

L'Anafranil® (clomipramine) est contre-indiqué en cas de :
1. maladie cardiaque instable telle qu'une insuffisance cardiaque, une maladie des artères coronaires (angine de poitrine, antécédent d'infarctus du myocarde) ou des troubles du rythme cardiaque.
2. glaucome oculaire à angle fermé en raison du risque d'hypertension oculaire. En pratique, il convient de faire contrôler sa tension oculaire au moindre doute.
3. hypertrophie prostatique entraînant une gêne objective pour uriner : si vous urinez peu à la fois mais souvent.
4. épilepsie.
Si vous souffrez d'une de ces pathologies, n'oubliez pas de le signaler à votre médecin.
L'Anafranil® a de fréquents effets indésirables : dans une étude portant sur 260 sujets prenant de la clomipramine, 98 % d'entre eux

avaient des effets indésirables[75]. Ceux-ci, présents chez plus de 10 % des sujets, sont résumés dans le tableau suivant :

PRINCIPAUX EFFETS INDÉSIRABLES DE LA CLOMIPRAMINE (sur 260 sujets)
1. Sécheresse de bouche.
2. Vertiges.
3. Tremblements surtout des doigts et des mains.
4. Somnolence.
5. Constipation.
6. Troubles de l'éjaculation.
7. Fatigue.
8. Nausées.
9. Sueurs.
10. Maux de tête.
11. Troubles de l'accommodation qui gênent la vision de près.

Ces effets indésirables peuvent sembler importants. La sécheresse de bouche, par exemple, touche 80 % des personnes. En réalité, quoique fréquents, ils sont souvent très minimes et bien supportés par les patients[76]. D'autres effets, qui sont plus rares, sont en revanche très mal supportés, comme la prise de poids. De toutes les façons, il faut toujours comparer les avantages et les inconvénients du traitement avant d'en changer.

L'Anafranil® présente aussi une toxicité cardiaque en cas d'intoxication massive. Il faut donc être prudent, s'il existe un risque suicidaire important.

▪ *Le cas du Deroxat® (paroxétine), du Floxyfral® (fluvoxamine), du Prozac® (fluoxétine) et du Zoloft® (sertraline)*

Ces produits ne présentent pas les contre-indications de la clomipramine. De plus, leur toxicité est faible en cas d'intoxication volontaire. Ils sont aussi mieux tolérés, mais présentent eux aussi des effets indésirables. Le tableau suivant résume les effets indésirables se produisant chez plus de 10 % des patients prenant l'un ou l'autre de ces différents médicaments[77].

PRINCIPAUX EFFETS INDÉSIRABLES DES INHIBITEURS SÉLECTIFS DE LA RECAPTURE DE LA SÉROTONINE

1. Nausées, vomissements, diarrhée et troubles de digestion.
2. Troubles sexuels (souvent une baisse de libido).
3. Insomnie.
4. Somnolence.
5. Sécheresse de bouche.
6. Nervosité.
7. Fatigue.
8. Maux de tête.
9. Tremblements.
10. Baisse de l'appétit.

Quelques précisions sont utiles :

1. Vous pouvez avoir eu un effet indésirable (par exemple des nausées) avec un des produits et ne pas en avoir avec un autre produit de la même famille.

2. À la différence de la clomipramine, aucun de ces effets indésirables ne dépasse 40 % des patients.

3. Ces effets sont souvent transitoires et bien supportés.

4. D'autres effets indésirables sont plus rares, mais peuvent être gênants, par exemple les sueurs.

▪ *Le syndrome de sevrage*

En cas d'arrêt brutal du traitement, un syndrome de sevrage peut se produire[78, 79]. Celui-ci est sans gravité, mais ses symptômes peuvent surprendre. Ce syndrome est surtout observé avec la fluvoxamine, la sertraline, la clomipramine et la paroxétine, et moins avec la fluoxétine. Ces symptômes passent spontanément en une à trois semaines. Il s'agit des symptômes suivants :

1. vertiges. 2) fatigue. 3) nausées. 4) maux de tête. 5) anxiété. 6) insomnie. 7) difficultés de concentration.

Pour éviter cela il suffit de baisser très progressivement les doses par paliers successifs.

Quels sont les obstacles à la prise de médicaments ?

Beaucoup de personnes ont des réticences à prendre des médicaments. Pourtant, ils sont d'un apport considérable dans le traitement du TOC. Nous avons relevé ici les principales objections à la prise de médicaments présentées par les patients, en leur apportant une réponse à chacune.

Question : J'ai des effets indésirables gênants : mon médecin me dit que ce n'est pas grave. Que peut-on faire ?

Réponse : Les effets indésirables doivent faire l'objet d'une discussion approfondie avec votre médecin. On ne poursuit longtemps un traitement qu'à la condition de bien le supporter. Face aux effets indésirables, il y a trois attitudes possibles :

1. Les corriger : la constipation, la sécheresse de bouche, des petits troubles du sommeil peuvent facilement être réglés avec des conseils d'hygiène ou d'autres médicaments.

2. Attendre que les effets passent : de nombreux effets indésirables ont tendance à passer spontanément au bout de quelques jours ou de quelques semaines, comme les troubles digestifs. Il ne faut pas arrêter trop vite un traitement, et pas avant d'en avoir discuté avec le médecin.

3. Changer de produit. Certains effets indésirables sont intolérables à long terme, comme les troubles sexuels importants. Il faut alors changer de produit. Il est très rare que quelqu'un ne supporte aucun produit actif dans le TOC.

4. Peser les avantages et les inconvénients d'un traitement : vaut-il mieux souffrir un peu plus du TOC et ne pas avoir d'effets indésirables ou bien bénéficier d'une amélioration notable du TOC au prix de certains effets indésirables ? Il n'y a pas de réponse générale dans ce domaine : chaque cas est unique et doit être discuté individuellement.

Question : N'est-ce pas un signe de « faiblesse » que d'avoir besoin de cette béquille ? Seuls les gens « faibles » prennent des médicaments psychiatriques !

Réponse : Vous serez plus fort si vous guérissez le plus vite possible ! Parleriez-vous d'une béquille s'il s'agissait de prendre un antibiotique lorsque vous souffrez d'une bronchite ? Les personnages célèbres qui souffrent de ce trouble sont-ils faibles ?

Question : Je dois subir une intervention chirurgicale sous anesthésie générale. Faut-il que j'interrompe le traitement ?

Réponse : L'Anafranil® est fréquemment arrêté quelques jours avant l'intervention. Les autres médicaments anti-obsessionnels sont souvent pris jusqu'à la veille de l'opération et repris juste après. En pratique, vous devez signaler votre traitement à l'anesthésiste, et c'est à lui de décider ou non de l'arrêter, en fonction du médicament que vous prenez et du type d'intervention que vous devez subir. Si vous devez interrompre votre traitement pendant quelques jours, alors que vous l'avez pris régulièrement depuis plusieurs mois, et si vous le reprenez après l'intervention, vous ne ressentirez probablement aucune modification de l'état de vos obsessions-compulsions.

Question : N'est-il pas suffisant de prendre des médicaments seulement les jours où ça ne va pas ?

Réponse : Non ! surtout pas ! Prendre les médicaments seulement quand cela ne va pas revient à diminuer considérablement la dose et donc à ne pas se traiter correctement. Ce sont des médicaments qui agissent à long terme, et il est indispensable de les prendre régulièrement.

Question : Cela fait quinze jours que je prends le traitement, et je ne suis pas encore guéri. Le médicament ne marche-t-il pas ?

Réponse : Il est trop tôt pour juger de l'effet de votre traitement, il faut patienter. Les médicaments mettent quatre à six semaines à agir.

Question : Je voudrais me sentir toujours bien. Le médicament va-t-il résoudre tous mes problèmes ?

Réponse : Non, le médicament va vous aider à résoudre certains problèmes : être moins assailli par vos obsessions et résister plus facilement à vos rituels. Il peut agir aussi sur votre moral et votre énergie si vous êtes déprimé. Mais personne ne se sent bien en permanence, et vous ne serez pas différent des autres de ce point de vue-là.

Question : Que dois-je faire de mes médicaments en cas de grossesse ou d'allaitement ?

Réponse : À coup sûr, c'est le moment d'aller consulter un spécialiste. Voilà déjà trois éléments de réponse à aborder avec le spécialiste :
1. L'attitude générale est plutôt d'arrêter ces traitements médicamenteux pendant la grossesse[80]. En effet, si l'on n'a jamais trouvé de risque de malformation dû aux médicaments, on dispose de peu de recul concernant les effets neurologiques et comportementaux des médicaments sur le fœtus ou le nouveau-né.
2. Cependant, comme on l'a déjà dit, la grossesse peut occasionner une aggravation du trouble obsessionnel-compulsif. Aussi, si le trouble est déjà sévère, il est parfois préférable de maintenir un traitement durant la grossesse. Si on l'interrompt, il faut le réintroduire rapidement après l'accouchement.
3. Si la grossesse est « programmée », c'est un argument impor-

tant pour faire une psychothérapie comportementale et cognitive avant la grossesse. En effet, la thérapie comportementale et cognitive a une efficacité comparable à celle d'un médicament et permet de sevrer celui-ci sans risque important de rechute pendant la grossesse.

4. L'allaitement maternel est déconseillé avec les médicaments car ils passent tous en proportions variables dans le lait maternel. Le plus souvent, cela ne pose pas de problème : les mères reprennent leur traitement rapidement après l'accouchement et pratiquent un allaitement artificiel de leur bébé.

Question : Je vais à l'étranger. Comment savoir si j'y trouverai mon médicament ?

Réponse : Il existe un nom de dénomination commune internationale (DCI) qui est le nom de la molécule et qui est le même quel que soit le pays. Le nom commercial est le nom que le laboratoire donne à cette molécule dans le pays considéré. Le laboratoire peut commercialiser le même médicament dans deux pays différents sous deux noms différents. C'est le cas de la fluvoxamine qui s'appelle Floxyfral® en France et Luvox® aux USA. De même, le Deroxat® s'appelle Paxil® aux USA. Le Prozac® comme le Zoloft® sont commercialisés sous le même nom dans beaucoup de pays. Si vous partez pour l'étranger et que vous y manquez de médicaments, vous retrouverez le nom local de celui que vous prenez grâce à sa dénomination commune internationale inscrite sur la boîte et sur la notice.

Les médicaments chez l'enfant

Ils sont beaucoup moins bien documentés que chez l'adulte, en particulier en raison du retard de la psychiatrie de l'enfant par rapport à celle de l'adulte. Nous en dégagerons seulement les points principaux[81].

1. Les médicaments actifs chez l'adulte sont aussi efficaces chez

l'enfant. La sertraline (Zoloft®) a reçu l'autorisation de mise sur le marché en France, avec l'indication « trouble obsessionnel-compulsif de l'enfant de plus de 6 ans ». Il est recommandé que ce type de traitement soit instauré chez l'enfant par un spécialiste habitué à ce type de prescription. Par la suite, l'ordonnance pourra être renouvelée par le médecin traitant qui s'appuiera sur la prescription du spécialiste.

2. Les doses doivent être adaptées à l'âge de l'enfant : c'est généralement son poids qui est le principal indicateur de la prescription. La clomipramine (Anafranil®) est souvent prescrite à la dose moyenne de 3 mg/kg, la sertraline (Zoloft®) est prescrite entre 25 et 200 mg/j[82], la fluoxétine (Prozac®) est prescrite entre 5 et 40 mg/j[83]. Les effets indésirables sont les mêmes que chez l'adulte, ainsi que les délais d'action.

3. La présence de tics associés peut conduire le psychiatre à prescrire, après un inhibiteur de la recapture de la sérotonine, de très faibles doses de neuroleptique comme l'Haldol® ou l'Orap®. Cette question très délicate devra être posée au spécialiste.

CHAPITRE 8

Comment changer
par des exercices réguliers ?

Pour cruel et injuste que cela puisse paraître, vous souffrez bien d'une maladie. Celle-ci garde sa part de mystère, comme la plupart des maladies. Il ne sert donc à rien de nier l'évidence ou de croire exagérément que le temps qui passe arrangera les choses. Mieux vaut prendre soi-même le problème en main.

Le TOC n'est ni une catastrophe ni une péripétie. C'est une maladie plus ou moins gênante selon les cas et qui nécessite souvent un traitement. La psychothérapie comportementale et cognitive nécessite d'accepter cette vulnérabilité et de travailler sur ce trouble comme un sportif convalescent travaille sur sa blessure. Un sportif qui se blesse ne peut pas espérer retrouver ses performances passées dès le premier jour de son entraînement, ni même la première semaine.

Prenons une autre image : quelqu'un qui a une fâcheuse tendance à grossir devra être plus vigilant sur son hygiène alimentaire que quelqu'un qui garde le même poids quoi qu'il fasse. De la même façon, le TOC nécessite d'être plus attentif et plus concentré, non pas sur la nourriture ou sur sa jambe cassée, mais sur les situations qui déclenchent des obsessions.

Vous ne trouverez pas dans ce livre de méthode toute faite,

du style « dites-vous que vos obsessions sont absurdes, arrêtez de ritualiser, et voilà, ce sera réglé ! ». Ou, encore, « si cela ne marche pas, c'est que vous n'avez pas assez de volonté ou que vous avez mal fait ! ». La thérapie du « il n'y a qu'à... » ne fonctionne pas ! Par définition, les obsessions-compulsions s'installent dès lors que ce type de tentative ne marche plus.

Point de magie ici. Nous allons parler de techniques qui ont fait la preuve scientifique de leur efficacité. Ces techniques demandent des exercices précis, réguliers, progressifs. Il s'agit d'un véritable travail. C'est une façon active d'aborder le problème des obsessions et des compulsions. L'aide d'un professionnel de santé mentale, qu'il soit médecin ou psychologue, doit cependant être envisagée. En effet, il vaut souvent mieux, dans un premier temps, travailler, en thérapie, en collaboration avec un professionnel. Ce livre facilitera le traitement et en accélérera les effets.

La psychothérapie comportementale et cognitive utilise deux techniques différentes. Ces deux techniques sont le plus souvent associées, mais elles peuvent être utilisées séparément :

1. La psychothérapie comportementale, qui consiste en une exposition progressive aux situations obsédantes avec prévention de la réponse rituelle.

2. La psychothérapie cognitive des obsessions, qui est une remise en question et une lutte contre les croyances obsessionnelles.

Les mots barbares que voilà ! Ne vous découragez pas. Nous allons essayer de les rendre plus clairs tout au long de ce chapitre, jusqu'à vous rendre ces notions familières. Nous présenterons d'abord les principes de chacune de ces deux techniques en donnant de nombreux exemples. Puis nous parlerons de leur mise en pratique pour vos obsessions et vos rituels en répondant aux questions les plus courantes concernant ces thérapies.

Lutter contre les rituels et les évitements : la psychothérapie comportementale

■ *L'exposition graduée aux situations obsédantes*

Cette psychothérapie repose sur des principes très simples. Certains d'entre vous les trouveront trop simples, voire simplistes. Surtout si vous les comparez à l'apparente complexité du trouble. Mais même s'ils sont simples, il est fondamental que vous ayez parfaitement compris et assimilé ces principes, car ils sont à la base de la thérapie comportementale.

La psychothérapie comportementale va chercher à vous aider à surmonter les situations pénibles du TOC par une technique qui s'appelle « l'exposition graduée avec prévention de la réponse ». Cette technique consiste à répéter des exercices quotidiens qui permettent :

1. D'affronter *très progressivement* les situations qui déclenchent vos obsessions et vos rituels, comme le fait de quitter son domicile (vérifications du gaz, de l'électricité, de la porte, etc.) ou d'être confronté à quelque chose de sale (serrer la main, toucher une poignée de porte, etc.). C'est ce qu'on appelle l'exposition graduée.

Cette exposition va utiliser des situations qui déclenchent une anxiété ou un malaise *supportables* : on laissera de côté, au début, les situations où il est impossible de résister à l'envie de faire des rituels ; on utilisera plutôt les situations où il a déjà été possible de modifier ou d'amoindrir le rituel sans trop souffrir.

2. De diminuer *très progressivement* les rituels qui sont liés à ces situations : c'est la prévention du rituel. Cette diminution du rituel va consister :

• à baisser la fréquence du rituel : par exemple, ne vérifier que dix fois au lieu de quinze fois ; ne laver que trois fois au lieu de six ;

• à diminuer la complexité du rituel : par exemple, si la vérification de la fermeture d'une porte consiste à chercher à l'ouvrir avec la poignée *et* à réintroduire la clef dans la serrure, un des exercices possibles consistera à ne vérifier la fermeture de la porte qu'en cherchant à l'ouvrir avec la poignée. Ou, encore, si un rituel de lavage des mains consiste à se laver les mains, les avant-bras et les bras, des mains vers les bras puis des bras vers les mains, un exercice consistera à se laver seulement les mains et les avant-bras, et seulement dans un sens (par exemple des avant-bras vers les mains) ;

• à ne pas faire de rituel, si le rituel est de faible intensité : ne pas décacheter une lettre que l'on a écrite et fermée. Ou bien ne pas se laver les mains si l'on a touché le journal. Cet exercice est réservé aux rituels de très faible intensité, ou après de nombreux exercices préalables au cours desquels le rituel a déjà beaucoup diminué.

3. De lutter contre les évitements : par exemple, fermez vous-même une porte et vérifiez qu'elle est fermée, au lieu de demander à quelqu'un d'autre de le faire à votre place. Ou bien, si vous ne pouvez pas saisir un objet considéré comme sale, un livre, par exemple, saisissez le livre en interposant un mouchoir, puis touchez le mouchoir sur le côté qui a été en contact avec le livre. Ou encore restez seul avec votre enfant, si vos obsessions agressives nécessitent toujours la présence d'une tierce personne.

L'EXPOSITION GRADUÉE
AUX SITUATIONS OBSÉDANTES

1. Affronter progressivement les situations qui déclenchent les obsessions et les rituels.
2. Diminuer progressivement les rituels.
    a) baisser la fréquence du rituel ;
    b) diminuer la complexité du rituel ;
    c) ne pas faire de rituel.
3. Lutter contre les évitements.

Vous avez certainement déjà tenté de résister au besoin de ritualiser et vous en avez certainement conclu que vous n'y arriviez pas.

Aussi pouvez-vous être surpris que la thérapie par exposition vous demande de réaliser ces affrontements. Mais la particularité de la thérapie consiste dans le fait qu'elle utilise des affrontements « faibles », c'est-à-dire qui déclenchent une anxiété supportable. Cette exposition va progressivement « entraîner » votre organisme à résister à l'envie de ritualiser avec des exercices « moyennement pénibles ». Elle vous permettra de *vous prouver à vous-même qu'il est possible de diminuer ces rituels*. En effet, cette technique conduit à un processus d'amélioration qui s'appelle l'« habituation ». L'habituation s'explique par trois principes fondamentaux.

■ *Les trois principes de base*

Premier principe : en cas d'exposition prolongée, l'anxiété finit toujours par baisser

Si l'on s'expose à une situation qui déclenche l'envie de ritualiser et que l'on ritualise moins, on ressent une anxiété désagréable dont l'intensité monte jusqu'à un certain niveau. Cette intensité se maintient à un degré qui fluctue « en plateau » pendant un certain temps. Puis cette anxiété finit *toujours* par baisser et disparaître.

➤ Prenons un exemple

Jean-Philippe a un rituel de vérification qui consiste à fermer et ouvrir trois fois la serrure chaque fois qu'il quitte sa voiture, afin de s'assurer qu'elle est bien « fermée ». Il décide de modifier légèrement ce rituel selon les principes de la psychothérapie comportementale.

1. Il va tenter l'expérience suivante : ne vérifier que deux fois la serrure au lieu de trois.

2. Il va observer attentivement son niveau d'anxiété en le « mesurant » en fonction du temps qui passe. Cette mesure va consister en une évaluation personnelle de son anxiété qui va de 0 % (je ne

suis pas du tout anxieux) à 100 % (je suis au maximum d'anxiété que j'aie ressenti du fait de mon trouble obsessionnel-compulsif).

3. Toutes les cinq minutes, il va noter son degré d'anxiété en l'inscrivant sur un petit carnet.

Les résultats sont représentés sur le schéma suivant :

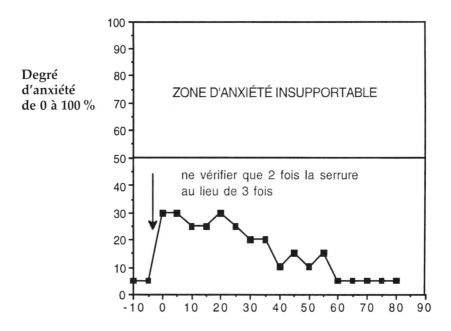

Temps écoulé depuis l'exposition en minutes

**1ᵉʳ principe : si l'on diminue le rituel,
l'anxiété ressentie se maintient un certain temps en plateau
et finit par chuter**

Comme on le voit sur ce schéma, Jean-Philippe est immédiatement plus anxieux dès qu'il ne vérifie plus la serrure que deux fois au lieu de trois. L'anxiété s'installe alors à une intensité d'environ 30 % et fluctue autour de ce chiffre pendant vingt minutes. Puis elle baisse lentement. Elle remonte momentanément, lors des évaluations à vingt, quarante et cinquante-cinq minutes après l'exposition. Mais on voit bien qu'au fil des minutes elle décroît régulièrement.

➤ Quelques explications importantes

1. Cet exercice est bien adapté aux rituels de Jean-Philippe : l'anxiété provoquée est montée à un niveau de 30 %, mais elle est restée très en dessous d'une zone d'anxiété insupportable, qu'il a fixée lui-même à 50 %.

2. Pourquoi les sujets souffrant de TOC ne s'exposent pas d'eux-mêmes ? En effet, la plupart des patients ont essayé un jour de résister à leurs rituels. Le plus souvent, ils le font de la manière suivante : un jour où ils sont en forme, ils prennent pour cible le rituel qui les gêne le plus, et, brutalement, ils tentent de ne plus faire du tout ce rituel. Très vite, l'anxiété est insupportable et dure pendant des heures. Le plus généralement, ils finissent par faire le rituel, plusieurs heures après, épuisés par l'angoisse. Ils en déduisent qu'il est impossible de résister à l'envie de faire un rituel. En outre, ils ont l'impression d'avoir aggravé leur trouble, car cela faisait longtemps qu'ils n'avaient pas autant souffert. Ils sont ensuite très craintifs à l'idée de modifier leurs rituels. On comprend donc qu'ils ne se soignent en général pas eux-mêmes. La psychothérapie comportementale, elle, n'utilise jamais cette technique brutale et inefficace.

3. Comment peut-on dire : « J'ai une anxiété à 30 % » ? Il s'agit d'une évaluation subjective. Cette évaluation doit vous permettre :

a) de savoir si l'anxiété que vous ressentez du fait de l'exercice est supportable ou non. Encore une fois, il ne faut pratiquer que les exercices où l'anxiété est supportable ;

b) d'évaluer ensuite si vous êtes « plus anxieux », « autant anxieux » ou « moins anxieux » à mesure que les minutes passent. Si cette évaluation en « pourcentage d'anxiété maximale » ne vous convient pas, vous pouvez vous constituer votre propre échelle d'anxiété en distinguant différents degrés. Par exemple, vous pouvez dire : « Je suis » :

pas du tout anxieux	très peu anxieux	peu anxieux	moyen-nement anxieux	assez anxieux	très anxieux	extrê-mement anxieux

Ou, encore, vous pouvez utiliser des scores d'intensité pour chacun de ces états d'anxiété, par exemple de 0 à 6.

pas du tout anxieux	très peu anxieux	peu anxieux	moyen-nement anxieux	assez anxieux	très anxieux	extrê-mement anxieux
intensité 0	intensité 1	intensité 2	intensité 3	intensité 4	intensité 5	intensité 6

Deuxième principe : si l'on répète l'exercice d'exposition, l'anxiété finit par être de moins en moins intense

Si l'on répète tous les jours le même exercice consistant à moins ritualiser, l'anxiété monte à un niveau progressivement *moins élevé*.

➤ Reprenons l'exemple de Jean-Philippe

Fort de ce premier exercice consistant à ne vérifier la serrure de sa voiture que deux fois au lieu de trois, il *répète exactement le même exercice* chaque fois qu'il prend sa voiture, c'est-à-dire quatre fois par jour.

Lors du premier exercice qu'il avait pratiqué, vous avez noté que l'anxiété maximale s'était élevée à 30 %. Observons sur le schéma suivant l'évolution de cette anxiété maximale, à mesure qu'il répète l'exercice de la serrure.

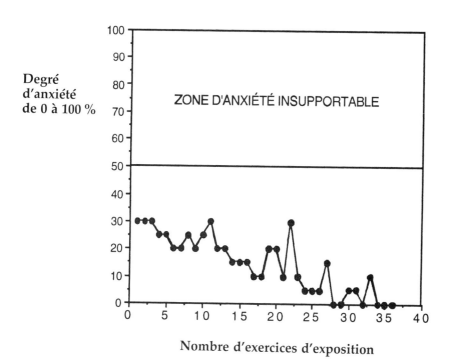

Nombre d'exercices d'exposition

2ᵉ principe : si l'on répète assez souvent le même exercice d'exposition, l'anxiété ressentie est de moins en moins intense

L'anxiété ne cesse de baisser alors que Jean-Philippe répète l'exercice. De 30 % au début, elle n'est plus que de 20 % après six exercices, de 15 % vers le quinzième exercice, puis elle devient inférieure à 10 % vers le vingt-cinquième exercice. Parfois, l'anxiété remonte lors d'un exercice, ici le vingt-deuxième. Les fluctuations d'anxiété au fil des jours sont en effet tout à fait habituelles*. Mais on voit bien que, globalement, au fil du temps, l'anxiété moyenne ne cesse de baisser.

* On l'a déjà expliqué dans « Les fluctuations du TOC », p. 46.

> **Quelques explications importantes**

1. Il est nécessaire de pratiquer de nombreux exercices et de les faire régulièrement. Dans notre exemple, l'anxiété de Jean-Philippe passe durablement en dessous de 10 % vers le vingt-cinquième exercice. Si Jean-Philippe fait l'exercice quatre fois par jour, il lui faut moins d'une semaine pour en finir avec cet exercice. S'il ne le fait qu'une fois par jour, il lui faut vingt-cinq jours pour ne plus ressentir d'anxiété. D'où cette notion importante : il faut travailler fréquemment et régulièrement pour progresser en thérapie comportementale.

2. Pourquoi est-ce que les sujets ne s'exposent pas eux-mêmes ? Le plus souvent, celui qui souffre de TOC résiste deux ou trois fois à sa compulsion, et puis il se décourage. De plus, si un jour, lors d'un exercice, la fluctuation naturelle du TOC entraîne une anxiété plus importante, il a l'impression d'aggraver le trouble.

Troisième principe : en cas d'exposition répétée, l'anxiété maximale dure de moins en moins longtemps

Si le sujet qui souffre de trouble obsessionnel-compulsif répète assez souvent le même exercice consistant à moins ritualiser, l'anxiété maximale qu'il ressent dure progressivement moins longtemps.

> **Reprenons une dernière fois l'exemple de Jean-Philippe**

Vous avez noté que, lors du premier exercice (cf. le premier schéma), l'anxiété s'était maintenue à un plateau fluctuant autour de 30 % pendant environ vingt minutes. Ensuite, cette anxiété avait chuté régulièrement au fil des minutes. Observons l'évolution de ce plateau à mesure que Jean-Philippe répète l'exercice consistant à ne vérifier la serrure que deux fois au lieu de trois.

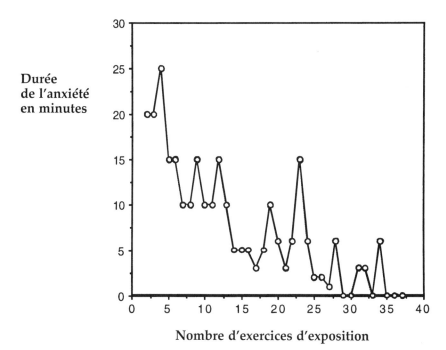

**Durée
de l'anxiété
en minutes**

Nombre d'exercices d'exposition

**3ᵉ principe : si l'on répète assez souvent
le même exercice d'exposition, l'anxiété ressentie
dure de moins en moins longtemps**

On voit bien que, lors des premiers exercices, l'anxiété dure vingt minutes (avec un pic à vingt-cinq minutes) ; puis vers le cinquième essai, elle passe à quinze minutes (avec des creux à 10 %). Après une période de recrudescence entre le dix-septième exercice et le vingt-huitième exercice, l'anxiété passe régulièrement en dessous de cinq minutes (avec un dernier petit pic au trente-troisième exercice qui reste d'une courte durée). On voit encore ici la nécessité de réaliser de nombreux exercices sans se décourager.

Récapitulons

Voilà, nous avons fini d'expliquer les trois principes de base d'une thérapie comportementale par exposition : si l'on s'expose régulièrement et de façon graduée à des situations qui déclenchent des compulsions, cette exposition devient de plus en plus facile, et l'anxiété que l'on ressent finit par disparaître. Le trouble obsessionnel-compulsif devient ainsi moins intense.

Il est très important que vous ayez parfaitement bien compris ces principes.

**LES TROIS PRINCIPES DE L'HABITUATION
À UNE SITUATION OBSÉDANTE
EN PSYCHOTHÉRAPIE COMPORTEMENTALE**

1. En cas d'exposition prolongée à une situation supportable, l'anxiété finit toujours par baisser.
2. En cas d'exposition répétée, l'anxiété finit par être de moins en moins intense.
3. En cas d'exposition répétée, l'anxiété maximale dure de moins en moins longtemps.

Si ces principes vous semblent encore confus, relisez ces pages. Par ailleurs, de nombreux exemples illustrent et détaillent tout au long de ce livre cette méthode de psychothérapie.

Si l'expérience que vous avez de votre propre maladie vous semble contredire l'un de ces principes, parlez-en sans attendre à un psychothérapeute pratiquant ces techniques.

**Question : Je souffre beaucoup d'obsessions.
Or cette thérapie vise surtout à modifier les rituels.
Est-elle aussi active sur les obsessions ?**

Réponse : Oui ! La psychothérapie comportementale prend pour cible les rituels, mais elle permet aussi de diminuer les obsessions. À mesure que les rituels diminuent, les obsessions sont moins présentes puisque vous ne ferez presque plus rien en fonction d'elles. À terme, elles diminuent puisque plus rien ne vient les « conforter ».

Une obsession est une croyance, et cette croyance peut changer. Par exemple, si un sujet souffrant d'obsessions de souillure ne se lave pas, c'est qu'il ne tient pas compte de la peur d'être sali. Ainsi, la croyance selon laquelle « il risque d'être souillé s'il ne se lave pas » est un peu ébranlée. À mesure que cette personne va répéter l'exercice, elle va constater que son anxiété diminue et que, finalement, il ne se passe rien de spécial : la catastrophe attendue ne se produit pas ! Dès lors, les obsessions diminuent d'elles-mêmes. Cette baisse des obsessions à partir de la baisse des rituels a été démontrée par de nombreuses études[84].

■ *En pratique pour vous*

Première étape : apprenez les trois principes de base

Assurez-vous de la bonne compréhension de ces principes. Car je n'ai jamais vu un patient s'améliorer en psychothérapie comportementale sans en avoir parfaitement compris les principes. Et cela s'explique aisément : comment voulez-vous pratiquer cinq à sept heures d'exercices par semaine, provoquer de l'anxiété, même modérée, plusieurs fois par jour, vous concentrer sur vos rituels, si vous n'en avez pas compris l'utilité et le but ?

Ne nous le cachons pas : la psychothérapie comportementale demande des efforts. Mais ces efforts sont le plus souvent récompensés.

Si ces principes vous semblent clairs, essayez de les mémoriser pour les avoir présents à l'esprit chaque fois que vous souffrez d'obsessions-compulsions. Seriez-vous capable de les expliquer à quelqu'un d'autre ?

Revoyons une dernière fois ces trois principes de base :

1. Si vous résistez au besoin de faire un rituel, l'anxiété ressentie finit toujours par chuter.

2. Si vous résistez régulièrement à une compulsion face à une situation donnée, l'anxiété tend à être de moins en moins intense.

3. Si vous résistez régulièrement à une compulsion face à une situation donnée, l'anxiété tend à durer de moins en moins longtemps.

Certains patients recopient sur un bout de papier ces principes et les gardent sur eux afin de pouvoir les « réviser » de temps en temps, surtout lorsqu'ils sont en situation difficile.

Deuxième étape : faites le point sur vos obsessions-compulsions

➤ L'agenda des obsessions-compulsions

Depuis que vous vous battez contre vos obsessions et vos compulsions, vous avez eu tendance à modifier votre vie afin de limiter au maximum les conséquences de cette maladie. Certaines personnes atteintes d'obsessions-compulsions n'ont plus une vision très objective de leur trouble car elles le minimisent.

L'agenda des obsessions-compulsions est alors utile :

1. Pour identifier les obsessions. À force de faire rapidement des rituels et des évitements, vous n'identifiez peut-être plus clairement l'obsession, c'est-à-dire la pensée anxieuse qui les précède. Par conséquent, vous n'avez plus une vision lucide de votre trouble. Il est important de refaire le point sur les thèmes de vos obsessions.

2. Pour prendre conscience des rituels. À force de réaliser automatiquement et le plus vite possible vos rituels pour « vous en débarrasser », vous avez tendance à ne plus être conscient de ce que vous êtes en train de faire. Il est pourtant important d'observer précisément le rituel que l'on exécute, sa durée et sa fréquence.

3. Pour identifier les évitements. À force d'avoir aménagé votre vie en fonction du trouble, vous n'êtes plus forcément conscient de l'évitement de certaines actions. L'agenda permet de refaire le point.

➤ À vous maintenant

Écrivez l'agenda de vos obsessions, de vos compulsions et de vos évitements.

C'est un exercice un peu ennuyeux mais très utile. Il consiste à noter pendant quelques jours :

1. Les situations qui déclenchent le trouble obsessionnel-compulsif.

2. Les obsessions qui naissent de ces situations.

3. Les compulsions qui en découlent.

4. Les évitements que vous pratiquez pour ne pas vous confronter à la situation obsédante.

Il est inutile de prendre en compte des circonstances exceptionnelles : départ en vacances, si vous faites des rituels de vérification au domicile ; jour du mariage d'un de vos meilleurs amis, si vous avez des obsessions de malheur. Ces circonstances ne sont pas le reflet habituel de votre trouble. Basez cet agenda sur votre vie quotidienne.

Aidez-vous de la fiche d'agenda ci-dessous. Vous pouvez la photocopier et la conserver avec vous. Cette fiche sera un pense-bête qui vous guidera. Évidemment, elle est trop petite... Alors, inspirez-vous de son principe et notez soigneusement vos obsessions, vos rituels et vos évitements sur un petit carnet que vous aurez toujours sur vous.

AGENDA DES OBSESSIONS, DES COMPULSIONS ET DES ÉVITEMENTS				
JOUR ET HEURE	**SITUATION** « ce qui déclenche »	**OBSESSION** « l'idée qui vous fait peur »	**COMPUL-SION** « ce que vous faites pour vous rassurer »	**ÉVITEMENT** « ce que vous faites pour ne pas être confronté aux obsessions et aux rituels »
mercredi 27 mars à 10 h	je serre la main à mon chef de service	mes mains sont peut-être sales	je lave 5 fois mes mains pendant 12 minutes en tout	aucun
vendredi 1er avril à 9 h	je vais à la mer pour la journée et je ferme la porte de mon appartement	j'ai peut-être mal fermé la porte	je vérifie trois fois en actionnant la poignée et en poussant la porte	aucun
Dimanche 3 avril à 10 h	mon amie Émilie me dit qu'elle passera me voir chez moi	elle va salir mon appartement, et je devrai passer au moins 6 heures à le nettoyer	rien	je dis que je ne suis pas libre
mardi 5 avril à 11 h	j'accompagne ma fille à son cours de conduite automobile	si j'ai une pensée négative, cela va lui porter malheur	je me répète pendant tout le trajet : « Il ne lui arrivera que du bonheur »	aucun
mardi 5 avril à 21 h	la poubelle est pleine, et il faut la mettre dans le vide-ordures	je crains de jeter des choses importantes	rien	je demande à ma femme de jeter la poubelle dans le vide-ordures

À vous maintenant !

JOUR ET HEURE	SITUATION « ce qui déclenche »	OBSESSION « l'idée qui vous fait peur »	COMPUL-SION « ce que vous faites pour vous rassurer »	ÉVITEMENT « ce que vous faites pour ne pas être confronté aux obsessions et aux rituels »
etc.				

> **Quelques conseils**

1. Encore une fois, faites ce travail en vous fondant sur votre vie quotidienne. Il est conseillé d'observer au moins deux jours de la semaine de travail (du lundi au vendredi) et un jour de repos (samedi ou dimanche).

2. Ne faites pas le bilan quand la journée est finie. D'une part, il est tard et vous êtes certainement fatigué. D'autre part, vous avez probablement oublié ou minimisé plusieurs situations. Je vous conseille donc de prendre cette fiche environ toutes les heures afin de noter ce qui s'est passé pendant cette heure-là, surtout s'il s'agit d'un moment de la journée où vous faites beaucoup de rituels, par exemple lors du retour au domicile si vous avez des rituels de lavage. Quand il s'agit d'une partie de la journée où il y a peu de rituels (par exemple au travail, si vous avez surtout des rituels à

domicile), vous pouvez remplir la fiche au bout d'une demi-journée.

3. Si vous avez du mal à déterminer précisément vos obsessions, c'est probablement que vous faites les rituels depuis fort longtemps et que vous en avez « oublié » le sens. Pour retrouver l'obsession, il suffit de vous poser la question suivante · « Qu'est-ce que je crains qu'il arrive si je ne ritualise pas ou ~i je n'évite pas ? » Précisez le thème, même s'il vous paraît absurde ou honteux.

Parfois, l'obsession est très précise, comme la crainte d'être contaminé par le sida ou de mettre le feu dans l'appartement. Mais l'obsession peut aussi être très floue, comme la crainte qu'un malheur se produise, mais sans idée précise de sa nature...

4. Il est très important de noter le nombre de répétitions de gestes, ou le temps passé, lorsque vous décrivez le rituel :
• Quelqu'un qui se lave les mains entre quinze et vingt fois est très différent de quelqu'un qui se passe juste les mains à l'eau en un dixième de seconde.
• Un sujet ayant un rituel magique consistant à « se répéter une seule fois une petite phrase » est très différent de celui qui doit « avoir des pensées positives à l'esprit pendant cinq minutes ».
• Celui qui « vérifie que la lumière est éteinte en touchant l'interrupteur cinq fois et qui retourne dans la pièce trois fois » est très différent de celui qui « vérifie l'interrupteur en ne le touchant qu'une fois ».

5. Les évitements peuvent être peu évidents : parfois, ils sont automatiques et vous pouvez même avoir oublié que vous évitiez certaines situations du fait du trouble obsessionnel-compulsif.

6. Lorsque vous vous apercevez que ce sont à peu près toujours les mêmes situations que vous notez, vous pouvez arrêter l'exercice d'agenda des obsessions-compulsions.

Troisième étape : réalisez un exercice test

Voyons maintenant si ces trois principes d'une psychothérapie comportementale fonctionnent chez vous. En effet, vous ne pouvez pas vous engager dans une thérapie dont vous n'êtes pas convaincu qu'elle peut être efficace pour vous.

Or il est bien naturel de ne pas être convaincu, depuis le temps que vous essayez de combattre ces satanées obsessions et ces rituels ! Peut-être vous dites-vous : « Ce que dit ce livre est-il exact ? Qui garantit que cela va marcher pour moi ? Peut-être suis-je différent des autres ! » De plus, pour une petite minorité de personnes, ces principes fonctionnent mal.

Aussi est-il important, avant d'aller plus loin, de vérifier que ces principes fonctionnent bien chez vous. Pour cela, il est nécessaire de réaliser un « exercice test » sur vos propres rituels.

➤ Déterminez votre propre exercice test

Pour faire cet exercice test, vous allez choisir un rituel, de la manière suivante :

1. Ce rituel doit être fréquent : il doit se produire tous les jours, ou bien vous devez pouvoir le provoquer au moins une fois par jour.

2. Vous devez pouvoir travailler facilement sur ce rituel. Donc, il faut *éviter* les situation suivantes :

a) vous êtes très pressé (par exemple, le matin avant de partir au travail) ;

b) il serait très gênant pour vous d'être anxieux après l'exercice, si celui-ci se révélait être plus difficile que prévu (par exemple, avant une entrevue avec votre patron qui ne vous apprécie déjà pas trop...) ;

c) vous choisissez pour exercice test le pire de vos rituels, le cauchemar de vos compulsions (par exemple, le rituel le plus ancien, celui qui ne s'est jamais amélioré, même aux meilleures périodes de votre trouble). Laissez pour plus tard la « citadelle imprenable » !

3. Il faut inventer une manipulation de ce rituel qui permette de le diminuer légèrement. Le seul but de cet exercice est de vous prouver qu'il est possible d'avoir une action positive sur le trouble. Après avoir choisi un rituel fréquent, accessible à un travail et, *a priori*, pas trop difficile, vous allez vous livrer à la réflexion sui-

vante : « Comment diminuer le rituel de manière à provoquer seulement une anxiété légère ou moyenne, de l'ordre de 20 à 30 % de plus que mon degré d'anxiété habituelle ? » Vous avez plusieurs manières de procéder. Cette diminution du rituel peut consister :

a) à baisser la fréquence du rituel : par exemple, ne dire que cinq fois une phrase magique au lieu de dix fois ; ne laver que trois fois au lieu de six ;

b) à modifier le rituel et à diminuer sa complexité : si vous vérifiez que la cafetière électrique est éteinte en touchant l'interrupteur *et* en contrôlant que le voyant lumineux est éteint lorsque vous quittez la pièce, ne le faites plus qu'en regardant le voyant lorsque vous quittez la pièce ; si vous vous lavez compulsivement les mains pendant dix minutes *et* que vous lavez aussi le robinet, exécutez le même rituel sans laver le robinet ;

c) à ne pas faire le rituel. Toutefois, cette abstinence complète est difficile à réaliser d'emblée. C'est parfois faisable sur des situations mineures : si, toutes les fois que vous partez de chez vous, vous vérifiez visuellement que l'électricité est éteinte, essayez de ne vérifier que lorsque vous partez pour plus d'une demi-journée et non si vous ne partez que pour une heure ou deux ; si vous passez sous l'eau les boîtes de conserve quand vous les rapportez chez vous, essayer d'en acheter une et de ne pas la laver ; si vous lavez un objet dès lors qu'il tombe par terre, faites-le tomber par terre dans un endroit « pas trop sale » et essayez de ne pas le laver, tout en le manipulant (attention : il ne s'agit pas de « l'isoler » après cette manipulation) ;

d) à lutter contre les évitements : si vous vous changez entièrement en rentrant chez vous, essayez de vous changer en gardant le T-shirt qui est sous la chemise ; si vous ne garez pas votre voiture en pente de crainte qu'elle ne dévale la rue, faites-le sur une petite pente dans une rue sans trop de circulation en vérifiant le frein à main.

4. L'exercice test doit être réalisé au moins une fois par jour.

LES PRINCIPES DE L'EXERCICE TEST

1. Il doit être réalisable facilement.
2. Il ne doit provoquer qu'une anxiété légère ou moyenne.
3. Il n'a pas besoin d'être utile ou important : il sert seulement à vérifier que les principes de la psychothérapie comportementale d'exposition marchent chez vous.
4. Il doit être réalisé au moins une fois par jour.

Vous verrez d'autres exemples d'exercices tests dans la troisième partie de ce livre qui détaille des thérapies de sujets souffrant de TOC. Si vous n'avez aucune idée de ce que pourrait être pour vous un exercice test, allez consulter un spécialiste qui pratique les psychothérapies comportementales. Il vous aidera à mettre au point cet exercice test.

➤ Accomplissez votre exercice test
et testez sur vous-même les trois principes de base
Un exemple
Prenons l'exercice test de Danielle, 49 ans, souffrant d'obsessions de saleté avec rituels de lavage.

Exercice test de Danielle

Description du rituel initial : chaque fois que je me lave les mains au savon, dans les situations courantes où je suis chez moi, je dois le faire six fois de suite en moyenne (au minimum quatre fois et parfois jusqu'à dix).
Exercice test à réaliser : me laver les mains cinq fois de suite au maximum.
Fréquence de l'exercice : deux fois par jour.
Résultats de l'exercice : pour chaque exercice, noter :
— le degré d'anxiété maximale de 0 à 100 % ;
— la durée nécessaire pour que l'anxiété chute (en minutes).

	jour 1	jour 2	jour 3	jour 4	jour 5	jour 6	jour 7
1re fois : date et heure	5 mai à 12 h	6 mai à 10 h	7 mai à 11 h	8 mai à 16 h	9 mai à 12 h	10 mai à 15 h	11 mai à 12 h
Anxiété maximale	30 %	30 %	30 %	20 %	20 %	20 %	20 %
Durée (en minutes)	20	20	20	20	20	20	20
2e fois : date et heure	5 mai à 18 h	6 mai à 17 h	7 mai à 19 h	8 mai à 20 h	9 mai à 17 h	10 mai à 20 h	11 mai à 18 h
Anxiété maximale	30 %	30 %	30 %	30 %	40 %	20 %	20 %
Durée (en minutes)	20	20	30	20	20	20	10

	jour 8	jour 9	jour 10	jour 11	jour 12	jour 13	jour 14
1re fois : date et heure	12 mai à 12 h	13 mai à 12 h	14 mai à 12 h	15 mai à 12 h	16 mai à 12 h	17 mai à 12 h	18 mai à 12 h
Anxiété maximale	20 %	20 %	10 %	30 %	10 %	5 %	5 %
Durée (en minutes)	10	5	5	20	5	5	5
2e fois : date et heure	12 mai à 17 h	13 mai à 18 h	14 mai à 20 h	15 mai à 22 h	16 mai à 19 h	17 mai à 15 h	18 mai à 16 h
Anxiété maximale	20 %	20 %	10 %	10 %	5 %	5 %	5 %
Durée (en minutes)	10	5	10	5	5	5	5

Observons ensemble ce qui s'est produit chez Danielle. Nous retrouvons ce que nous avons déjà vu dans l'exposé des principes de base de la psychothérapie comportementale :

1. L'exercice de Danielle était bien choisi puisqu'il a *déclenché chez elle un degré moyen d'anxiété,* d'environ 30 %.

2. Danielle a constaté, dès le premier exercice, le *premier principe* de la thérapie comportementale : en résistant à la compulsion habi-

tuelle, l'anxiété a fini par chuter. Chez elle, l'anxiété due à l'exercice n'a duré qu'une vingtaine de minutes.

3. Danielle a constaté le *deuxième principe* de la thérapie comportementale : l'anxiété a eu tendance à être de moins en moins intense à mesure qu'elle a répété l'exercice. Elle a observé cette baisse d'anxiété dès le 8 mai, au septième exercice.

4. Danielle a constaté le *troisième principe* de la thérapie comportementale : l'anxiété chute de plus en plus vite à mesure qu'elle répète le même exercice. Chez elle, ce raccourcissement s'est amorcé le 11 mai, au quatorzième exercice.

5. Danielle a subi un phénomène tout à fait fréquent dans le TOC : le 7 mai à 19 heures, son anxiété a duré plus longtemps que le 5 mai, au début de l'exercice : trente minutes au lieu de vingt minutes. Le TOC de Danielle s'aggrave-t-il sous l'effet de la thérapie comportementale ? Non, il s'agit d'un phénomène transitoire, qui s'explique par plusieurs raisons :
— d'une part, la maladie fluctue entre certaines limites, et il est fréquent qu'une obsession ou un rituel soit plus pénible certains jours. Il est important de le savoir, car de brusques aggravations dans les exercices découragent parfois les personnes non averties. Chez Danielle, ce phénomène ne s'est produit qu'une fois et il est sans conséquence ;
— d'autre part, il est parfois difficile d'isoler strictement une situation obsédante : très fréquemment, une autre situation obsédante fait remonter le niveau d'anxiété. Ainsi, le fils de Danielle est rentré à la maison à 19 h 15 avec des chaussures sales. L'obsession de salir l'appartement a du coup aggravé l'exercice en cours. Vous devez être vigilant sur ces phénomènes afin de bien faire la part des choses.

À vous maintenant !

1. Déterminez l'exercice faisable et sa fréquence.

2. Réalisez cet exercice et notez les résultats de manière très simple en vous inspirant de la fiche de Danielle. Prenez bien soin de faire figurer les deux renseignement essentiels :

a) Quel est le degré d'anxiété que vous avez ressenti au pire moment de cet exercice ? C'est ce qu'on appelle « l'anxiété maximale ». Pour l'évaluer, vous pouvez utiliser la technique des « pourcentages d'anxiété » en plus de votre degré d'anxiété habituelle ; ou bien vous pouvez évaluer votre anxiété de « nulle » à « très importante » en passant par « légère », « moyenne », « importante ».

b) En combien de temps l'anxiété a-t-elle fini par passer ? Autrement dit, au bout de combien de temps êtes-vous revenu à votre niveau d'anxiété initial ?

Voici un modèle de présentation. À vous de l'adapter !

Exercice test
Description du rituel initial
Exercice test à réaliser
Fréquence de l'exercice

Résultats de l'exercice test
Pour chaque exercice, notez :
— le degré d'anxiété maximale (de 0 à 100 %) ;
— la durée nécessaire pour que l'anxiété chute (en minutes).

	jour 1	jour 2	jour 3	jour 4	jour 5	jour 6	jour 7
1re fois : date et heure							
Anxiété maximale							
Durée							
2e fois : date et heure							
Anxiété maximale							
Durée							
	jour 8	jour 9	jour 10	jour 11	jour 12	jour 13	etc.
1re fois : date et heure							
Anxiété maximale							
Durée							
2e fois : date et heure							
Anxiété maximale							
Durée							

Les problèmes à la réalisation de l'exercice test

Plusieurs problèmes peuvent survenir au cours de la réalisation de l'exercice test.

1. Vous avez échoué et ritualisé comme d'habitude, voire plus que d'habitude. L'explication la plus fréquente, c'est que l'exercice était trop difficile. Vous pensiez que vous pourriez aisément modifier ce rituel et vous avez sous-évalué la difficulté de l'exercice.

Dans ce cas, il faut que vous choisissiez un exercice plus facile. Si vous n'y parvenez pas seul, faites-vous aider par un spécialiste qui examinera le problème.

2. Vous avez réussi, mais au prix d'une souffrance importante, qui vous dissuade d'aller plus loin. C'est que l'exercice est trop ardu. Faites plus facile !

3. L'anxiété dure trop longtemps (par exemple, elle dure plus de deux heures), et c'est finalement très pénible et très fatigant. Cela signifie, là aussi, que l'exercice est trop difficile et qu'il faut en changer pour en tenter un qui soit plus accessible.

4. L'exercice est faisable, mais, malgré de nombreux essais, l'anxiété est toujours aussi intense et dure toujours aussi longtemps. Dans ce cas, il faut poursuivre l'exercice en sachant que, parfois, plus de trente exercices sont nécessaires pour que l'habituation se produise.

Il n'existe pas d'étude précise qui ait mesuré le nombre d'exercices au bout desquels l'anxiété devient moins intense ou plus brève. Dans mon expérience, la grande majorité des exercices, s'ils sont correctement mis au point, conduisent à une habituation en cinq à vingt fois. Certains patients ont la surprise de voir que les principes de la psychothérapie comportementale s'appliquent au bout de deux ou trois essais. D'autres doivent en faire plus de trente pour que cela marche. D'où ces deux recommandations concernant le choix de l'exercice :

a) il faut que l'exercice puisse être fait assez fréquemment : s'il n'est possible qu'une fois par semaine et que vous avez besoin de cinquante exercices pour améliorer cette situation, il vous faudra un an avant d'obtenir un résultat positif ! Si vous pouvez le faire dix fois par jour, la situation s'améliorera en une semaine !

b) il faut que l'exercice vous maintienne à un degré d'anxiété supportable : si vous êtes à 90 % d'anxiété pendant deux heures et que vous réalisez cet exercice deux fois par jour, c'est insupportable. Personne ne peut y arriver !

5. Si au bout d'une trentaine d'essais, vous n'y êtes pas arrivé, il vaut mieux consulter un spécialiste qui aura des solutions plus

adaptées à vous proposer. Il faut de toute façon que vous sachiez que ce type d'échec est rare.

Question : Pour combien de sujets souffrant de TOC ces principes de psychothérapie comportementale ne fonctionnent-ils pas ?

Réponse : Aucune étude ne permet de répondre à cette question. Quand l'habituation est très lente, il arrive souvent que les patients ne reviennent plus en consultation ou changent de thérapeute, parce qu'ils sont découragés. C'est pourtant à ce moment-là qu'il faut étudier le problème de très près.

Les principes de la thérapie comportementale sont efficaces pour la majorité des personnes qui souffrent de trouble obsessionnel-compulsif*. La première cause d'échec réside dans le fait que les patients ne font pas les exercices.

Une fois que vous avez réussi cet exercice et que vous êtes bien convaincu de la réalité des trois principes thérapeutiques, passez à l'étape suivante. Si vous en doutez encore après la réussite à cet exercice, alors refaites l'expérience en prenant une autre situation. Encore une fois, ne commencez pas la thérapie sans être convaincu de ces trois principes.

Quatrième étape : déterminez vos propres cibles

➤ Hiérarchisez les situations

Vous êtes parvenu à une étape importante de la psychothérapie comportementale :

1. vous avez une idée assez précise du retentissement de votre trouble dans votre vie quotidienne ;

2. vous avez expérimenté personnellement une technique efficace pour diminuer le trouble.

---

* Lisez à ce sujet « L'efficacité de la psychothérapie comportementale et cognitive », p. 128.

Bravo ! Vous avez déjà progressé dans la lutte contre la maladie. Maintenant, il va falloir passer à l'étape suivante qui consiste à hiérarchiser vos difficultés, c'est-à-dire à ranger les situations obsessionnelles par ordre d'importance.

Pour cela il va falloir aller à l'essentiel. Celui-ci consiste à aborder les obsessions et les rituels les plus pénibles. Peut-être êtes-vous effrayé à l'idée d'aborder les pires situations. C'est pourtant indispensable. La raison en est simple : il vaut mieux travailler petit à petit et très progressivement sur les situations les plus gênantes plutôt que d'aborder des situations « plus faciles » mais dont l'amélioration n'aurait pas beaucoup d'intérêt pour votre vie quotidienne.

Autrement dit, il vaut mieux travailler les situations fréquentes et invalidantes que les situations rares et peu pénibles. Celles-là, par définition, sont « supportables ».

Hiérarchisons donc les situations. Nous allons déterminer les obsessions et les rituels qui vont être la cible principale de la thérapie.

Comment déterminer ces obsessions et ces rituels cibles ?

1. Les situations obsessionnelles doivent être fréquentes et très gênantes. Cela vous permet déjà de faire un premier choix.

2. Posez-vous la question suivante : « Quels sont les trois principales situations qui, si elles s'amélioraient, changeraient considérablement ma vie ? »

Voici un exemple de situations cibles chez un patient qui souffrait d'un trouble obsessionnel-compulsif associant à la fois des obsessions de souillure et des obsessions d'erreur.

Choix des situations cibles

Première situation

Obsession : j'ai peur d'être contaminé par la poignée de main avec mes collègues.

Rituel : je me lave douze fois les mains quand je rentre chez moi.

Évitement : je mets des gants dès que je le peux.

Deuxième situation

Obsession : je crains d'avoir laissé la voiture ouverte et les phares allumés lorsque je la quitte.

Rituel : je vérifie que les phares de ma voiture sont bien éteints et que les portes sont bien fermées quand je descends de voiture, en faisant trois fois le tour de ma voiture et en touchant toutes les poignées et le haut des vitres.

Évitement : aucun.

Troisième situation

Obsession : tout ce qui peut rentrer dans mon appartement risque de le contaminer.

Rituel : je lave les courses, j'enlève mes chaussures, je me change complètement et je prends une douche durant une heure.

Évitement : je ne peux inviter personne à la maison alors que j'aimerais inviter ma sœur.

➤ À vous maintenant !

Le but de ce travail de hiérarchisation est de ne sélectionner que trois situations afin de ne pas se disperser. Si vous en avez moins, cela veut dire probablement que vous avez un trouble peu sévère. Ou bien que vous avez du mal à vous « auto-observer ». Dans ce dernier cas, mieux vaut vous faire aider par un professionnel.

Inscrivez ces trois situations comme dans l'exemple précédent.

Votre première situation
Votre obsession
Votre rituel
Votre évitement

Votre deuxième situation
Votre obsession
Votre rituel
Votre évitement
Votre troisième situation
Votre obsession
Votre rituel
Votre évitement

Cinquième étape : construisez votre progression d'exercices

Ces exercices successifs seront mis au point selon les principes de l'exposition graduée. Rappelons-les encore une fois :

1) Affrontez progressivement les situations qui déclenchent les obsessions et les rituels.

2) Diminuez progressivement les rituels :

    a) baissez la fréquence du rituel ;

b) diminuez la complexité du rituel ;

c) ne faites pas de rituel.

3) Luttez contre les évitements.

Chaque exercice doit amener à se poser les questions suivantes :

➤ Comment s'est passé chaque exercice ?

Il est important que vous notiez la façon dont s'est déroulé chaque exercice. Pour cela, il faudra que vous ayez à portée de main un « carnet de thérapie ». C'est tout simplement un carnet de feuilles vierges, de format de poche, que vous gardez avec vous, dans votre veste, votre blouson ou votre sac à main.

Sur ce carnet, vous noterez chaque fois que vous réalisez l'exercice :

a) le degré d'anxiété maximale que vous ressentez, en l'évaluant de 0 à 100 % ;

b) la durée de cette anxiété maximale en minutes.

Exemple : je ne vérifie que trois fois mon portefeuille dans ma poche en quittant mon domicile : le mardi 12 avril : anxiété 60 % ; durée = 30 minutes.

C'est cet enregistrement quotidien qui vous permettra de décider si vous devez :

a) passer à l'étape suivante ;

b) répéter le même exercice ;

c) réaliser un exercice plus facile.

➤ Quand peut-on passer à un exercice plus difficile ?

Dès lors que l'exercice en cours est un succès dans la grande majorité des cas et que l'anxiété ressentie est devenue négligeable, on peut mettre au point un nouvel exercice en maintenant les acquis du précédent.

En moyenne, les exercices sont à réaliser pendant environ quinze jours, certains pouvant se prolonger pendant un mois.

➤ Comment déterminer le nouvel exercice ?

La progression étape par étape consiste à diminuer progressivement le rituel et, par conséquent, à augmenter régulièrement la difficulté de l'exercice, selon les règles de l'exposition graduée avec prévention de la réponse*.

Le but de la thérapie n'est jamais de souffrir. Aussi les exercices doivent-ils toujours ne déclencher qu'une anxiété supportable. Au fil des exercices, des situations jusque-là inabordables deviendront petit à petit supportables, par paliers successifs, comme un escalier dont on monte les marches pour arriver en haut. D'un bond, on ne pourrait pas atteindre l'étage supérieur, mais grâce aux marches, on peut monter très haut.

Si vous avez des difficultés à mettre en place ces techniques, nous vous conseillons de vous faire aider par un spécialiste en psychothérapie comportementale.

▪ *En quoi va consister la psychothérapie comportementale avec un psychiatre ou un psychologue ?*

La thérapie consiste à affronter les situations anxiogènes, et c'est précisément ce qui est difficile. Le rôle du spécialiste est de vous aider.

Le choix de l'exercice

Le spécialiste va choisir avec vous une situation suffisamment peu anxiogène. Son expérience vous permettra de ne pas vous égarer dans des exercices qui seraient soit trop difficiles, soit sans rapport avec votre problème.

Il est très important que vous soyez d'accord sur l'exercice. Votre thérapeute, malgré son expérience, ne peut pas deviner toutes les difficultés qui sont les vôtres. Vous devez absolument le prévenir si l'exercice qu'il vous propose est trop difficile et ne jamais accepter un exercice parce qu'il a insisté ou que vous craignez de le décevoir.

---

* Pour vous aider, vous pouvez lire les progressions d'exercice de Jean-Charles, de Roberta, de Claire ou de Jeanine dans le chapitre « Jean-Charles, Claire et les autres », p. 230.

Le thérapeute va vous demander de réaliser l'exercice selon une certaine fréquence quotidienne. Comme vous le voyez, cet exercice prendra une forme à la fois très simple, très pratique mais aussi assez « scolaire ». D'ailleurs, certains patients appellent cela leurs « devoirs ». Les thérapeutes, eux, parlent de « tâches à domicile » ou de « consignes à domicile ».

Le déroulement des consultations

À chaque consultation avec votre psychiatre ou votre psychologue, vous parlerez des difficultés rencontrées et des résultats de l'exercice. Certains exercices seront faciles, d'autres beaucoup plus difficiles que prévu. Ne vous découragez pas : le spécialiste est là pour vous aider à comprendre cette sous-évaluation de la difficulté et à adapter les exercices. Éventuellement, il discutera avec vous de la mise en place d'un traitement médicamenteux, s'il pense que c'est utile.

Question : Si je me fais aider par un psychiatre ou un psychologue, quelle est la durée de la psychothérapie comportementale ?

Réponse : Cette durée est assez variable. Elle dépend de votre disponibilité, de la fréquence de vos exercices et de la fréquence des consultations. Dans mon expérience, la durée globale d'une thérapie est d'environ un an, pouvant aller de six mois jusqu'à deux ans.

DÉROULEMENT
D'UNE PSYCHOTHÉRAPIE COMPORTEMENTALE

1. Relevé des obsessions, des compulsions et des évitements qui décrivent le trouble.
2. Compréhension et apprentissage des principes fondamentaux de l'exposition progressive.
3. Réalisation d'un exercice test.
4. Choix des situations cibles.
5. Mises au point d'étapes successives en autant d'exercices nécessaires.
6. Réalisation des exercices successifs.
7. Maintien des acquis obtenus.

Discuter le sens des obsessions : la psychothérapie cognitive

▣ *Votre cible : reconnaître la logique de l'obsession*

La psychothérapie comportementale lutte contre le rituel. De ce fait, elle contredit les obsessions puisque l'on ne fait progressivement plus rien qui réponde aux craintes obsessionnelles. La réalité prouve au sujet qu'il a eu raison de contrarier ses obsessions car, sans faire de rituel, il ne se passe rien de spécial : pas de maladie, pas de malheur, pas de catastrophe, etc. Dès lors, ces obsessions diminuent car elles sont « désavouées » par l'épreuve des faits.

Parfois, la personne souffrant de TOC est d'emblée parfaitement convaincue que son obsession est absurde. Dans d'autres cas, les obsessions sont organisées en croyances qui ont une certaine logique, et ce caractère logique empêche d'accepter l'idée d'exposition.

Voici l'exemple d'Agnès qui souffre d'obsessions de saleté dans les lieux publics.

> *« Je refuse que ma fille Élodie touche l'herbe des jardins publics. Si elle fait tomber ses jouets sur la pelouse, je les lave tous en rentrant chez moi. De même, je change Élodie entièrement, je la baigne et je lave ses vêtements. En effet, les chiens viennent uriner ou faire leurs besoins sur les pelouses, cela ne se voit pas forcément, ces excréments peuvent être porteurs de maladies. Comment pouvez-vous être certain que les chiens qui urinent sur les pelouses publiques ne sont pas malades ? »*

Agnès n'a pas tout à fait tort, les pelouses publiques ne sont pas très propres. Rien ni personne ne peut garantir totalement qu'Élodie ne va pas se salir ou être contaminée en touchant la pelouse. En même temps, Agnès n'est pas non plus en mesure d'affirmer que la pelouse est sale, ni qu'un chien y a fait ses besoins et encore moins que ce chien est malade. Toutefois, ses craintes de la catastrophe font que la petite Élodie ne vit pas comme les autres enfants.

▪ *Le principe de base : remettre en question la croyance obsédante*

La psychothérapie cognitive consiste à aborder l'obsession à travers sa logique de catastrophe. Celle-ci se construit en deux temps.

Une alarme anormale

Le thème obsédant est banal, mais il devient très angoissant pour celui qui souffre de TOC. Du coup, cette anxiété conduit la personne à penser qu'une catastrophe est imminente si elle ne prend pas de précautions*. Autrement dit, le sujet présentant un TOC perçoit un signal de danger qui est erroné.

Prenons une image. Il est normal de craindre les voleurs, et c'est pour cela que l'on met une alarme dans une maison. Mais l'alarme d'une maison peut très bien se déclencher sans qu'un voleur ne s'y soit introduit, simplement parce qu'un insecte vole dans une pièce. Il n'y a pas de danger réel, mais l'alarme est trop sensible, elle se déclenche de façon anormale et induit l'habitant en erreur. De la même façon, une personne qui souffre de trouble obsessionnel-compulsif est trompée par une alarme anxieuse inadaptée. Il est certes normal d'avoir peur de contaminer ses enfants ou de faire une erreur dans son travail, mais, chez le sujet atteint de TOC, la crainte se déclenche de façon excessive.

---

* C'est ce que nous avons déjà longuement expliqué. Voir « Vous voulez savoir ce qui est normal et ce qui ne l'est pas », p. 50.

Une crainte qui s'auto-entretient

L'obsession est anormalement longue et fréquente dans le trouble obsessionnel-compulsif. Elle permet donc d'accumuler des arguments qui la cautionnent, la renforcent et finalement l'aggravent. Par exemple, un sujet souffrant d'obsession d'erreur va se focaliser sur les cas dans lesquels les erreurs ont eu de graves conséquences pour justifier ces craintes : si l'on avait davantage « vérifié » les réacteurs de la centrale de Tchernobyl, il n'y aurait pas eu d'accident. Un sujet souffrant d'obsession de contamination retiendra que si l'on avait plus « aseptisé » les produits de transfusion, l'affaire du sang contaminé par le virus du sida n'aurait jamais existé. Du coup, ce raisonnement renforce l'anxiété et le pousse à vérifier ou à laver.

En réalité, le raisonnement obsédant est biaisé : le sujet souffrant de TOC oublie que la cafetière, qu'il a peur de laisser allumée, n'a pas le pouvoir de nuisance d'une centrale nucléaire ; celui qui souffre d'obsession de contamination néglige le fait que la poignée de main de son voisin est plus banale qu'une transfusion sanguine. Ces biais logiques sont dus à l'anxiété anormale ressentie depuis des mois ou des années.

La psychothérapie cognitive corrige ces biais logiques par plusieurs techniques que nous allons aborder. Son but n'est pas d'affirmer avec certitude que l'obsession est absurde, car elle ne l'est pas, mais d'ébranler la certitude de la catastrophe, de la remettre en question et de rétablir ce que les philosophes appellent « l'équivoque des croyances ». La thérapie cognitive consiste à ne plus toujours faire une confiance aveugle en ses croyances et en ses émotions.

▪ *Appliquez les techniques de psychothérapie cognitive*

Première étape : découvrir la conséquence redoutée et identifier le scénario catastrophe

Souvent, l'obsession comporte une cascade de conséquences successives qui s'enchaînent et conduisent à une catastrophe finale

inacceptable, « l'ultime conséquence ». L'étude de l'ultime conséquence permet de découvrir le scénario catastrophique de l'obsession, que le sujet évite toujours par l'accomplissement de rituels.
Pour l'identifier, il convient de se poser la question suivante : « Admettons que ce risque survienne, que se passerait-il alors ? »

Reprenons l'exemple d'Agnès et posons-lui la question.

LE THÉRAPEUTE : Admettons que votre crainte obsédante soit
justifiée et qu'Élodie touche un excrément de chien malade : qu'est-
ce qui va vraiment se passer ?

AGNÈS : Ce chien pourrait avoir une hépatite.

LE THÉRAPEUTE : Bon, si ce chien a une hépatite, que risque-t-il
de se passer alors ?

AGNÈS : Ma fille vient de toucher une crotte issue d'un chien
qui a une hépatite sur la pelouse. Elle va avoir une hépatite.

LE THÉRAPEUTE : Partons de l'idée que cette nouvelle conséquence se produise, que craignez-vous alors ?

AGNÈS : Elle va être malade pendant trois semaines et va peut-
être mourir. Je ne me le pardonnerai pas. Ma vie sera fichue.

On voit bien que le scénario de catastrophe d'Agnès a d'autres
conséquences que la crainte déjà effrayante de salir son enfant.
Pour Agnès, sa fille va être contaminée, elle va avoir une hépatite,
elle va peut-être en mourir. Ce sera sa faute, elle aura raté sa vie !

Cette technique s'appelle « la technique de la flèche descendante ». Elle consiste à se demander, à chaque nouvelle conséquence
de l'obsession, ce qui se passera après que cet événement néfaste
aura eu lieu.

Certaines personnes sont tellement engagées dans des conduites de ritualisation qu'elles n'ont plus conscience de la catastrophe
qu'elles redoutent. La technique de la flèche descendante aide le
sujet à clairement identifier son thème global d'obsession au lieu
de le fuir sans cesse.

Il arrive aussi que la mise en évidence de ce thème global soit
thérapeutique en elle-même. La prise de conscience du scénario
catastrophe permet au sujet de se rendre compte à quel point celui-
ci était improbable, ce qui l'amène à relativiser ses obsessions.

Voyons ce qu'a pu dire spontanément Agnès à l'issue de ce
petit travail : « En fait, on guérit très facilement d'une hépatite ; en

trois semaines le plus souvent, et sans séquelles. Je le sais parce que ma mère en a eu une. »

Quand l'évidence n'apparaît pas aussi spontanément, d'autres méthodes sont utilisées. Ces méthodes constituent un questionnement logique sur le scénario obsédant. Ce questionnement logique est pratiquement toujours le même.

Deuxième étape : remettre en question ses croyances et établir un scénario rationnel

L'examen de l'évidence consiste à aborder le thème obsédant en répondant à certaines questions simples, selon les techniques suivantes. Si vous redoutez un réel danger lié à vos obsessions, prenez un papier et un crayon, et faites l'exercice.

➤ L'examen de l'évidence

Le sens de l'obsession est-il bien si certain ?

Est-il bien vraisemblable que la conséquence redoutée, c'est-à-dire le thème de l'obsession, se réalise ? Prenons quelques exemples.

• Pour des obsessions d'erreur

— Combien de fois la vérification a-t-elle été utile, car il y avait effectivement eu une erreur ou un oubli ?

— S'il se produit de temps en temps une erreur, quelle est la cause réelle de l'erreur ? Est-ce toujours votre insouciance ? Est-il toujours possible de prévoir cette erreur ?

— La répétition successive des vérifications est-elle réellement utile ?

• Pour des obsessions de souillure

— Quel problème crée réellement la saleté ?

— Quelles conséquences subissent les gens qui ne se lavent pas autant que vous ?

— De quelle infection souffrent les gens qui se lavent comme tout le monde ? Pensez-vous être la seule personne en bonne santé dans un monde entièrement contaminé ?

— Quelles sont les infections qui ont des conséquences graves ? Comment se transmettent-elles ?

- Pour des obsessions de malheur
    — Les événements heureux chez vous ont-ils été dus à des rituels ?
    — Les événements heureux chez les autres sont-ils dus à des rituels magiques ?
    — Donnez un exemple d'événement malheureux qui a été sûrement dû à une pensée négative.
- Pour des obsessions d'agressivité
    — Quel est chez vous l'exemple de pensée d'agressivité qui a été suivie d'actes violents ?

Ce ne sont là que des exemples, car les scénarios obsédants sont assez variés. À vous de vous poser les questions simples sur vos croyances obsédantes.

Existe-t-il d'autres interprétations à la situation obsédante ?

La plupart des situations de la vie sont complexes et ont plusieurs explications possibles. Le problème dont souffrent les sujets atteints d'obsessions, c'est qu'ils sont persuadés que leur catastrophe obsédante est la seule interprétation de leur malaise. Voici un ensemble de questions que vous pouvez vous poser.

- Pour des obsessions d'erreur
    — Quelles sont les différentes causes possibles d'erreur ?
    — Quelles sont les différentes conséquences possibles de l'erreur ?
    — Toutes les erreurs entraînent-elles des catastrophes ?
    — La catastrophe dont vous vous sentez responsable serait-elle due à une seule erreur, la vôtre ?
    — Inversez la situation : que diriez-vous à quelqu'un qui vérifie comme vous ? Bien sûr, vous diriez qu'il a le même problème que vous ! Mais diriez-vous qu'il a raison ?
- Pour des obsessions de souillure et les rituels de lavage qu'elles entraînent
    — Pourquoi la saleté est-elle plus acceptable en dehors de chez vous et ne l'est pas du tout une fois chez vous ?
    — Vous êtes persuadé que votre anxiété est due à une réelle

peur de la souillure. Est-ce bien vrai ? Cette anxiété peut-elle être seulement due à cette maladie, que l'on nomme « trouble obsessionnel-compulsif » et qui est décrite depuis cent ans ?

— Les cancers ou les maladies infectieuses sont-ils dus à un défaut d'hygiène ? Quelles sont les autres interprétations ? Le cancer n'est-il pas surtout dû à la fatalité et à certains facteurs de risque ? Une infection n'est-elle pas banale ? Ne survient-elle pas chez n'importe qui ?

— Inversez la situation : que vous diriez-vous face à quelqu'un qui ne laisserait pas son enfant jouer dans le parc par peur qu'il se salisse et qu'il se souille ? Diriez-vous qu'il a raison ?

• Pour des obsessions de malheur et leurs rituels magiques

— Quelles sont les causes des malheurs et des accidents ?

— Le malheur dont vous vous croyez responsable n'a-t-il pas d'autres causes possibles ? Essayez d'énoncer ces causes possibles.

— Inversez la situation : qu'est-ce que vous vous diriez face à quelqu'un qui refuserait de prononcer certaines phrases, qui refuserait de conduire une voiture alors qu'il n'a jamais eu d'accident ? A-t-il raison selon vous ?

• Pour des obsessions d'agressivité

— Ces idées agressives sont-elles anormales ?

— Êtes-vous le seul à avoir des idées agressives ?

— Quelle est la conséquence réelle de ces pensées ?

— Inversez la situation : que diriez-vous de quelqu'un qui a les mêmes obsessions que vous ? Diriez-vous qu'il a raison ?

Recueillez des avis extérieurs

Que pensent vos proches du risque de souillure, du risque d'erreur, du risque de provoquer des catastrophes par des pensées négatives ou des actes incontrôlés ? D'après vous, sont-ils inconscients ?

Que disent vos lectures sur la saleté, sur l'erreur, sur les superstitions ?

Comment font les autres ? Votre famille ? Vos amis ? Les gens dans la rue ?

Une fois acquises ces informations, pourquoi pensez-vous avoir raison contre tous ? Commencez-vous à penser que vous n'avez pas forcément raison ? Parfait. Alors, vous pouvez passer au point suivant.

Rangez ces interprétations en arguments « pour » et « contre » et déterminez la probabilité de chacune

Un événement a finalement plusieurs interprétations possibles. Quelle est l'interprétation la plus probable, même si celle-ci ne vous rassure pas pour l'instant ?

• Vous pouvez ranger ces interprétations selon des coefficients de probabilité
Par exemple :
— J'ai une chance sur cinq cents d'attraper une infection en m'allongeant sur la plage.
— J'ai une chance sur quatre-vingts de laisser la cafetière allumée en quittant la maison.

• Vous pouvez faire ensuite des probabilités cumulées
Par exemple :
— J'ai une chance sur cinq cents d'attraper une infection en m'allongeant sur la plage, et il y a une chance sur mille qu'une infection ne soit pas curable. Donc, le risque d'avoir une infection incurable en m'allongeant sur la plage est de : 1/500 multiplié par 1/1 000 = *une chance sur 500 000.*
— J'ai une chance sur quatre-vingts de laisser la cafetière allumée en quittant la maison ; une cafetière allumée a une chance sur deux cents de prendre feu ; le feu dans la cuisine a une chance sur mille de mettre le feu à l'immeuble. La probabilité cumulée de mettre le feu à l'immeuble est de 1 chance sur 80 que multiplie 200 que multiplie 1 000. C'est-à-dire *une chance sur 16 millions.*
À titre de comparaison il y 8 000 morts par an sur la route en France, et nous sommes 60 millions d'habitants. Le risque de mourir sur la route dès que nous prenons une voiture est de 8 000 morts divisé par 60 millions d'habitants, ce qui est égal à *1,3 pour 10 000* habitants, et ce tous les ans. Pensez-vous qu'il est plus dangereux de s'allonger sur une plage que de conduire une voiture, ce que vous faites probablement tous les jours ? Pensez-vous qu'il est plus dangereux de laisser une cafetière allumée que de conduire une voiture ?

Bien sûr, il est beaucoup plus dangereux de conduire une voiture. Dès lors, pourquoi avoir plus de réticences à s'allonger sur une plage qu'à conduire une voiture ?

Établissez un scénario rationnel

Le scénario rationnel est la conclusion de ce travail de remise en question. C'est le résumé logique et probable de la crainte contenue dans l'obsession.

Voici quelques exemples de scénarios rationnels énoncés par des patients qui étaient soignés par psychothérapie cognitive :

— « Le risque d'être contaminé est dérisoire et beaucoup plus faible que d'autres risques que je prends couramment dans la vie. »

— « Le risque que je commette une erreur est bien réel, mais les conséquences de cette erreur sont faibles. »

— « Il est impossible de provoquer des catastrophes avec des pensées. »

— « C'est ma maladie obsessionnelle qui crée mon anxiété et non pas la réalité du danger. »

Ces phrases ne sont que des exemples. Le mieux est d'écrire le scénario rationnel de vos obsessions avec *vos propres mots*.

Pour que vous puissiez observer comment s'établit ce questionnement logique, voici l'exemple de la psychothérapie cognitive de Georges, au cours de laquelle la méthode de l'examen de l'évidence a été utilisée. Georges souffre d'obsessions de contamination.

➤ Aidez-vous avec cet exemple

L'identification du scénario catastrophe

LE THÉRAPEUTE : Admettons que vous ayez touché la poignée de votre porte d'entrée, que craignez-vous qu'il se passe alors* ?

GEORGES : Je vais être sale et j'aurai peut-être une maladie.

LE THÉRAPEUTE : Que se passera-t-il alors ?

GEORGES : Je pourrais transmettre la maladie.

LE THÉRAPEUTE : À qui craignez-vous de transmettre la maladie en particulier ?

---

* Vous trouverez des exemples de psychothérapies cognitives d'obsessions d'erreur et d'obsessions de malheur dans le chapitre : « Jean-Charles, Claire et les autres : leur histoire, leur traitement », p. 230.

GEORGES : À tout le monde, mais à ma nièce surtout, à qui je rends visite régulièrement.

LE THÉRAPEUTE : Que pensez-vous qu'il va lui arriver alors ?

GEORGES : Elle pourrait en mourir.

LE THÉRAPEUTE : Admettons qu'en touchant cette porte vous soyez contaminé par une maladie, et qu'en touchant votre nièce vous la contaminiez à son tour et qu'elle en meure, voyez-vous autre chose qui puisse se passer ?

GEORGES : Elle va peut-être contaminer ses trois enfants.

LE THÉRAPEUTE : Que va-t-il leur arriver ?

GEORGES : Je sais que c'est absurde, mais je pense que toute la famille pourrait mourir par ma faute.

LE THÉRAPEUTE : Que cela représenterait-il pour vous ?

GEORGES : C'est horrible, je ne le supporterais pas et je crois que je me suiciderais.

Le sens de l'obsession n'est peut-être pas certain

— Qu'est-ce qui fait penser à Georges qu'une poignée de porte est sale ?

— Des millions de gens touchent chaque jour des dizaines de portes. Tombent-ils malades pour cela ?

— De quelle maladie a-t-il peur exactement ?

— Admettons qu'il contracte une maladie en touchant une porte, ne pourrait-il pas en guérir ?

— Admettons qu'il transmette une maladie à sa nièce, ne pour-rait-elle pas en guérir ?

— Quelles sont les maladies qui se transmettent par des poignées de porte ? Quelles sont les maladies qui se transmettent avant d'être soignées chez celui qui les a contractées ? Quelles sont les maladies qui tuent tous les membres d'une famille ? Se trans-mettent-elles par des poignées de porte ?

— Georges serait-il responsable d'une catastrophe provoquée en touchant une poignée de porte, alors que tout le monde le fait quotidiennement ?

Les autres interprétations possibles

— Les maladies infectieuses transmissibles par les poignées de porte ou par des corps inertes comme le bois ou le plastique sont très rares, sinon l'humanité entière aurait une maladie infectieuse !

— Les maladies infectieuses graves et incurables sont très rares et ne se transmettent pas par des poignées de porte.

— Si Georges tombait malade d'une maladie transmissible, il se soignerait, tout simplement !

Les arguments pour et contre

Arguments pour : la poignée de porte peut être contaminante	Argument contre : la poignée n'est pas contaminante
— On ne sait jamais, les scientifiques n'ont pas tout découvert.	— J'ai touché des dizaines de poignées de porte et je n'ai jamais été malade, sauf de la grippe qui se transmet par l'air.
— Un mendiant malade et sale a pu passer, tenter d'ouvrir la porte et contaminer la poignée.	— Personne n'a signalé de mendiant. — Pourquoi un mendiant aurait-il essayé d'ouvrir la porte ? — La probabilité que ce mendiant soit malade est faible. Quand un mendiant est malade, il va à l'hôpital.
	— Les microbes ne sautent pas d'un individu à une porte comme les puces.
	— Tous les habitants de cette maison seraient malades, ce qui n'est pas le cas.

La probabilité de chaque interprétation

Événements	Probabilité de l'événement	Probabilité cumulée
Un mendiant a touché la poignée de la porte.	1/100	
Le mendiant est malade d'une maladie transmissible par le contact.	1/3	1/300
La poignée est contaminante.	1/2	1/600
Je me contamine en la touchant.	1/50	1/30 000
Je transmets la maladie à ma nièce.	1/50	1/1 500 000
Ma nièce transmet la maladie à ses trois enfants.	1/50	1/75 millions
La maladie est incurable, et tout le monde décède.	1/1 000	1/75 milliards

Il y a en France 4 000 décès par an à cause de la grippe et de ses complications, et nous sommes 60 millions d'habitants. Le risque de mourir de la grippe est de 4 000 morts divisé par 60 millions d'habitants, soit de 0,66 pour 10 000 habitants. Georges se met-il un masque à gaz sur le nez quand arrive l'hiver ?

Les autres avis

— Georges n'est pas obligé de croire le thérapeute. Qu'en pense un autre médecin ?

— Qu'en pense sa nièce ? Le pédiatre des enfants de sa nièce ?

— Comment font les amis de Georges ?

La situation inversée

Que dirait Georges à son voisin s'il le voyait désinfecter la poignée de porte chaque fois qu'il rentre chez lui ? Lui dirait-il qu'il a raison ? Lui dirait-il qu'il souffre d'une maladie qui s'appelle « le trouble obsessionnel-compulsif » ?

Le scénario rationnel

LE THÉRAPEUTE : Georges, finalement, que pensez-vous de cette crainte de vous contaminer et de contaminer les autres par cette poignée de porte ?

GEORGES : Je pense qu'effectivement cela n'est pas très propre puisque n'importe qui peut toucher cette poignée. En même temps, je pense que ma crainte est absurde.

LE THÉRAPEUTE : Vous pensez réellement que votre crainte est absurde ou bien vous dites ça pour me faire plaisir ?

GEORGES : Non, je pense que ma crainte est réellement absurde, mais c'est plus fort que moi, je suis obsédé par cette pensée quand je rentre chez moi.

LE THÉRAPEUTE : Je sais, c'est pour cela que la partie n'est pas encore gagnée. Je vous demande seulement de repenser à toutes les raisons que nous avons examinées ensemble pour arriver à cette conclusion. Lorsque vous réaliserez votre exercice d'exposition avec prévention de la réponse rituelle, je voudrais que vous repensiez à ce scénario rationnel. Quelle est la phrase qui résume selon vous toute notre réflexion ?

GEORGES : Je dois faire comme tout le monde.

LE THÉRAPEUTE : Pourrez-vous y penser la prochaine fois que vous aurez envie de vous laver après avoir touché la poignée de porte ?

GEORGES : J'ai peur de ne pas y penser à ce moment-là.

LE THÉRAPEUTE : Dans ce cas, notez-le sur un petit papier et relisez-le avant de rentrer chez vous. C'est possible ?

GEORGES : Oui, c'est possible.

➤ Le cas particulier des obsessions religieuses

Les obsessions religieuses de péché, de blasphème et de possession démoniaque posent un problème difficile : l'interlocuteur principal est Dieu lui-même. Le scénario catastrophe de l'obsession est souvent une damnation pour l'éternité. Le plus compétent des psychiatres ou des psychologues est bien peu de chose face à Dieu ! Et il est bien difficile de s'adresser à Lui pour recueillir son avis...

Pourtant, la psychothérapie cognitive des obsessions religieuses est également possible [85]. Elle conduira à se poser les questions suivantes :

Le sens de l'obsession est-il bien si certain ?

— Quelle est précisément la faute impardonnable ?
— Pourquoi est-elle impardonnable ? N'existe-t-il pas dans la religion chrétienne, musulmane ou juive de pardon ou de miséricorde ? Toutes les religions sont miséricordieuses et pardonnent.

Existe-t-il d'autres interprétations à la situation obsédante ?

— Votre faute a-t-elle forcément les conséquences que vous craignez ?
— Êtes-vous puissant au point de pouvoir entraîner de telles catastrophes ? Êtes-vous si important que Dieu a les yeux braqués sur vous ?
— Vous reconnaître le pouvoir de déclencher des catastrophes, n'est-ce pas un péché d'orgueil ?

Recueillez des avis extérieurs

Demandez aux pratiquants méritants, aux hommes de foi, aux prêtres, aux pasteurs, aux imams, aux rabbins, leur interprétation de la situation et leurs recommandations sur la pratique de la foi.

Inversez la situation

Que diriez-vous de quelqu'un qui, au lieu d'être éclairé du message de Dieu, serait paralysé par son message ?

Rangez ces interprétations en arguments « pour » et « contre », et établissez la probabilité de chaque interprétation.

Quelle est l'interprétation la plus probable ?

— Qui êtes-vous pour savoir ce que Dieu veut et ne veut pas ?
— Qui êtes-vous pour mieux connaître le message de Dieu que les hommes de foi eux-mêmes ?
— Êtes-vous Dieu vous-même ?

Établissez un scénario rationnel

Par exemple, que peut-on penser de la proposition suivante : « Dieu sait que je ne suis qu'un homme ou qu'une femme imparfait(e) et il ne m'en voudra pas que je commette des erreurs. »

Troisième étape : s'exposer à l'obsession sans crainte

➤ Intérioriser le scénario rationnel lors d'expositions graduées

La psychothérapie cognitive à elle seule ne suffira pas si elle se limite à ce travail de réflexion et d'analyse de vos craintes obses-sionnelles. Elle va vous apaiser, mais elle ne va pas vous empêcher de ressentir l'alerte obsessionnelle qui va vous donner envie de faire un rituel dans les situations habituelles.

Il est donc indispensable de vous exposer à présent aux situa-tions qui déclenchent des obsessions et des rituels, en diminuant progressivement les rituels, selon les techniques expliquées dans le chapitre sur la psychothérapie comportementale.

Grâce à ce travail cognitif, lorsque vous vous exposerez aux situations obsédantes, vous vous laisserez moins envahir par votre scénario obsédant d'alerte, car ce scénario catastrophique n'est plus très convaincant. La maladie a dicté à votre esprit une interpréta-tion catastrophique de la situation obsédante ; il est utile de vous concentrer maintenant sur ce que la raison vous a appris par les techniques cognitives.

Le scénario rationnel de l'obsession vous apaisera durant cette exposition car il vous aidera à vous concentrer sur la réalité de la situation et vous permettra de mieux résister à la compulsion.

Voici ce qu'ont pu penser certains patients lors d'expositions

• Obsessions de saleté :

— « J'ai extrêmement peu de chances que la saleté de cet endroit soit dangereuse. »

— « Si cet objet était vraiment contaminant, les autres ne s'en serviraient pas et tout le monde le saurait. »

• Obsessions d'erreur :

— « Il est inutile de vérifier, personne d'autre que moi ne véri-fie dans cette situation-là. »

— « La perfection n'existe pas sur cette terre, mais mes rituels de perfection m'empêchent d'être comme tout le monde. »

• Obsessions agressives :

— « Je n'ai jamais été sur le point de tuer qui que ce soit, ce n'est que de l'angoisse. »

- Obsessions de malheur :
  — « On ne provoque pas des catastrophes avec des mots. »
- Obsessions religieuses :
  — « Je dois faire mes prières comme tout le monde et ne dois pas chercher à attirer l'attention de Dieu sur moi. »

Fort de ce travail cognitif, l'exposition comportementale est facilitée. En effet, des sujets soignés d'abord en thérapie cognitive s'exposent ensuite plus facilement grâce à leur compréhension et à la diminution du phénomène obsédant.

Question : La thérapie cognitive est-elle la méthode Coué ?

Réponse : La méthode Coué, inventée par le pharmacien Émile Coué (1857-1926), est une méthode d'autosuggestion consistant à se répéter intensément une pensée positive en situation de souffrance. Par exemple, quelqu'un de très malheureux se répétera sans cesse intérieurement « tout va bien », même s'il pense que tout va mal !

La méthode Coué n'est rien d'autre qu'une technique de distraction qui consiste à se concentrer sur autre chose que sa souffrance : le sujet aurait pu penser à ce qu'il allait manger à midi, cela aurait eu le même effet que de penser « tout va bien » ! Cette technique naïve et simpliste n'est pas efficace dans le TOC et n'a rien à voir avec la thérapie cognitive !

La thérapie cognitive consiste à :

1. Réfléchir à une situation obsédante « à froid », quand on n'y est pas confronté. Cette réflexion conduit à acquérir une croyance réaliste.

2. Garder ensuite à l'esprit cette croyance réaliste « à chaud », quand on est confronté à la situation obsédante.

➤ S'exposer aux thèmes obsédants

Au lieu de s'exposer à des situations concrètes de saleté ou de risque d'erreur, le sujet qui souffre de TOC peut s'exposer à la pensée obsédante elle-même. En pratique :

1. Il peut prononcer régulièrement des phrases interdites. Il peut aussi écrire des pensées de malheur sans ritualiser*.
2. Il peut écouter son thème obsessionnel à l'aide d'une cassette de magnétophone. Les obsessions censées provoquer des catastrophes sont enregistrées sur cette cassette. Cette technique s'appelle un *flooding*. Elle est plus facile à réaliser avec l'aide d'un spécialiste.

Ainsi, l'exercice d'exposition consiste à ce que le sujet prononce, écrive ou écoute régulièrement le thème de ses obsessions pour constater que :

a) il ne se passe rien : ni catastrophe ni malheur.

b) l'anxiété ressentie finit par chuter en quelques dizaines de minutes.

c) à mesure que l'on répète l'exercice, l'anxiété est de moins en moins intense et dure de moins en moins longtemps.

LES TECHNIQUES DE LA PSYCHOTHÉRAPIE COGNITIVE

1. Découvrir le scénario catastrophe de l'obsession.
2. Remettre en question l'obsession :
   a) Le sens de l'obsession est-il bien si certain ?
   b) Existe-t-il d'autres interprétations à la situation obsédante ?
   c) Recueillir des avis extérieurs.
   d) Inverser la situation.
   e) Ranger ces interprétations en arguments « pour » et « contre », et établir la probabilité de chaque interprétation.
   f) Quelle est l'interprétation la plus probable ?
   g) Établir un scénario rationnel.
3. S'exposer à l'obsession sans crainte.
   a) Exposition comportementale.
   b) Exposition au thème obsédant.

---

* Une exposition aux pensées obsédantes est décrite dans l'histoire de la psychothérapie de Roberta, en fin de partie, p. 249.

Pour conclure :
la nécessaire prise de risque

Il arrive souvent que les patients souffrant de TOC me demandent :

— Êtes-vous sûr, docteur, que cet événement (erreur, catastrophe, souillure) ne va pas se produire ?

Ils me posent cette question plusieurs fois durant la consultation et ils l'ont posée cent fois à leur entourage avant.

— Non, je ne suis pas sûr.

— Mais alors, si vous n'êtes pas sûr, comment pouvez-vous me demander de ne pas faire mes rituels ou d'utiliser vos techniques ?

— De quoi peut-on vraiment être sûr dans la vie ? Êtes-vous sûr que je serai en vie demain ? Êtes-vous sûr que votre maison ne va pas s'écrouler ?

— Oui, mais à cela on ne peut rien. Tandis que, moi, je peux diminuer le risque avec mes rituels, je peux apaiser cette angoisse.

— C'est vrai, et vous avez le choix de continuer vos rituels. Mais vous en payez aussi le prix en souffrance. Quoi que l'on fasse dans la vie, on prend un risque. Ce risque peut vous bloquer, comme dans le cas de vos obsessions, ou bien vous pouvez prendre ce risque, comme lorsque vous conduisez, que vous skiez ou que vous prenez un avion. Dans ces cas, vous acceptez de prendre « un certain risque ». Votre esprit raisonnable connaît ce risque, mais vous ne ressentez pas d'anxiété. Ce n'est pas le risque lui-même qui est en cause, c'est la façon dont vous le ressentez.

Le TOC est fondamentalement une alerte anxieuse anormale concernant le risque de faire une erreur, que ce soit pour la propreté ou pour les actes de tous les jours.

Globalement, ce risque est présent dans chacune de nos actions. Mais la pathologie commence lorsqu'on vérifie la vérification, on lave ce qui est propre, on répète ce qui est déjà fait ou lorsqu'on évite des situations *a priori* banales et sans danger.

Nous pouvons parler pendant des heures du risque obsessionnel. Au bout du compte, pour vous améliorer en psychothérapie comportementale et cognitive, vous devrez prendre le risque de vous exposer. Il est possible de changer vos pensées obsédantes en vous prouvant à vous-même que vous êtes dans l'erreur, c'est-à-dire en vous exposant.

Comment faire alors ?

1. Sachez que tout se passe comme si votre système d'alerte était déréglé et qu'il vous envoyait des signaux erronés qui vous font souffrir. C'est pour cela que vous lavez ce qui est propre, répétez la vérification, conjurez sans cesse le sort et prenez des précautions interminables. Et cela ne suffit quand même pas.

2. Observez comment font les autres. Ils font le plus souvent confiance en leurs actes et vérifient au maximum une fois, se lavent une fois par jour pendant un quart d'heure et ne se lavent les mains que trois à six fois par jour.

3. Prenez le risque de renoncer à vos précautions excessives. Ce que nous vous demandons ici est difficile, mais c'est indispensable si vous voulez desserrer l'étau des obsessions-compulsions.

CHAPITRE 9

La famille et l'entourage : comment aider un proche qui souffre de TOC ?

La famille est très concernée par les obsessions-compulsions de l'un des siens[86]. Pourtant, elle est très souvent démunie face aux problèmes que pose une personne souffrant de TOC dans la vie quotidienne. Globalement, deux types de questions se posent :

1. Que faut-il faire ? Comment puis-je l'aider ?

La maladie est un facteur de discorde, gêne l'entente de la famille et peut confiner la personne souffrante dans une certaine solitude. Cet isolement risque d'être un facteur de fragilisation du sujet et d'aggravation du trouble. Certaines règles viseront donc à limiter les conséquences du trouble ; vous deviendrez un partenaire thérapeutique, un soutien social et affectif.

2. Que faut-il ne pas faire ? Comment ne pas aggraver le problème ?

Les sujets atteints d'obsessions-compulsions sont confrontés à certaines limites. La famille doit en être consciente et savoir comment réagir positivement aux problèmes quotidiens.

Finalement, comment jouer un rôle positif dans la prise en charge de cette maladie ?

Reconnaître le trouble obsessionnel-compulsif

▪ *Informez-vous et informez les autres*

C'est ce que vous êtes en train de faire en lisant ce livre. Mais votre conjoint l'a-t-il fait ? Les grands-parents ?

Après avoir bien compris ce trouble, il convient toujours d'expliquer le problème aux frères et sœurs de celui qui est atteint de TOC. En effet, le trouble peut déséquilibrer les rapports familiaux : les parents sont parfois obligés d'aider l'enfant atteint d'obsessions-compulsions à faire des actes simples, comme ranger sa chambre, mettre de côté ses affaires sales ou éteindre les lumières. Sinon, ces actes quotidiens seraient trop ralentis par les rituels. Mais les frères et sœurs ne bénéficient pas, eux, de la part de leurs parents, de la même attention ou de la même indulgence, et ils peuvent se sentir lésés.

Si les parents ne leur expliquent pas les raisons de ces attentions particulières, un sentiment d'injustice ou de manque d'amour peut apparaître, puis des comportements agressifs.

Justine, 17 ans, souffrait de la crainte obsédante d'abîmer ses affaires. Sa petite sœur, Agathe, 14 ans, n'avait par exemple pas le droit de les utiliser, ni même de rentrer dans sa chambre. Ainsi, elle ne détériorait rien... Agathe parlait de Justine comme de quelqu'un de « casse-pieds », d'« égoïste » et de « personnel ». Il a fallu lui expliquer le problème dont souffrait Justine, et l'entente entre les deux sœurs s'est alors améliorée.

▪ *Évitez de personnaliser*

La famille peut avoir une action défavorable par des attitudes paradoxales. En ce sens, évitez les jugements de valeur qui aggravent la culpabilité du sujet. Observons ensemble quelques exemples dans lesquels les parents deviennent des handicaps supplémentaires.

Le père de Christophe, qui participait largement aux rituels de son fils, ne cessait de répéter, lorsqu'il venait en consultation :
« Il me prend pour son père et sa mère, il profite de moi, il ne comprend pas qu'il faut se lancer dans la vie, qu'un jour je ne serai plus là. Il me mène en bateau, c'est un tyran ! »

La mère de Claudia est divorcée et vit seule avec sa fille âgée de 16 ans. En consultation avec moi, elle explose soudain de colère.
« Claudia ne veut rien savoir, ne fait aucun effort ! Il faut qu'elle y mette du sien. Je n'en peux plus ! Si cela continue, je vais la mettre en pension ! La remettre à son père. Elle me fait tourner en bourrique ».
Claudia semble se figer.
« Mais ce n'est pas ma faute ! dit-elle d'une voix fluette. Je ne peux pas m'en empêcher. »
J'essaie d'expliquer que cela peut s'arranger. La maman me dit alors :
« On voit bien, docteur, que ce n'est pas vous qui vivez cela tous les jours ! »

Évitez donc de personnaliser le problème. Inutile de dire : « Il faut te secouer ! », « prends-toi en charge ! », « tu t'écoutes trop ! » ou « aie un peu de volonté ! ». Ces phrases ne feront qu'aggraver la culpabilité et le désespoir du sujet et l'inciteront à maintenir le secret.

▥ *Luttez contre la culpabilité*

Le plus souvent, le trouble est vécu par la personne atteinte de TOC de façon honteuse et coupable. Ainsi, la maladie est souvent dissimulée à la famille. Celle-ci remarque bien certains retards ou des comportements parfois exagérés, mais le sujet cherche à tout prix à les cacher à ses proches, car lui-même comprend mal le phénomène dont il est victime : pourquoi a-t-il ces préoccupations et non les autres ? Pourquoi se sent-il obligé de faire ces gestes répétés, là où d'autres n'ont aucun problème ?

La famille doit avoir un rôle déculpabilisant en réussissant à parler avec lui de ce problème. Elle doit aider à lui faire accepter le trouble pour mieux le combattre. Il est fondamental de faire comprendre à celui ou celle qui vous est proche que :

1. « Ce n'est pas sa faute », « il n'est pas mauvais », « on ne lui en veut pas », et « ce n'est pas parce que l'on est parfois exaspéré par ses rituels qu'on cesse de l'aimer ». En voudrait-on à l'un des siens de souffrir d'asthme ou de boiter ? Le TOC n'est pas différent de ce point de vue-là.

2. En aucun cas il n'est « fou », ce qui est la crainte la plus fréquente de ceux qui sont atteints de ce trouble. Non, il n'est pas insensé, il a toute sa raison ! Il souffre seulement d'une maladie parfaitement connue.

▥ *Luttez contre le découragement*

La prise de conscience que l'on souffre d'une maladie est malgré tout une mauvaise nouvelle, surtout chez le sujet jeune qui n'est pas habitué à l'idée de la maladie.

Toute maladie est une mauvaise nouvelle. Parfois, la dépression survient dans l'évolution du trouble et nécessite des traitements spécifiques. Mais, sans parler de dépression, il est fréquent que la personne éprouve des moments de désespoir bien compréhensibles. Il est alors important de lui expliquer que « sa vie n'est pas brisée ». Les hommes célèbres souffrant de TOC sont de bons exemples à rappeler. On peut aussi citer d'autres maladies beaucoup plus invalidantes, qui n'ont pas empêché le sujet de vivre sa vie.

▪ *Favorisez la prise de conscience*

Certains patients ne prennent conscience de leur trouble qu'après avoir vu une émission de télévision ou lu un article de presse. La famille peut avoir ce rôle d'information, à condition qu'elle connaisse elle-même le trouble. Elle peut alors faire accepter au proche, qu'il soit enfant ou adulte, le caractère anormal ou exagéré de certains comportements et le fait que certaines angoisses sont injustifiées. Il faut évidemment du temps, du tact et de la bienveillance pour parvenir à faire accepter à quelqu'un qu'on aime qu'il souffre d'une maladie psychologique.

Très souvent, la famille demande une consultation avec un spécialiste car elle a pris conscience de la maladie avant le sujet lui-même*. Cet ouvrage vise à mettre à la disposition de tous une somme importante d'informations. Faire lire un livre peut aider une personne à prendre conscience du problème, à déculpabiliser, a mieux connaître et gérer les traitements.

Vous pouvez aussi la mettre en contact avec une association de sujets souffrant de TOC. Le film *Pour le pire ou pour le meilleur* est une comédie qui présente le trouble avec humour**.

Question : Peut-on obliger quelqu'un souffrant de TOC à se soigner ?

Réponse : Non. Si le sujet ne veut pas se soigner, c'est qu'il a peu de conscience du trouble. Certains souffrent d'obsessions-compulsions sans en être bien conscients. Dans ce cas, les obsessions-compulsions sont repérées par les parents ou les conjoints.

1. Le plus souvent, la mauvaise conscience est liée à la honte de

---

* Vous trouverez un exemple de cette démarche familiale dans l'histoire de Ludovic, dans le chapitre « Jean-Charles, Claire et les autres », p. 298.

** Pour avoir les références d'autres livres sur le TOC, et les adresses utiles, voir p. 319

la maladie qui conduit le sujet à banaliser des troubles évidents. Il est important alors de l'aider à dépasser cette honte.
2. La personne peut aussi souffrir d'autres problèmes psychologiques, comme la dépression, ce qui lui fait dire : « À quoi bon me soigner, puisque ma vie n'a pas d'intérêt ? » Dans ce cas, il faut commencer par traiter la dépression.
3. Le sujet peut aussi manquer de confiance dans les traitements. Ce problème est plus simple : il suffit de lui apporter les informations nécessaires et d'être patient.
Dans le cas où un membre de sa famille souffre de TOC et refuse de se soigner, le mieux est d'aller en parler à un médecin pour lui expliquer le problème et recueillir son avis.

■ *Mesurez votre implication personnelle*

Le plus souvent, la famille est très impliquée dans le développement du trouble lui-même, dans la mesure où elle prend une part active dans les évitements du sujet ou dans ses rituels. L'entourage peut céder aux exigences de propreté, ou vérifier le gaz, l'électricité, la fermeture des portes à la place de celui qui souffre d'obsessions d'erreur.
Voici un exemple :

Christophe, 29 ans, souffre d'obsessions d'erreur. Il a peur de jeter par mégarde des objets et vérifie sans cesse si les bouteilles ou les sacs sont bien vides, les plats bien terminés, les journaux bien périmés. Il craint aussi de faire le mauvais choix dans ce qu'il achète : au magasin, il examine, compare, vérifie les aliments les plus courants, comme les yoghourts, les boîtes de conserve, pour choisir l'aliment « sans défaut ». Un défaut peut être une étiquette abîmée, un paquet dont le carton est froissé sur un coin ou encore simplement un produit mal aligné sur un rayon. Enfin, il redoute de mal faire les gestes usuels : le ménage, la lessive ou se raser le matin. Rien que le nettoyage du rasoir électrique peut prendre à lui seul une demi-heure. Devant tant de temps perdu, son père, qui vit avec lui, s'est impliqué dans son trouble : ce monsieur déjà âgé a cru bien faire en répondant point par point à chacune des obsessions de Christophe. Ainsi, il jette les ordures à la place de son fils ; il fait tous les achats, la cuisine, le ménage et lave le linge pour son fils ; il lui nettoie son rasoir.

C'est aussi parce qu'elle est très impliquée dans les rituels du sujet que la famille a un grand rôle à jouer.

Devenir un partenaire thérapeutique

Bien que peu d'études aient examiné cette question, il a déjà été constaté que la famille peut améliorer nettement les obsessions-compulsions du sujet si elle agit en cothérapeute[87].

▪ *Évaluez les comportements-problèmes*

La famille peut aider à bien évaluer l'intensité du trouble et ainsi participer au traitement en donnant au thérapeute un tableau détaillé du problème*.

▪ *Résistez à la tentation d'aller trop vite*

Souvent, les personnes atteintes d'obsessions-compulsions apprécient la présence réconfortante de leur famille. Dans ce cas, le danger pour la famille est de vouloir aller trop vite et, en particulier, de supprimer brutalement tout ce qu'elle faisait avant pour « aider l'un des siens » : vérifier à sa place, accepter de participer à des rituels magiques, respecter des espaces de propreté...

* On en verra un exemple dans l'histoire de Ludovic, p. 298.

Attention ! Un changement de cap brutal amène généralement des situations de panique chez la personne qui se sent menacée. Traiter la maladie ne doit pas conduire à maltraiter celui qui souffre.

▪ *N'augmentez pas votre implication personnelle*

S'il ne faut pas supprimer brutalement tous les rituels auxquels participe la famille, il est important de ne pas les augmenter non plus, c'est-à-dire qu'il faut tenter de ne pas en faire « plus ».

Claudia a des obsessions de malheur et des rituels conjuratoires : elle embrasse sa mère trois fois dès qu'elle se sépare d'elle : à chaque coucher, à chaque lever, quand elle s'absente. Selon la durée de l'absence, elle pose quelques questions auxquelles la maman doit absolument répondre : « Est-ce que ça va ? » « Est-ce que je ne risque rien ? » Dans les moments de fortes obsessions, Claudia peut reposer plusieurs fois la question, même si la mère a déjà répondu. Parfois, celle-ci, exaspérée, refuse de se plier aux nouvelles exigences de sa fille. Alors Claudia refuse de partir, elle se met à pleurer ou à crier.
Nous avons convenu ensemble que la maman ne rassurerait pas sa fille plus d'une fois. Devant l'insistance de Claudia, elle a appris à tenir ce genre de propos :
— Est-ce que ça va ? Est-ce que je ne risque rien ? dit Claudia.
— Écoute, je t'ai déjà répondu, je ne ferai pas plus. Tu sais bien que cela ne sert à rien.
— Non, mais s'il te plaît ! Encore une fois ! Encore une fois ! La dernière fois !
— Non. Je t'ai déjà répondu. Ce n'est pas la peine d'insister.
— Mais cela m'angoisse si tu ne le fais pas ! Je ne vais pas pouvoir dormir !
— Non, au contraire, si je fais ce rituel, cela n'arrange rien et cela va dans le sens des obsessions. Donc je ne le ferai pas.
Grâce à la constance de la maman, et après avoir fait quelques « scènes » sans lendemain, Claudia a cessé de demander à sa mère d'en faire plus et se contente d'une seule réassurance.

Comment faire pour résister aux demandes pressantes d'un enfant, d'un conjoint, ou d'un parent ?

1. Ne le prenez jamais par surprise. Expliquez votre démarche. Le mieux est de parvenir à un contrat avec lui, qu'il comprend et qu'il accepte.

2. Essayez de ne pas aller dans le sens d'une augmentation des rituels, mais recherchez au contraire une stabilisation. En pratique, vous chercherez à :
— ne pas laver à sa place,
— ne pas vérifier à sa place,
— ne pas accepter de pièce close ou interdite, ni d'évitement de lieux,
— ne répéter presque rien dans ce que vous dites et jamais plus d'une fois.

3. Ayez des phrases toutes faites que vous pourrez lui répéter dans les moments difficiles. Par exemple, quand le sujet vous demande d'exécuter une vérification, un lavage ou de dire une phrase de réassurance, ayez, prête à votre esprit, une phrase comme :
— « Tu sais bien que cela ne sert à rien, que cela aggrave plutôt tes obsessions. »
— « Si je ne fais rien de spécial, ton anxiété finira par passer. »
— « C'est bon pour toi que je ne fasse pas les rituels à ta place. »
— « Je te l'ai déjà dit, je ne le répéterai pas. »
4. En cas de difficulté majeure, un spécialiste pourra vous aider à trouver une juste mesure et vous orienter dans les moments de doute.
Ne pas en faire plus, c'est déjà très bien !

▪ *Convenez ensemble d'un contrat*

Une fois que le programme de changement thérapeutique est commencé par le sujet (seul ou avec l'aide d'un spécialiste), il faut diminuer tous ces comportements progressivement, en convenant d'un contrat avec lui, sans jamais le prendre par surprise.

Le plus simple est de lui demander :
— « Comment puis-je t'aider quand tu pars dans tes rituels ? »
— « Il faudrait que je puisse rentrer dans ta chambre progressivement : que pourrais-je faire d'acceptable pour toi ? Par exemple, est-ce que je pourrais seulement marcher dans ta chambre, sans rien toucher ? Si c'est trop dur, nous pourrions toujours revenir à ce que nous faisions avant. Qu'en penses-tu ? »
— « Pourrait-on cesser de vérifier l'électricité avant d'aller se coucher ? Est-ce que tu penses que c'est faisable ? Si tu es d'accord, on pourrait essayer à partir de lundi prochain. »

Procédant par étapes successives, ces « exercices avec l'entourage » doivent respecter les mêmes principes que ceux que l'on applique en psychothérapie comportementale. Il faut en effet :

1. Établir un contrat thérapeutique qui définit un exercice.
2. Réaliser l'exercice en vérifiant qu'il est faisable et qu'il n'est pas trop angoissant.
3. Répéter l'exercice de façon à obtenir l'habituation progressive.
4. Mettre au point ensuite un nouvel exercice un peu plus difficile.

Dans certains cas, le sujet réagit mal à cette volonté d'aide de l'entourage. Le mieux est alors de faire un programme thérapeutique avec un psychothérapeute qui vous aidera à déterminer ce qu'il est possible de faire et ce qui ne l'est pas.

▪ *Soyez un soutien dans les moments difficiles*

Le trouble alterne des moments d'accalmie et d'autres plus pénibles, y compris durant le traitement. La famille peut apporter un soutien à l'enfant ou au conjoint de la manière suivante :

1. Permettez-lui d'en parler, vous lutterez contre sa souffrance. Il sentira que vous ne le « lâchez pas » dans les moments critiques.
2. Si un exercice est trop dur à un moment donné, conseillez-lui de le refaire un peu plus tard, lorsqu'il sera moins anxieux.
3. Si la thérapie stagne ou que le trouble est dans une phase

d'aggravation, rappelez-lui la fluctuation habituelle du trouble où les périodes plus difficiles succèdent à celles d'accalmie. Rappelez-lui les progrès qu'il a déjà accomplis, même s'ils sont minimes.

▨ *Aidez à la prise du traitement*

Les médicaments, lorsqu'ils sont prescrits, doivent être pris tous les jours. Il peut arriver que la personne oublie de les prendre. Rappelez-le-lui discrètement, sans qu'elle ait l'impression que vous êtes toujours sur son dos.

Si vous la sentez trop réticente, discutez avec elle des raisons pour lesquelles elle ne veut pas les prendre. En cas d'effets indésirables gênants, elle n'osera pas forcément en parler spontanément avec le médecin. Incitez-la à venir lui en parler. Le médicament peut aussi être un objet d'évitement, parce que le médicament est « sale » ou qu'elle a peur de se tromper en les prenant. Discutez-en avec elle.

▨ *Encouragez tous les progrès accomplis*

Le TOC est une maladie le plus souvent chronique, bien que curable. Le sujet qui se soigne fait un effort permanent. Même s'il prend seulement des médicaments, il est toujours attentif au phénomène obsessionnel et essaie d'y résister. Montrez-lui que vous êtes sensible à ses efforts et que la régression de la maladie vous soulage vous aussi. Félicitez-le ! Éventuellement, allez « fêter » une amélioration importante au cinéma ou au restaurant. Faites-lui plaisir.

Savoir s'adapter
dans certaines limites

▓ *Prévoyez les stresseurs*

Quelqu'un qui souffre de TOC est plus vulnérable lors de certains événements : à l'occasion de changement d'habitude de vie, comme un déménagement ou un départ en vacances, de changements familiaux, comme une naissance, un mariage ou un deuil, de changements professionnels, comme une promotion ou une perte d'emploi, etc. Il lui est aussi plus difficile de résister aux rituels quand il est énervé, fatigué ou abattu.

Tenez-en compte dans vos attitudes à ces moments-là. Soyez un peu plus patient, un peu plus indulgent. Mais encore une fois, rien ne lui est interdit !

▓ *Ne cherchez pas à tout prix*
à être rassurant

Les bons conseils ou les bonnes paroles comme « tu t'en fais trop », « sois moins inquiet », « tu t'écoutes trop », « tu ne sais pas profiter des bons moments de la vie » ne servent pas à grand-chose. Mieux vaut se taire que dire des mots inutiles ou éventuellement moralisateurs et culpabilisants.

Il est également vain de discuter toute une nuit de l'intérêt d'une compulsion, ou du bien-fondé d'une obsession. Si vous appliquez les principes d'une psychothérapie comportementale et cognitive, vous n'y consacrerez pas des heures, car c'est le sujet lui-même qui doit mener l'essentiel de ce travail.

▓ Ne vous laissez pas gagner par l'anxiété

Il est assez facile de ne pas croire à l'utilité des lavages incessants ou des vérifications perpétuelles de la personne. Ça l'est un
peu moins dans le cas des obsessions d'agressivité : la peur
d'étrangler un enfant, de le blesser ou de lui faire subir de mauvais
traitements peut finir par vous inquiéter.

Très souvent, un sujet souffrant d'obsessions d'agressivité
refuse de rester seul avec son enfant et exige du conjoint ou d'un
parent qu'il reste avec lui et l'enfant. Dès lors, le parent a souvent
une crainte ultime : « Et si c'était vrai ? S'il pouvait réellement le
blesser comme il en a si peur ? Peut-il passer à l'acte ? »

La réponse est bien évidemment « non », puisqu'il s'agit d'obsessions. Il est quand même utile d'avoir eu la confirmation du
diagnostic d'obsessions par un spécialiste dans ce cas-là.

S'il s'agit bien d'obsessions-compulsions, le mieux est de respecter les éternels principes :

1. ne pas augmenter les rituels que l'on fait pour le sujet : par
exemple ne pas l'accompagner plus qu'on ne le faisait avant.

2. aller voir un spécialiste qui mettra en place un programme
thérapeutique progressif de retour à l'autonomie*.

▓ Soyez indulgent

Ne perdez pas de vue qu'il souffre d'une maladie, et que ce
n'est pas sa faute. Et donc qu'il a besoin d'aide.

L'aide consiste justement à l'encourager, à ne pas le critiquer
ou lui en vouloir et à ne pas en faire une affaire personnelle. Ce
n'est pas dirigé contre vous. Bien sûr, il peut arriver qu'un adolescent profite de sa maladie pour avoir des bénéfices secondaires, un
peu comme un enfant exagère sa fièvre pour ne pas aller à l'école.
Mais c'est rare. Si c'est cependant le cas, lisez ce qui suit.

---

* Pour plus de précisions sur la psychothérapie comportementale et cognitive des
obsessions agressives, référez-vous au cas de Jeanine en fin de partie, p. 284.

■ *Ne soyez pas trop indulgent*

La dictature de l'hygiène ou des précautions inutiles peut avoir des répercussions qu'il ne faut pas toujours accepter. Cela ne signifie pas qu'il faille rentrer en conflit avec celui qui souffre d'obsessions-compulsions. L'examen lucide de la situation ainsi que des discussions répétées peuvent convaincre celui qui souffre de TOC de l'utilité de certaines décisions. Voici un exemple où l'aide bienveillante d'une grand-mère a profité à son petit-fils.

Geneviève a une fille, Marie-Thérèse, qui souffre d'obsessions de souillure sévères, qui évoluait peu avec le traitement. Marie-Thérèse vit seule avec son petit garçon de 8 ans, Patrick, qu'elle aime profondément. Mais Geneviève craint que Marie-Thérèse ne soit une mauvaise mère. Quand sa fille va chercher son petit-fils à l'école, elle ne l'embrasse pas. Aucun copain n'est jamais invité à venir jouer à la maison, et personne n'est autorisé à rentrer dans sa chambre. Dans celle de Patrick, il y a seulement un lit, on n'y voit aucun jouet. Seules quelques peluches sont sur le lit, mais elles ne doivent en aucun cas sortir de la chambre. Quand Patrick rentre à la maison, il est lavé et changé. Son cartable doit être mis à un endroit précis de la maison, isolé. Il lui faut dormir dans une chambre « aseptisée ». Dès lors qu'ils sont sortis de la maison, les jouets sont lavés au retour ; Patrick a un pyjama de jour pour être dans la maison et un pyjama de nuit seulement réservé au lit.

Geneviève, consciente des conséquences de la maladie de sa fille sur son petit-fils, a commencé à venir me voir pour se faire expliquer le trouble. Elle s'est alors occupée de plus en plus de Patrick. Geneviève a fini par convaincre sa fille qu'il valait mieux que Patrick aille vivre chez elle. Ce changement de lieu d'habitation a permis à Patrick d'échapper à la tyrannie de la propreté de sa mère, car, en dehors de la maison de Marie-Thérèse, les rituels étaient très faibles. Marie-Thérèse ne voit plus Patrick chez elle, mais chez Geneviève ou en ville. Elle fait ses rituels en rentrant, mais cela ne concerne plus Patrick.

Lorsque Geneviève a expliqué à Patrick le problème de sa mère, il a été réconforté de savoir que ce qui lui semblait si étrange portait un nom, que c'était une maladie et que cela se soignait. À ce moment-là, il est devenu lui-même plus calme.

▪ *Acceptez certaines modifications de votre façon de vivre*

Malgré les efforts de celui qui souffre de TOC, certains événements banals peuvent rester plus compliqués pour lui : les départs en week-end, les invitations, les sorties sont fréquemment gênés par les obsessions-compulsions. Il est alors utile d'accepter certains rituels et de prévoir un peu plus de temps. Vous ne pouvez pas vous demander sans cesse : « Faut-il que je l'aide, que je l'encourage ? » Vous risqueriez de perdre votre souffle et de vous énerver. Il est normal d'être parfois fatigué lorsque l'on vit à côté de quelqu'un qui pâtit de cette maladie. Ne jouez pas vous-même au docteur. Les personnes souffrant de TOC ont besoin de votre affection, non de votre compassion.

COMMENT AIDER CELUI QU'ON AIME ET QUI SOUFFRE DE TROUBLE OBSESSIONNEL-COMPULSIF ?

A / Reconnaître le trouble obsessionnel-compulsif

1. Apprenez à connaître vous-même le trouble obsessionnel-compulsif.
2. Évitez de personnaliser.
3. Luttez contre la culpabilité.
4. Luttez contre le découragement.
5. Favorisez la prise de conscience.
6. Mesurez votre implication personnelle.

B / Devenir un partenaire thérapeutique

1. Évaluez les comportements-problèmes.
2. Résistez à la tentation d'aller trop vite.
3. N'augmentez pas votre implication personnelle.
4. Convenez ensemble d'un contrat.
5. Soyez un soutien dans les moments difficiles.
6. Aidez à la prise du traitement
7. Encouragez tous les progrès accomplis.

C / Savoir s'adapter dans certaines limites

1. Prévoyez les stresseurs.
2. Ne cherchez pas à tout prix à être rassurant.
3. Ne vous laissez pas gagner par l'anxiété.
4. Soyez indulgent mais pas trop.
5. Acceptez certaines modifications dans votre façon de vivre.

CHAPITRE 10

Jean-Charles, Claire et les autres : leur histoire, leur traitement

Nous avons longuement détaillé jusqu'ici le trouble obsessionnel-compulsif, tel que la médecine actuelle le comprend et le soigne. Des dizaines d'exemples de personnes souffrant de TOC ont été cités tout au long de ce livre et ont illustré chacun un aspect précis du problème. Ces personnes vous ont peut-être paru abstraites. Aussi, je souhaite vous raconter à présent plusieurs itinéraires d'hommes et de femmes, au fil des semaines et des mois, de la première consultation jusqu'à la fin du traitement.

Neuf histoires d'hommes et de femmes qui souffrent de trouble obsessionnel-compulsif vont vous êtres racontées. Au cours de ces mois, ces hommes et ces femmes m'ont fait partager l'intimité de leurs pensées et de leurs émotions. Ces patients ont des vies toutes différentes, ils ont chacun leurs soucis, leurs projets, leurs échecs et leurs réussites. Et pourtant, ils souffrent de la même maladie. Certains éléments de leur histoire ont été modifiés afin qu'ils ne puissent pas être reconnus.

Les quatre principales formes d'obsessions-compulsions sont ici décrites, et l'action de la psychothérapie comportementale ou des médicaments est illustrée pour chacune de ces formes.

Neuf histoires, vous allez peut-être trouver que c'est un peu long. Vous n'êtes pas obligé de les lire toutes. Vous pouvez même sauter cette partie et passer directement à la suite. Vous pouvez lire l'histoire qui vous concerne : par exemple les histoires de Michel et de Claire, si vous souffrez d'obsessions de saleté, ou les histoires de Bernard et de Jean-Charles, si vous souffrez d'obsessions d'erreur.

Ces histoires sont destinées à montrer la variété des problèmes dont souffrent les patients et à détailler le traitement tel qu'il est vécu en pratique.

Jean-Charles :
« J'ai pu me tromper.
Il faut que je vérifie... »

Jean-Charles est professeur de physique dans un lycée. Il est âgé de 51 ans. Il est marié et a deux enfants de 14 et 11 ans. Jean-Charles se plaint d'obsessions qui consistent en une peur de faire des erreurs. Il souffre aussi de rituels de vérification.

■ *Tant d'erreurs sont possibles...*

Les obsessions d'erreurs de Jean-Charles se manifestent notamment dans sa vie personnelle :

— Quand il lit son journal ou un livre, il a peur de ne pas les lire « correctement », de ne pas les lire « complètement » ou encore de « mal » les lire. L'obsession consiste en la crainte de négliger des informations. Par exemple, s'il lit le journal, il redoute de mal lire un article de politique ou d'économie, mais aussi la météo. Ou encore, s'il lit un roman, il craint d'avoir mal compris ce que les personnages disent ou font. Du coup, il relit la plupart des textes une ou deux fois, y compris le courrier qu'il reçoit.

— Lorsqu'il quitte son domicile, il vérifie que la porte d'entrée est bien fermée. Pour s'en assurer, il l'ouvre à nouveau pour la refermer ensuite. Il peut répéter à nouveau cette vérification s'il est « stressé ».

— Il vérifie plusieurs fois la présence de son portefeuille dans sa veste en glissant les doigts dans sa poche intérieure ou en tapotant sa poitrine. Ce rituel est plus fréquent s'il a dans son portefeuille des documents importants, comme une facture, ou s'il a plus d'argent liquide que d'habitude.

— Lorsqu'il rédige un chèque, il le vérifie en le relisant deux fois.

Mais ses obsessions d'erreur sont surtout pénibles au travail : il redoute les erreurs dans trois circonstances essentielles :

1. *Corriger la copie d'un élève* : chaque copie est vérifiée en moyenne trois fois. Il vérifie :
— ce qu'a écrit l'élève : « L'ai-je bien lue ? » se demande-t-il,
— la note qu'il a donnée en fonction de ce qu'a écrit l'élève : « Ne me suis-je pas trompé ? »,
— l'addition des notes attribuées aux différents exercices. C'est la note finale : « Ai-je bien fait l'addition ? » se dit-il,
— la retranscription de la note finale de l'élève sur les feuilles récapitulatives transmises au lycée : « Ne me suis-je pas trompé ? »

2. *Préparer un cours* : c'est la situation la plus pénible ; l'obsession consiste à « ne rien dire de faux, d'inexact ni de douteux ». Ainsi, Jean-Charles prépare son enseignement de façon extrêmement minutieuse en écrivant son cours presque mot à mot. Il en résulte une grande lenteur dans son travail, un manque de naturel et de spontanéité dans son style, et un conformisme académique dans sa pédagogie.

3. *Donner le cours* : l'obsession consiste alors :
— à « parler clairement », à adopter un bon rythme d'élocution : ni trop lent, où les élèves s'endorment, ni trop rapide, où les élèves sont perdus ;
— à ne commettre ni lapsus ni erreur lorsqu'il parle ou lorsqu'il écrit quelque chose au tableau : par exemple, pour copier un exercice au tableau, il se réfère trois ou quatre fois aux notes qu'il a préparées pour ne pas se tromper dans le report des chiffres.
Ces obsessions s'expriment dans des situations variées et sont plus ou moins pénibles. Elles relèvent cependant toutes du même thème : Jean-Charles souffre d'obsessions d'erreur.

Le trouble est apparu durant ses études de physique à la faculté. Mais, paradoxalement, cet excès de précision dans son travail a fait de lui un étudiant très brillant. Cette grande justesse, ce perfectionnisme de tous les instants, l'ont conduit, à force de travail, jusqu'à l'agrégation de physique et au professorat.

C'est une fois qu'il a enseigné lui-même que les choses se sont gâtées. Il l'exprime très bien en disant à peu près ceci : « Tant que les erreurs possibles ne concernaient que moi, je me disais que j'étais le premier puni de mes erreurs ; mais lorsqu'elles ont pu avoir des conséquences pour les autres, à savoir mes élèves, les obsessions sont devenues très pénibles. »

Il a fait une dépression sévère à l'âge de 35 ans, pendant laquelle il a été en arrêt de travail durant plus de six mois. Il s'est bien rétabli de sa dépression, mais la maladie obsessionnelle n'a pas diminué, malgré un traitement médicamenteux adapté. Depuis cette époque, le traitement médicamenteux a été arrêté, et les obsessions et les rituels restent stables.

Jean-Charles arrivait-il à vivre normalement ? Vu de l'extérieur, presque rien ne trahissait ses obsessions et ses rituels. C'est ce que je lui faisais remarquer. Et j'ai ajouté :

— Finalement, vous pensez que vos obsessions et vos rituels vous préoccupent combien d'heures par jour ?

— Mes rituels me prennent peu de temps, me dit-il, sauf les vérifications des copies. Je peux les vérifier deux ou trois fois. Mais je n'ai pas de correction tous les jours. Même en dehors des copies, c'est cette crainte permanente de faire une erreur qui m'angoisse. C'est absurde. Je lutte en permanence contre cette anxiété et, des fois, je craque : hier, j'ai « rectifié » plusieurs fois ce que je disais aux élèves ; et, en fait, ils ne m'écoutaient plus car cela faisait trois fois que je leur répétais la même chose ! Je m'exaspère de ma lenteur, d'avoir l'esprit occupé par cette anxiété permanente. C'est une lutte de tous les instants.

— Oui, je comprends. Essayez alors d'évaluer séparément le temps pendant lequel vous êtes préoccupé par la pensée de l'erreur : cette pensée, c'est ce qu'on appelle l'obsession. Et évaluez le temps que vous passez en vérifications : la vérification, c'est ce qu'on appelle le rituel ou la compulsion.

— C'est en fait assez variable au cours de l'année. Dans les fins de trimestre où ont lieu les contrôles et les conseils de classes, je peux perdre cinq à six heures de vérification par jour lors de la correction des copies pour une seule classe. En dehors de ces situations, je ne dois pas perdre réellement plus de trente minutes par

DESCRIPTION SIMPLIFIÉE DES PRINCIPAUX PROBLÈMES DE JEAN-CHARLES		
SITUATION « ce qui déclenche »	**OBSESSION** « l'idée qui fait peur »	**RITUELS** « ce que Jean-Charles fait pour se rassurer »
je corrige la copie d'un élève	— j'ai peut-être mal lu la copie — je me suis peut-être trompé dans le calcul de la note — je me suis peut-être trompé dans la retranscription de la note sur la feuille de résultats	chacune de ces opérations est vérifiée trois fois au moins
je prépare un cours	je vais peut-être dire quelque chose de faux ou de douteux	j'écris le cours mot à mot
je donne le cours	— je crains de ne pas parler clairement — je crains de commettre des erreurs	je répète ce que je dis — je relis mes notes et je vérifie ce que je retranscris au tableau
je lis un texte	j'ai peut-être oublié une information importante	je relis le texte une ou deux fois
je ferme la porte d'entrée de l'appartement	la porte est peut-être mal fermée	je rouvre et referme la porte
le portefeuille est dans ma veste	il est peut-être tombé de ma veste	je tapote ma veste ou je glisse un doigt dans la poche pour le tâter
je rédige un chèque	je me suis peut-être trompé	je le relis deux fois

jour en rituels car mes vérifications sont très brèves : les chèques, la porte d'entrée, la retranscription des exercices au tableau. Mes cours sont préparés par écrit depuis des années. Le pire, en dehors des contrôles, c'est quand je dois préparer un nouveau cours, soit parce que le programme a changé ou parce que mon cours a vieilli et que je veux le réécrire. La pensée obsédante, quant à elle, est beaucoup plus constante durant toute l'année scolaire. J'ai mon esprit occupé, je crois, peut-être deux ou trois heures par jour.

— Et en vacances ?

— En vacances, je me sens très bien et je n'ai pas l'impression de souffrir d'obsessions-compulsions. Mes situations « terribles » n'existent plus puisque c'est surtout au lycée qu'elles se déclenchent. D'autre part, je suis reposé et je résiste mieux à mes angoisses lorsque je suis en forme.

▪ *La psychothérapie comportementale et cognitive de Jean-Charles*

Jean-Charles avait déjà eu un traitement contre les obsessions et contre sa dépression à l'âge de 35 ans, qui ne l'avait pas guéri. De plus, il n'aimait pas prendre de médicament et préférait une méthode thérapeutique plus « naturelle ». Aussi, lorsque je lui ai proposé une psychothérapie comportementale et cognitive, il a été immédiatement d'accord.

L'explication du mode d'action de la psychothérapie lui a paru logique et a séduit son esprit rationnel. Je lui ai expliqué :

• les principes de base de l'exposition avec prévention de la réponse pour la psychothérapie comportementale,

• la discussion logique des croyances obsessionnelles pour la psychothérapie cognitive.

Devant tant de situations pénibles, il convenait de choisir la situation qui serait la cible principale de la psychothérapie comportementale et cognitive : c'est la situation pour laquelle Jean-Charles tenait le plus à obtenir une amélioration.

Jean-Charles a choisi rapidement la situation de « correction des copies » qui résumait le plus son problème, même si cette situation n'était pas quotidienne, à la différence de la porte de son domicile qu'il vérifiait plusieurs fois par jour.

Avant d'aborder cette situation majeure, je souhaitais qu'il réalise au préalable un petit exercice comportemental afin de bien ressentir les mécanismes de la psychothérapie comportementale. Je lui ai rappelé que ces mécanismes se résument dans le fait que, si l'on résiste régulièrement à l'envie de faire un rituel — qu'on le diminue, qu'on le retarde ou qu'on ne le fasse pas —, l'anxiété finit par être de moins en moins intense et dure de moins en moins longtemps.

Je lui ai proposé de faire l'expérience de ce principe thérapeutique sur une situation obsédante mineure : il s'agissait de ne vérifier qu'une fois, au lieu de deux, la présence de son portefeuille dans la poche de sa veste, quel que soit le contenu du portefeuille. Jean-Charles a accepté, car cet exercice nécessitait de rompre une « habitude », mais ne lui semblait pas trop difficile. De fait, cet exercice n'a pas provoqué plus de 20 % d'anxiété (en bon scientifique, il n'avait pas eu de mal à comprendre cette façon d'évaluer l'anxiété) et durait moins de dix minutes. Au bout d'une dizaine d'exercices durant lesquels il n'avait vérifié qu'une seule fois son portefeuille, cette « exposition » ne lui provoquait plus d'anxiété du tout.

Fort de ce premier succès, il me dit : « Je voudrais que l'on travaille sur mes obsessions d'erreur quand je corrige mes copies, docteur. »

Il me rappelait ainsi clairement la cible thérapeutique qu'il avait choisie et qu'il ne souhaitait pas que nous nous égarions dans ce qu'il considérait comme des détails.

— Oui, nous y venons, lui dis-je, mais cela me semblait important que vous preniez conscience du fait qu'en organisant un exercice faisable, un rituel peut diminuer avec des règles simples. Vous verrez que votre expérience avec votre portefeuille, vous l'utiliserez lors de la correction des copies !

Jean-Charles détaille alors son rituel de correction et nous commençons à travailler sur le risque que constitue une erreur de correction de copie.

— Je vérifie systématiquement trois ou quatre fois la copie de chacun de mes élèves après un contrôle. Je vérifie d'abord ce que les élèves ont écrit pour ne pas passer à côté d'une bonne réponse. Je vérifie la note que je leur attribue avec ma grille de correction pour éviter une erreur de cotation. Je refais le total des notes qu'ils ont obtenues dans leur copie pour éviter une erreur d'addition. Puis je relis la retranscription de cette note sur la feuille de résultats que je garde pour le calcul des moyennes trimestrielles afin d'empêcher une erreur de recopiage. Je veux être certain de ne pas léser un élève qui pourrait redoubler par une faute de calcul de ma part. Comment est-ce qu'un professeur peut faire subir une erreur à un élève qui travaille pour réussir ses contrôles ? Comment pouvons-nous commettre une injustice pareille ? Comment, par une faute d'inattention de quelques secondes, pouvons-nous compromettre une année de travail d'un élève qui nous fait confiance ?

Quelques questions permettent de mieux cerner la cascade de catastrophes du thème obsédant.

— D'accord, lui dis-je, admettons que votre crainte obsédante soit justifiée et que votre erreur de plusieurs points sur une copie fasse redoubler l'élève. Que risque-t-il de se passer alors ?

— En redoublant, il peut échouer à nouveau parce qu'il est déçu de cette injustice et qu'il est trop stressé par la suite. Il peut avoir sa vie brisée. J'ai découragé et mis en échec un élève alors que mon rôle est d'aider l'élève à progresser. J'ai failli à mon devoir.

— Oui, je comprends mieux votre crainte et la façon dont se maintient votre obsession. Moi-même, à votre place, si je pensais qu'une erreur de correction puisse briser la vie d'un élève, je vérifierais comme vous le faites. Cependant, j'aimerais que nous réfléchissions à la probabilité qu'un élève redouble deux fois de suite et ait sa vie brisée parce que vous avez fait une erreur de plusieurs points lors d'un des contrôles qu'il a eus. Autrement dit, est-ce si évident que votre erreur ait de telles conséquences ? Voilà, je vais vous écrire cette question sur une ordonnance comme une prescription médicale : « Notez les arguments pour et contre le fait qu'une erreur de plusieurs points lors d'un contrôle puisse briser la vie d'un élève. » Et nous en reparlons lors de la prochaine séance.

— Est-ce le début de la psychothérapie, docteur ?

— Oui, tout à fait, on appelle même cette technique de psycho-thérapie « l'examen de l'évidence ».

Lors de la consultation suivante, une semaine plus tard, Jean-Charles revient avec un cahier et une liste d'arguments et de con-tre-arguments. Il me dit que le fait d'avoir réfléchi ainsi à cette angoisse de briser la vie d'un élève lui a fait voir les choses diffé-remment. Au bout de quelques séances de questionnement de « l'évidence », Jean-Charles parvient à dire la chose suivante :

— Un élève qui redouble parce qu'il y a eu une erreur de quel-ques points sur un contrôle, et qui redoublerait à nouveau l'année suivante, n'est quand même pas un très bon élève. S'il redouble, on ne peut pas dire qu'il le fait à cause d'une seule matière. J'ai peut-être fait une erreur, mais cet élève est quand même très moyen, voire médiocre pour que son année scolaire dépende de si peu de choses. Je pense qu'il aurait quand même échoué de toute manière, c'est-à-dire qu'erreur ou non, il ne serait quand même pas passé dans la classe supérieure. Cependant, je pense toujours que je faillis à mon devoir en commettant une erreur ou en étant imprécis.

Cette dernière phrase nous conduit à mettre au jour un principe personnel de Jean-Charles, selon lequel il doit être parfait et n'a pas droit à l'erreur.

Nous sommes en fin de trimestre, et Jean-Charles souffre beau-coup d'obsessions. Il refuse de s'exposer à diminuer son rituel de vérification de copie à cause de cette croyance selon laquelle un professeur doit être parfait.

— Bien, lui dis-je, vous êtes un professeur très scrupuleux : pour vous, il faudrait être parfait sans cesse. Je voudrais que l'on réfléchisse ensemble à la question suivante : « Est-il réaliste de pen-ser que l'on peut être parfait à tout moment dans son travail ? » Je voudrais que, pour la prochaine séance, vous réfléchissiez à ce problème de la façon suivante : « Quels sont les arguments pour et contre le fait que l'on peut être parfait à tout moment dans son travail ? »

Je note à nouveau cette question sur une feuille d'ordonnance.

Jean-Charles revient avec ses arguments et contre-arguments :

DISCUSSION DE LA CROYANCE : « ON PEUT ÊTRE PARFAIT À TOUT MOMENT DANS SON TRAVAIL »	
Arguments	**Contre-arguments**
1. Il suffit d'y mettre le prix, c'est-à-dire de faire l'effort nécessaire.	1. La perfection est un idéal, et, par définition, l'idéal n'existe pas.
2. Il faut s'entraîner : à force d'être exigeant avec soi-même, on y arrive.	2. Les conditions « parfaites » sont rarement réunies dès lors qu'on est pris dans le rythme et la réalité de l'action.
3. C'est une question de volonté et de valeur morale.	3. Chercher la perfection est stressant, et le stress augmente la fatigue et le risque d'erreur.

— Bon, lui dis-je, il y a des arguments pour et contre cette croyance de perfection. Nous allons examiner le poids de chaque argument. Cela va peut-être vous paraître bizarre, mais je vais vous demander d'imaginer un poids en « kilogrammes » de chaque argument pour savoir si chacun de ces arguments est « lourd » ou « léger » dans la discussion de votre principe selon lequel on peut être parfait à tout moment dans son travail.

Nous avons alors repris notre petit tableau, en y mettant des poids en kilogrammes.

DISCUSSION DE LA CROYANCE : « ON PEUT ÊTRE PARFAIT À TOUT MOMENT DANS SON TRAVAIL »			
Arguments	Poids des arguments	Contre-arguments	Poids des contre-arguments
il suffit d'y mettre le prix, c'est-à-dire de faire l'effort	80	la perfection est un idéal, et, par définition, l'idéal n'existe pas	90
il faut s'entraîner, et, à force d'être exigeant avec soi-même, on y arrive	60	les conditions « parfaites » sont rarement réunies dès lors qu'on est pris dans le rythme et la réalité de l'action	80
c'est une question de volonté et de valeur morale	50	chercher la perfection est stressant, et le stress augmente la fatigue et le risque d'erreur	70
	total = 190		total = 240

À ce moment-là, Jean-Charles reconnaît par lui-même que ce schéma de perfection est trop rigide, puisque le poids de la balance la fait plutôt pencher du côté opposé à ses propres principes : il semble bien difficile de penser que « l'on peut être parfait à tout moment dans son travail ».

— Mais on est bien obligé d'avoir une règle ! On ne peut pas faire n'importe quoi sous prétexte que la perfection est impossible à atteindre ! Où se trouve la limite ? me dit-il.

— La limite, c'est à vous de la déterminer en fonction de vos valeurs et de votre personnalité. Ce que nous avons découvert ensemble, c'est que la façon dont vous abordez la question obsédante de l'erreur vous met dans une autre erreur, celle de croire que vous pouvez être parfait. Je pense qu'il serait utile de définir un « risque d'erreur acceptable ».

On se met alors d'accord sur une méthode pour définir le risque acceptable concernant la correction des copies : en demandant à des collègues de lycée comment eux-mêmes s'y prennent pour gérer le risque de se tromper.

— Vous connaissez quelqu'un à qui vous pourriez poser la question ?

— Oui, j'ai deux amis à qui je peux poser la question sans que cela soit un problème.

Lors de notre rencontre suivante, Jean-Charles est un peu perplexe. Il a parlé à un de ses amis professeurs qui a la réputation d'être très sérieux :

« — Comment fais-tu pour être certain de ne pas faire d'erreurs lorsque tu corriges les copies ? Tu vérifies ?

— Non, je fais des erreurs comme tout le monde, mais je ne vérifie pas les copies, lui a-t-il répondu.

— Tu n'as pas peur de commettre des injustices ? »

Le collègue a semblé surpris par ce scrupule et lui a dit :

« — Non. L'erreur est humaine, et cela ne m'inquiète pas. »

À ce stade, Jean-Charles se sent un peu mieux : les autres professeurs sont plus injustes que lui ! Il commet deux erreurs dans ses cours : une erreur de calcul et une erreur d'énoncé d'exercice. Il s'aperçoit lui-même de la première erreur et un élève lui fait remarquer la seconde. Il se dit qu'au fond les erreurs sont rapidement constatées et donc corrigées. Le spectre de l'erreur « aux graves conséquences » s'estompe un peu grâce à cette épreuve de réalité.

Nous avons alors rediscuté les erreurs qu'il redoutait en distinguant :

1. le risque ou la probabilité de faire une erreur,
2. la gravité des conséquences de l'erreur.

Cela a donné les résultats suivants :

Les actions concernées par le risque d'erreur	Probabilité de faire une erreur	La gravité des conséquences de l'erreur
1. La correction des copies : — la qualité de la correction, — le total et le report de la note.	faible faible	grave grave
2. La préparation d'un cours.	faible	faible
3. Donner le cours . — parler clairement, — parler selon un bon rythme.	importante importante	faible faible

En se servant de ce petit tableau, nous avons comparé le coût d'une vérification avec le bénéfice obtenu par cette vérification. Par exemple, la vérification consistant dans le fait de parler « clairement à un bon rythme » en répétant plusieurs fois les phrases importantes de son cours se révélaient :

1. d'un coût important : perte de temps, préoccupation constante, impression de bizarrerie de son cours,

2. d'un bénéfice faible : Jean-Charles se rendait compte au fil des cours et des exercices pratiqués que si les élèves n'avaient pas compris, il pouvait expliquer à nouveau et, s'il commettait des erreurs, il s'en rendait compte lui-même ou on le lui faisait remarquer. Il a donc décidé de commencer à s'exposer en passant moins de temps à la préparation des cours et en parlant plus naturellement. Cela n'a pas été sans anxiété au début, mais, comme il l'avait déjà observé avec l'exercice du portefeuille, l'anxiété a diminué progressivement au fil de ses cours.

En revanche, la correction des copies restait très anxiogène. Jean-Charles a défini alors ainsi la vérification acceptable pour lui :

— à trois vérifications de copie ou plus, je suis dans l'obsession,

— à deux vérifications, c'est plus litigieux, c'est peut-être une obsession, mais ce peut être aussi judicieux et honnête de ma part. Je n'ai à vérifier deux fois que dans des cas très particuliers qui doivent rester rares. Par exemple, si je sens que je suis fatigué ou si je constate par moi-même que je fais plus d'erreurs que d'habitude, — je m'autorise une vérification de copie, car je suis un bon enseignant scrupuleux de son travail.

Jean-Charles commence alors à diminuer progressivement ses rituels. L'anxiété ressentie finit progressivement par chuter en intensité et en durée.

Puis Jean-Charles se sent nettement mieux. Même s'il ne gagne pas tellement de temps par rapport à avant la thérapie (rappelez-vous, il perdait assez peu de temps en moyenne), il sent beaucoup moins de souffrance liée aux obsessions. Il cesse d'appréhender les « nouveaux cours » et les périodes de fin de trimestre. Il remarque cependant qu'il est toujours plus dur de ne pas vérifier et de ne pas tenir compte de ses craintes obsessionnelles lorsqu'il est fatigué.

Cette thérapie a duré dix mois, puis Jean-Charles est venu me voir tous les mois pendant 6 mois. Je n'ai pas revu Jean-Charles depuis longtemps et je ne sais pas comment il va, ni si les résultats de la thérapie, dont je viens d'exposer les moments essentiels, se sont maintenus. Connaissant l'efficacité de ces techniques et la stabilité des résultats des thérapies comportementales et cognitives, je pense qu'il a gardé le bénéfice de ce travail. Et je suis sûr qu'il est resté un professeur rigoureux et très respectueux de ses élèves...

Bernard : « Je ne supporte pas le désordre. Il faut que je range... »

Bernard est âgé de 43 ans lorsqu'il vient consulter à cause d'un trouble obsessionnel-compulsif. Il connaît ce terme car la maladie a été diagnostiquée par un confrère, qui m'a adressé Bernard pour son traitement. Marié depuis dix-huit ans, il a trois enfants et travaille comme garagiste.

▪ *L'impossible repos*

Bernard souffre d'être « trop précis », trop consciencieux, de s'en faire pour pas grand-chose En pratique, il vérifie. Il vérifie beaucoup. Il vérifie trop. Cela l'agace. Cela lui fait perdre du temps, mais aussi, cela le fait souffrir. Car son esprit n'est presque jamais en repos. Du matin au soir, il se demande s'il a bien fait les choses. Son esprit est en alerte permanente, il n'est plus à ce qu'il fait, on lui en a fait la remarque. L'inquiétude est là, presque en permanence.

— Inquiétude de quoi ?

— De tout ! me répond-il. Que ma voiture est bien fermée lorsque je la laisse, que les outils au travail sont bien rangés lorsque je quitte le garage, que mon chéquier est bien dans ma veste, mais aussi que ce bouton, que j'ai vu ce matin sur mon visage dans la glace, n'est pas en train de grossir.

— Et que faites-vous alors ?

— Je vérifie, je retourne deux ou trois fois à ma voiture, je contrôle tous les tiroirs du garage avant de partir, que chaque outil est bien à sa place, qu'il n'en manque pas, qu'il n'en traîne pas. Je constate que mon chéquier est bien en place, je regarde mon bouton vingt fois par jour dans une glace.

— Quand est-ce que cela a commencé ?

— J'ai toujours été un peu comme cela, mais, depuis trois ans, cela s'est aggravé et c'est devenu insupportable.

— Enfant aussi ?

— Oui, lorsque j'étais enfant, j'étais lent et je vérifiais mes devoirs le soir dans ma chambre. À cette époque aussi, je me lavais beaucoup les mains. Cela m'a passé vers l'âge de 15-16 ans, mais mes manies d'exactitude sont alors devenues plus importantes.

À Bernard, je demande de noter, par écrit, au jour le jour, pendant une semaine, les rituels quotidiens dont il souffre. Outre les rituels qu'il m'a déjà signalés, il note alors aussi :

— Je m'habille toujours selon un ordre précis : d'abord la jambe droite du pantalon, puis la gauche. Je vérifie la braguette en la baissant et en la remontant deux fois. Et je dis : « Elle est fermée ! » à voix basse pour que ma femme ne m'entende pas Car cela l'énerve. Et je la comprends.

— J'évite de me regarder dans la glace de peur de voir un bouton sur mon visage ou quelque chose de suspect.

— Tout ce que je touche au travail, je le remets en place dans un ordre précis.

Et il conclut :

— Je ne sais pas ce que c'est que de perdre mon temps, de flâner, d'être insouciant et de me laisser aller.

À la fin, je note dans le dossier de Bernard : « Obsessions d'erreur et de désordre ; rituels de vérification et de rangement : trouble obsessionnel-compulsif. » Il a probablement souffert de la forme de lavage jusqu'à l'age de 18 ans, mais celle-ci a disparu.

DESCRIPTION SIMPLIFIÉE DES PRINCIPAUX PROBLÈMES DE BERNARD		
SITUATION « ce qui déclenche »	**OBSESSION** « l'idée qui fait peur »	**RITUELS** « ce que Bernard fait pour se rassurer »
je laisse ma voiture	ma voiture n'est peut-être pas fermée	j'y retourne deux ou trois fois
je quitte mon garage	les outils ne sont peut-être pas rangés dans les tiroirs du garage	— je range chaque outil selon un ordre précis — je vérifie chaque tiroir et chaque outil
je suis chez moi	mon chéquier n'est peut-être pas dans l'armoire	je regarde dans l'armoire plusieurs fois
j'ai un bouton sur le visage	il est peut-être en train de grossir	je le regarde vingt fois par jour dans la glace
je m'habille	ma braguette est peut-être restée ouverte	je la baisse et je la remonte deux fois en disant : « Elle est fermée »

▪ Le traitement de Bernard par médicaments

À Bernard ont été expliqués les deux traitements possibles, la psychothérapie comportementale et cognitive, et les médicaments. L'idée de devoir faire des exercices tous les jours n'enchantait pas Bernard. Comme il prenait déjà des médicaments contre ses obsessions-compulsions, je lui ai expliqué que tant qu'à prendre des médicaments, autant essayer un traitement plus efficace dans son trouble. Il a été tout à fait d'accord, tout en acceptant l'idée qu'en cas d'insuffisance d'effet des médicaments il devrait alors faire une thérapie comportementale et cognitive.

Je lui ai donc prescrit une gélule par jour de Prozac®. Sur l'échelle de mesure obsessions-compulsions auto-Yale-Brown, il avait un score de 23 sur un maximum de 40. Ce score correspondait à environ trois heures de préoccupation obsédante par jour et une heure de rituel.

— Un mois après, son score n'était plus que de 18.

— Deux mois après, il n'était plus que de 14.

Son traitement a alors été augmenté à deux gélules par jour de Prozac® pour obtenir encore plus d'efficacité.

— Six semaines après ce changement de traitement, son score d'obsessions-compulsions était de 9. Il se sentait alors tellement mieux que nous ne nous sommes plus vus que tous les mois. Il pouvait m'appeler en cas de problème. Nous augmentions cependant encore le traitement car il le supportait bien, et le maximum d'effet n'était peut-être pas encore atteint. Il a pris alors trois gélules de Prozac® par jour.

— Deux mois après ce changement de traitement, son score d'obsessions-compulsions n'était plus que de 5 sur un maximum de 40.

Bernard m'a dit alors qu'il ne s'était jamais senti aussi bien du point de vue de ses obsessions-compulsions. Il s'estimait même « guéri ». J'ai confirmé la rémission complète sous traitement, car il perdait moins d'une heure par jour en obsession et en rituel.

À l'heure où j'écris ces lignes, Bernard prend toujours son traitement à la même dose. Je lui ai dit qu'il valait mieux ne pas l'interrompre. Bernard ne souffre d'aucun effet indésirable. Il me dit que cela ne lui pose aucun problème de prendre des médicaments.

Roberta : « Je vais porter malheur à mon fils Kevin... »

Nous avons tous des superstitions. Mais l'histoire de Roberta est bien particulière. Roberta m'a été adressée par son médecin généraliste, en raison d'obsessions de malheur et de compulsions de répétitions de phrases et de gestes magiques.

▪ *De mauvais présage en mauvais présage*

Roberta épouse à l'age de 24 ans Paolo, d'origine italienne comme elle. Le père de Roberta tombe malade peu avant son mariage, et le couple hésite entre se marier à la date prévue ou repousser le mariage. Roberta souhaiterait attendre le rétablissement de son père pour le mariage. Paolo, quant à lui, préférerait se marier comme prévu, pour des raisons pratiques liées aux déplacements des différentes familles qui viennent d'Italie. Finalement, ils décident de se marier à la date prévue, malgré l'absence du père qui est à l'hôpital.

À son mariage, Roberta n'est pas conduite à l'autel de l'église par son père, comme le veut la tradition et comme elle en avait toujours rêvé. Elle pense alors que ce n'est pas un bon présage. Cela pourrait porter malheur à son union, et elle en veut alors un peu à son mari de ne pas avoir attendu que son père se rétablisse avant de se marier.

Puis, peu de temps après son mariage, Roberta accompagne sa tante à une consultation à l'hôpital pour un bilan médical. Là, on lui annonce que cette dernière souffre d'un cancer de l'utérus. L'idée lui vient immédiatement que la maladie de sa tante a peut-être un rapport avec l'histoire de son mariage : elle avait pensé que le mariage sans son père pouvait porter malheur. Cette tante, dont elle est très proche, demande à Roberta de l'accompagner régulièrement

dans les soins que son cancer nécessite : hospitalisation pour l'opération chirurgicale, rendez-vous à l'hôpital pour les séances de
radiothérapie, puis, par la suite, pour les examens de contrôle.

L'intervention se passe bien, et la tante est alors déclarée en
« rémission » : le cancer a été totalement ôté. Elle doit cependant
subir régulièrement des examens de contrôle.

Chaque fois que Roberta l'accompagne à l'hôpital, des idées
« négatives » lui viennent à l'esprit : sa tante pourrait rechuter de
son cancer et même, éventuellement, en mourir. Roberta se dit
alors que ces pensées négatives sont de mauvais augure et qu'elles
pourraient porter malheur à sa tante. Pour lutter contre elles,
Roberta ne veut pas repasser physiquement à l'endroit même où
elle se trouvait quand on lui a annoncé que sa tante avait un cancer, c'est-à-dire à gauche de la salle d'attente. Elle se met de l'autre
côté, car, pense-t-elle, « si je me rassois au même endroit, on va me
redire qu'elle a un cancer ». Elle évite aussi de passer devant la
porte de la salle où sa tante est examinée. Si elle ne peut pas éviter,
elle est obligée de repasser plusieurs fois devant la porte par des
allers et retours successifs et brefs, durant lesquels elle se concentre
sur une pensée positive. Elle fait ainsi de « petits pas » tout en se
répétant : « Ma tante s'en sortira et elle n'aura plus de cancer. »
Mais Roberta utilise aussi d'autres pensées positives pour chasser
les idées négatives : par exemple, elle « fixe mentalement » des
pensées de bonheur, comme un mariage ou une naissance, ou
l'image d'un sourire d'enfant.

Progressivement, de plus en plus d'actions quotidiennes sont
concernées par le trouble : le fait de marcher, de parler, de porter
un objet peut être « marqué » par des pensées de malheur. Elle se
dit qu'elle a « mal franchi le pas de la porte de l'hôpital », qu'elle
a « mal tendu le verre de soda à sa tante qui lui demande à boire »,
qu'elle s'est « mal assise sur le fauteuil de la chambre d'hôpital ».
Elle se met alors à « refaire » le geste qu'elle vient d'accomplir,
jusqu'à ce qu'une pensée positive soit bien présente à son esprit,
ou jusqu'à ce qu'elle ait réussi à chasser la pensée négative.

Plus elle lutte contre ses pensées négatives, plus celles-ci
deviennent fortes et pénibles. D'avoir tant de pensées de malheur,
Roberta finit par se dire qu'elle est probablement une « mauvaise
personne ». L'idée lui est même parfois venue que si elle pensait

si fort que sa tante allait rechuter de son cancer, c'était que, dans le fond, elle souhaitait que ces événements tristes et catastrophiques surviennent. En m'expliquant cette crainte de vouloir le malheur de sa tante, elle se met à pleurer.

Roberta a un fils du nom de Kevin, âgé de 5 ans. Elle me dit qu'elle adore son enfant. Pour elle, il ne faut surtout pas que des idées négatives surgissent dans son esprit lorsqu'elle fait quoi que ce soit qui concerne Kevin. Une idée négative peut consister à penser à nouveau au cancer de sa tante. Mais ce peut être aussi l'idée d'une autre maladie, d'un accident ou d'un échec. Dès lors qu'une pensée négative lui vient à l'esprit alors qu'elle est en train de s'occuper de Kevin, Roberta considère que cette idée peut porter malheur à son fils. Lui acheter des vêtements ou un jouet est devenu pénible. Au magasin, si elle lui choisit un habit, il faut qu'une pensée positive soit présente à son esprit, sans quoi elle n'achète rien. Par exemple, il lui arrive de saisir un vêtement et de le reposer sur l'étalage. Cela plusieurs fois de suite. Quand elle n'y parvient pas ou qu'elle elle est trop énervée pour poursuivre son rituel, il se peut qu'elle sorte du magasin sans avoir acheté ce pour quoi elle y était entrée. Le pire, c'est lorsque, le jouet ou le vêtement enfin choisis, elle attend son tour à la caisse pour le payer et que la pensée négative resurgit. Elle dit à la caissière qu'elle a changé d'avis et elle rapporte l'article en rayon. Si elle a déjà payé l'article, elle demande à l'échanger en trouvant un prétexte, comme le fait de préférer une autre couleur s'il s'agit d'un vêtement. Petit à petit, tous les achats qu'elle réalise pour la maison sont parasités d'obsessions : par exemple, depuis plusieurs semaines, elle se sent incapable d'acheter des rideaux pour son bureau.

Les gestes de la vie courante de Roberta sont aussi parasités. Elle prend sa douche le matin avec de petits rituels qui consistent à toucher plusieurs fois le robinet jusqu'à ce qu'elle ait une pensée positive, ou bien à ne couper l'eau que si elle a eu une pensée positive. Elle fait aussi des petits pas : quand elle est en train de marcher chez elle ou dans la rue, si une pensée négative survient, elle recule pour revenir sur ses pas, en ayant des pensées positives, un peu comme elle le fait quand elle va à l'hôpital avec sa tante.

Le pire concerne les événements importants de la vie : les anniversaires de son mari ou de son fils, ou simplement le fait de constituer un album photo : cet objet symbolique de la vie de famille ne doit être fait qu'avec des pensées positives à l'esprit. Comme cela lui est très difficile, elle n'y arrive pas, ce qui lui donne à penser qu'elle est une mauvaise mère. De même, la décoration d'un sapin de Noël est une véritable torture. Elle se débrouille pour ne choisir ni n'accrocher aucune guirlande et elle demande alors à son mari de le faire sans qu'il comprenne pourquoi. Le pire est à venir, avec le mariage de sa sœur, dans quelques mois. Elle appréhende déjà.

Roberta est aussi parasitée dans son travail. Elle est vendeuse dans une boutique de cadeaux. Elle souffre terriblement si elle apprend que le cadeau est destiné à un événement important, tel qu'un mariage, un anniversaire ou des fiançailles. Il lui arrive alors de refaire plusieurs fois le paquet si elle a eu une pensée négative car cela pourrait porter malheur au client. La semaine dernière, elle a vendu un vase à une jeune femme. Au moment de payer, la cliente lui signale qu'elle se marie samedi prochain. « Il ne fallait surtout pas que j'aie une pensée de divorce pendant que je lui donnais le paquet. J'ai essayé d'avoir une pensée positive en le lui donnant : j'ai songé à une de mes amies qui est très heureuse dans sa vie. Cela a duré cinq minutes, et je me suis sentie mieux. »

Les pensées négatives de Roberta sont des obsessions de malheur typiques. Ses rituels de répétition de gestes servent à conjurer et à annuler les obsessions. Les petites phrases positives qu'elle se dit pour annuler les pensées négatives sont des rituels mentaux.

— Pensez-vous réellement que vous puissiez influencer la vie avec des pensées ? lui ai-je demandé.

— Non, mais je ne peux pas m'empêcher de faire mes rituels. L'an passé, ma sœur était enceinte et elle voulait une petite fille. Durant toute la grossesse, quand j'ouvrais les volets, il fallait que je me persuade qu'elle aurait une petite fille.

— Pourquoi « lorsque vous ouvriez les volets » ?

— Parce que c'est la première chose que je fais dans la journée, c'était afin de « bien commencer la journée ». Parce que, si je pensais à un petit garçon, elle aurait eu un petit garçon.

— Et qu'est-ce qu'elle a eu comme enfant ?

— Elle a eu un garçon, mais je ne crois pas que ce soit ma faute. Les gens comme moi, en Italie, ils vont chez l'exorciste !

Roberta a été soignée : vous allez voir comment.

DESCRIPTION SIMPLIFIÉE DES PRINCIPAUX PROBLÈMES DE ROBERTA		
SITUATION « ce qui déclenche »	OBSESSION « l'idée qui fait peur »	RITUELS « ce que Roberta fait pour se rassurer »
accompagner sa tante à l'hôpital	elle va peut-être subir une rechute de son cancer	je repasse à l'endroit de la pensée obsédante et je me dis que « ma tante s'en sortira et qu'elle n'aura plus de cancer »
acheter un vêtement à Kevin	il va peut-être lui arriver un malheur (cancer, accident, échec)	— je change le vêtement — je pense pendant tout le temps de l'achat à un enfant heureux et en bonne santé
marcher, se laver, ouvrir les volets	il va peut-être arriver un malheur à ceux que j'aime (cancer, accident, échec)	— je refais ce que je suis en train de faire — je pense suffisamment longtemps à une personne heureuse
vendre un cadeau à la boutique pour un événement comme un anniversaire, un mariage	il va peut-être arriver un malheur à la personne à qui je vends ce cadeau (cancer, accident, échec)	— je refais le paquet — je me concentre sur une personne comblée ou un souvenir heureux

■ La psychothérapie comportementale et cognitive de Roberta

Roberta souhaite un deuxième enfant, et l'idée que les médicaments ne sont pas conseillés durant la grossesse lui fait écarter cette possibilité. Elle choisit donc la psychothérapie comportementale et cognitive.

Je commence par lui expliquer ce qu'est une obsession de malheur :

— C'est une pensée banale, lui dis-je. Qui n'a pas eu peur un jour dans sa vie que l'un de ses actes ne porte malheur ? Le problème, ce n'est pas cette pensée elle-même, puisqu'elle est banale, mais qu'elle soit si fortement ancrée en vous que vous y croyiez vraiment.

— Mais je n'y crois pas tout à fait, docteur.

— C'est vrai, vous trouvez que ces malheurs sont peu probables. Mais, même si vous n'y croyez pas vraiment, ces obsessions de malheur sont tellement pénibles que vous préférez faire comme si elles étaient réellement dangereuses : et c'est pour cela que vous faites vos rituels.

Je lui remets un petit document écrit sur les principes d'une thérapie comportementale.

— Je voudrais que vous lisiez ce petit document chez vous tranquillement, pour que vous puissiez réfléchir à ces principes. Car les exercices d'exposition à l'obsession sont désagréables. Pour accepter de les faire, il faut avoir bien présent à l'esprit ce à quoi ils servent.

La séance suivante, nous décidons d'un petit « exercice test » afin d'illustrer ces principes. Nous convenons avec Roberta de l'exercice suivant : tous les matins, chez elle, prendre une douche avec les rituels habituels sauf un : ne pas attendre d'avoir une pensée positive pour couper l'eau.

Au bout d'une dizaine d'exercices successifs, Roberta se rend compte par elle-même que l'anxiété est progressivement moins intense et dure de moins en moins longtemps.

D'autres exercices sont alors mis au point. À chaque consultation, je lui demande de me parler des résultats qu'elle a obtenus lors de la réalisation de chacun des exercices. Elle doit noter sur un petit carnet de format de poche, que nous avons appelé « carnet de thérapie », l'anxiété ressentie lors de la réalisation de l'exercice quotidien et la durée de l'anxiété éprouvée.

Voici les deux premiers exercices que Roberta a dû réaliser.

1. Aller au supermarché et acheter quelque chose ; en cas d'obsession, ne pas ritualiser : ni échanger, ni rendre l'objet, ni avoir une pensée positive rituelle.

Roberta a pu acheter divers produits (dont les rideaux de son bureau), n'a pas fait le rituel de la pensée positive et a pu résister à l'envie d'échanger les produits. L'anxiété s'est située à 30 % au début pour baisser progressivement à 10 % et a duré trente minutes (premiers exercices) pour baisser par la suite à vingt minutes (derniers exercices).

2. Tous les jours, choisir trois photos de Kevin et les mettre dans un album photo. En cas d'obsession de malheur, ne pas ritualiser. Quoi qu'il arrive ne pas enlever ou changer la photo : si l'exercice est trop difficile, diminuer le nombre de photos (une photo au lieu de trois).

Cet exercice s'est bien passé avec une anxiété de 20 % au début jusqu'à 5 % à la fin et d'une durée de vingt minutes pour les premiers exercices, de cinq minutes pour les derniers.

Forts de ces premiers succès, nous sommes rentrés dans le vif du sujet en cherchant à répondre à la question : peut-on réellement provoquer des catastrophes avec des pensées ?

— Non, bien sûr ! c'est idiot ! me dit-elle spontanément.

— D'accord, mais essayons d'en discuter plus précisément : si vous êtes certaine que l'on ne peut pas provoquer des catastrophes avec des pensées, seriez-vous capable d'écrire une pensée de malheur comme « Kevin pourrait avoir un accident » sans que cela n'ait aucune conséquence ?

À ce moment-là, Roberta est plus anxieuse. Elle trouve que l'exercice que je lui propose est « terrible » :

— Inversons le problème, lui dis-je : pensez-vous qu'il soit possible de faire le bonheur de Kevin en écrivant : « Kevin va être très heureux » ?

— Non, bien sûr.

— Eh oui, s'il suffisait de dire ou d'écrire « Kevin va vivre cent ans, avoir une femme merveilleuse et gagner beaucoup d'argent » pour que cela se produise, alors la vie serait très belle et très facile !

— Le problème, c'est que, moi, je n'ai pas d'obsessions de bonheur, mais des obsessions de malheur !

— C'est vrai. Mais le malheur des uns peut faire le bonheur des autres ! Imaginez qu'il suffise d'écrire « Je veux que les tyrans et les assassins aient un cancer qui les tue rapidement » pour que cela se produise, l'histoire du monde aurait été différente, vous ne trouvez pas ?

Elle sourit.

Cette discussion a permis à Roberta de comprendre que ce n'est pas parce qu'une obsession de malheur est angoissante que le malheur va forcément se produire. Je lui demande alors de faire la liste des événements malheureux qu'elle redoute pour Kevin, en les classant par ordre de gravité. Pour l'aider à réaliser cet exercice un peu compliqué, je lui demande :

— Pouvez-vous me donner l'exemple d'un événement négatif concernant Kevin, que vous considéreriez comme une mauvaise nouvelle, mais qui serait malgré tout un événement « pas trop grave » ?

— Oui. Par exemple, j'ai peur que Kevin ait un accident, comme se casser la jambe ; c'est grave, mais on en guérit facilement. Mon amie s'est cassé la jambe il y a quelques années et elle n'en souffre plus du tout, ce n'est qu'un mauvais souvenir.

— Bien. Pouvez-vous me donner un autre exemple qui ne soit pas une maladie ou un accident ?

— Échouer au bac quand il sera plus grand. C'est ennuyeux, mais on n'a pas besoin d'avoir son bac pour être heureux.

— Tout à fait. Et maintenant, quel événement négatif concernant Kevin craignez-vous vraiment ? Citez-moi un événement malheureux assez grave déjà, que vous craignez, sans être extrêmement grave.

— Qu'il divorce après s'être marié.

— Et donnez-moi, s'il vous plaît, l'exemple d'un événement extrêmement grave pour Kevin, un événement pour lequel, si vous aviez cette pensée-là à l'esprit, vous ne pourriez vous empêcher de faire un rituel mental ou un acte conjuratoire.

— J'ai du mal à le dire ; une des pires catastrophes serait qu'il ait un cancer.

Ainsi, en quelques séances, nous avons établi la liste des événements que Roberta craignait pour son fils Kevin, avec en particulier les idées qui entraînaient immanquablement de sévères rituels si ces pensées lui venaient spontanément à l'esprit. Nous avons alors hiérarchisé les quinze événements, du moins grave au plus grave, que Roberta avait cités.

LISTE DES ÉVÉNEMENTS MALHEUREUX QUE ROBERTA REDOUTE POUR SON FILS KEVIN ET QUI DÉCLENCHENT DES RITUELS CONJURATOIRES	
Ordre de gravité	Événements malheureux redoutés
1 pas trop grave	Kevin pourrait être un mauvais élève durant l'enfance et l'adolescence
2	Kevin pourrait échouer au bac
3	Kevin pourrait ne pas avoir de travail pendant plus d'une année
4	Kevin pourrait se casser la jambe
5	Kevin pourrait ne pas se marier ni fonder une famille
6	Kevin pourrait vivre un grand chagrin d'amour
7 Moyennement grave	Kevin pourrait divorcer
8	Kevin pourrait être malheureux en ménage
9	Kevin pourrait connaître et vivre la guerre
10	Kevin pourrait connaître la misère : ne pas manger à sa faim, ne pas avoir de toit, vivre dehors
11	Kevin pourrait faire une grave dépression
12	Kevin pourrait devenir aveugle
13	Kevin pourrait être handicapé mental ou physique
14	Kevin pourrait être paralysé des quatre membres après un accident de voiture
15 Extrêmement grave	Kevin pourrait avoir un cancer

— Vous avez noté que, plus vous cherchez à chasser ces pensées en particulier avec des rituels, plus ces pensées sont fortes et fréquentes. En même temps, vous me dites que l'on ne peut pas provoquer des catastrophes avec des pensées. Pourriez-vous écrire un malheur « pas trop grave », comme « Kevin pourrait être un mauvais élève durant l'enfance et l'adolescence » ?

Mais Roberta est très réticente à faire cet exercice. Même si sa raison lui dit qu'il est impossible de provoquer un malheur par des pensées, écrire l'événement le moins grave, « Kevin pourrait être un mauvais élève », lui semble trop dur.

Aussi, pour l'aider, je montre l'exemple et j'écris sous ses yeux la phrase : « Je pourrais avoir un cancer. »

— C'est un peu différent, car c'est un malheur qui vous concerne. Moi, je n'ai pas peur qu'une catastrophe survienne pour moi, j'ai surtout peur qu'un malheur advienne à ceux que j'aime le plus. Le malheur que vous avez écrit n'est pas comparable au mien.

— Bien sûr, on ne peut pas comparer mes propres malheurs avec les vôtres, puisque nous sommes différents. Mais est-ce le problème ? La question est la suivante : peut-on provoquer un malheur avec une pensée, parce qu'on a cette pensée à l'esprit ou qu'on l'écrit ? Il me semble que cette croyance manque d'arguments.

— On ne sait pas, vous allez peut-être avoir un cancer.

— Peut-être. Je vais faire un autre exercice.

Et j'écris : « Je pourrais mourir dans la minute qui vient. » J'attends un instant et je m'adresse à nouveau à Roberta.

— Vous voyez, pour moi non plus ce n'est pas si évident d'écrire qu'il peut m'arriver un malheur. Personne n'aime écrire ce genre de phrase. Vous n'êtes pas différente des autres. Mais, moi, à la différence de vous, je ne pense pas du tout que le fait d'écrire un malheur puisse le provoquer, et je ne me sens pas anxieux.

De plus, en écrivant cette phrase, j'apporte la preuve que ma pensée n'a pas provoqué de malheur, même si cela reste une pensée désagréable. Mais, en un sens, j'ai pris un certain risque : rien ne pouvait m'assurer que je n'allais pas mourir dans la minute. Et j'ajoute :

— Êtes-vous maintenant prête à prendre le risque d'un malheur « pas trop grave » ? Vous n'y êtes pas du tout obligée, nous pouvons continuer à en discuter.

Roberta sourit et accepte de faire l'exercice avec « Kevin pourrait être un mauvais élève ». Elle ressent une anxiété qui dure quelques minutes. En quittant mon bureau, nous avons convenu ensemble qu'elle devrait écrire cette phrase tous les jours.

La séance suivante, elle me raconte qu'elle n'a pratiquement pas ressenti d'anxiété et que cet exercice était finalement plus facile qu'elle ne le pensait. Nous appliquons la même méthode avec d'autres « malheurs ». Chaque fois, elle ressent une anxiété passagère qui est de moins en moins intense et qui passe de plus en plus vite, à mesure qu'elle répète l'exercice. Peu de temps après, l'anxiété provoquée par l'écriture de cette phrase est nulle.

Mais au bout de quelques séances, elle est à nouveau très inquiète et ne veut pas écrire « Kevin pourrait divorcer ». On convient d'un exercice plus facile : « Kevin pourrait se casser la jambe. » L'anxiété ressentie alors en écrivant cette phrase est de 10 %, c'est-à-dire tout à fait supportable.

À la fin de plusieurs semaines de ces exercices, Roberta arrive à écrire trois fois par jour : « Kevin pourrait devenir aveugle », avec les résultats suivants : 30 % d'anxiété pour les quatre premiers essais ; 20 % lors des cinq essais suivants ; l'anxiété s'est maintenue à 15 % durant les dix-huit autres essais, pour enfin baisser à 10 % lors des derniers cinq essais. La durée de l'anxiété n'a jamais excédé dix minutes environ, d'autant que Roberta parvient à se distraire rapidement pour oublier.

Sa tante doit subir alors un examen de contrôle de son cancer, et Roberta l'accompagne. Cela se passe beaucoup mieux.

Puis nous faisons à nouveau des exercices avec l'album photo. Mais au lieu de seulement coller des photos et ainsi de lutter contre l'évitement, Roberta doit, pour chaque photo collée, se concentrer volontairement sur une pensée de malheur et ne pas faire de rituel.

Un matin où Kevin allait à l'école, Roberta eut une petite pensée négative : « Il ne sera peut-être pas heureux en amour. » D'habitude, elle rappelle Kevin, touche ses petites mains en se concentrant sur une pensée positive. Là, elle a réussi à s'en empêcher et à laisser Kevin partir sans rien faire.

Hier, Roberta a pu décorer le sapin de Noël avec son petit garçon, ce qu'elle ne parvenait plus à faire depuis des années. D'habitude, elle laisse ce soin à son mari. Elle a eu quelques idées obsédantes, comme « il pourrait se produire un accident », « il y aura peut-être un mort ». Mais elle n'y a pas cédé.

Forts de ces premiers succès, nous envisageons le « pire » par l'exercice consistant à écrire : « Kevin pourrait devenir handicapé mental ou physique, et aveugle » !

Cet exercice, impensable il y a encore quelques mois, donne les résultats suivants : 40 % d'anxiété lors des trois premiers essais ; puis 30 % d'anxiété lors des cinq exercices suivants ; puis 20 % d'anxiété pendant quatre exercices ; 10 % d'anxiété pendant trois exercices et enfin 5 % d'anxiété pendant deux exercices. La durée de l'anxiété était au début de quarante-cinq minutes et a diminué progressivement jusqu'à n'être que de deux à trois minutes.

— À force de l'écrire, on n'y croit plus. Ce n'est pas parce que je l'écris que cela va arriver. Je sais que je ne le veux pas. Je ne crois plus que cela va lui porter malheur. Plus je l'écris, plus je me dis que c'est n'importe quoi, ces phrases !

Roberta vient me voir à la consultation suivante avec un grand sourire : elle est enceinte de sept semaines ! Mais, au-delà de cette joie, elle est très anxieuse de tous les événements importants à venir. En particulier, la future naissance risque de se produire au moment du contrôle du cancer de sa tante. Cela portera peut-être malheur à l'enfant...

Je propose qu'elle écrive devant moi : « Le fait que cet enfant naisse au moment du contrôle du cancer de ma tante pourrait lui porter malheur » ; anxiété ressentie : 30 % en séance. Cette pensée superstitieuse a été par la suite travaillée toujours selon la même technique. Comme toutes les autres portant sur les anniversaires, les mariages, les naissances.

À ce moment-là, Roberta a imaginé par elle-même ses propres exercices, sans être obligée de venir me voir.

Aujourd'hui, la thérapie de Roberta est finie, et elle n'est plus malade. Cette thérapie aura duré huit mois. Durant tout ce temps, elle a fait une heure d'exercices tous les jours chez elle, et une séance d'une demi-heure avec moi tous les quinze jours. Roberta sait cependant qu'il faut toujours qu'elle reste vigilante et qu'elle ne fasse ni rituel ni évitement. Par moments, lorsque certaines obsessions reviennent, elle invente quelques exercices de « provocation de malheur » afin de consolider les résultats, à l'image de ceux que nous avons mis au point ensemble.

Léonard : « J'ai besoin de toucher mes affaires un nombre impair de fois... »

Léonard a 20 ans lorsqu'il vient consulter. Il fait des « gestes ». Il touche, retouche, fait des pas, compte.

▦ *Une vie bloquée par des gestes*

Les gestes de la vie quotidienne sont refaits jusqu'à ce que l'impression que « cela suffit » lui arrive à l'esprit. Parfois, cela se termine si Léonard se dit mentalement « cela suffit ». La vie de Léonard est bloquée par ses « gestes ».

— Vous vérifiez quelque chose par vos gestes ?

— Non, je me sens obligé de faire ces gestes selon de petites séquences arithmétiques.

— Avez-vous déjà essayé d'y résister ?

— Bien sûr, mille fois, mais c'est plus fort que moi. Si je ne les fais pas, j'ai l'impression qu'il va arriver un malheur.

— Quel genre de malheur ?

— Je ne sais pas, un malheur flou pour moi, mes parents ou mon frère.

— Mais encore ?

— J'ai peur qu'il leur arrive un malheur, un accident, qu'ils ratent quelque chose d'important dans leur vie. Ou que moi-même je rate ma vie.

— Quand est-ce que cela a commencé ?

— J'étais enfant. Neuf ou dix ans. À l'époque, j'avais des tics du visage, je reniflais bruyamment ou je faisais des mouvements avec ma jambe droite que je levais brutalement. J'ai vu un neurologue. Il m'a donné des médicaments, cela a un peu baissé. Mais mes gestes sont restés et se sont aggravés.

— Vous avez toujours des tics ?

— Je renifle un peu et je plisse mon nez, mais cela ne me gêne plus.

Pour mieux comprendre le problème au quotidien, je demande à Léonard de faire un « agenda des rituels » sur une semaine. Celui-ci montre les rituels suivants :

1. Léonard s'habille et se déshabille selon une séquence bien particulière. Il prend chaque vêtement par le même endroit et le passe selon un ordre bien précis. Le soir, il doit plier et poser chaque vêtement d'une certaine manière.

2. Léonard, pour certaines actions, touche les objets plusieurs fois selon un nombre impair. Pour arriver à un nombre toujours impair, il « répète » les actions. Pour la lumière, il l'éteint et l'allume trois fois et finit par la laisser éteinte. C'est la même séquence pour l'allumer. Pour se lever d'une chaise, il doit se lever et s'asseoir trois fois avant de se lever définitivement. Pareil pour s'asseoir, se coucher ou se lever du lit. C'est aussi le cas pour ouvrir ou fermer les volets ou les portes.

3. Un des rituels les plus pénibles a lieu lors de la lecture. Léonard relit trois fois des séquences de livres ou d'articles de journaux. Dès que le besoin s'en fait sentir, il lui faut relire trois fois. Si un rituel a été mal accompli, il est parfois obligé de tout relire trois fois depuis le début.

4. Mais le pire des rituels a lieu lorsqu'il sort de chez lui. Il se contraint à marcher en respectant un nombre de pas impair. Par exemple, si ce qu'il appelle un obstacle se présente, comme une bouche d'égout sur le trottoir, il lui faut la passer en ayant la jambe droite à droite de la bouche d'égout, la jambe gauche à gauche et, après avoir fait un nombre impair de pas (trois ou un multiple de trois), pour arriver au niveau de la bouche d'égout. S'il n'y parvient pas, il repart en arrière et recommence la marche d'approche vers l'« obstacle ». Dans les escaliers, deux rituels sont possibles : soit il touche trois fois chaque marche, soit il gravit l'escalier en ayant monté un nombre impair de marches avec chaque jambe. De plus, il faut que la dernière marche soit franchie par la jambe gauche. Impair et côté gauche : c'est la règle imposée pour chaque action.

La vie de Léonard est très limitée du fait de son trouble obsessionnel-compulsif. Étudiant en économie, il triple sa première année. Cet arrêt en première année correspond à l'aggravation de son trouble. Lorsqu'il était au collège, même si ses obsessions et ses rituels étaient au fond les mêmes, ils lui laissaient beaucoup plus de temps, et ses études n'en ont pas souffert. Mais le trouble s'est aggravé progressivement depuis l'âge de dix-sept ans. Il a passé son baccalauréat avec difficulté malgré une intelligence très brillante. Mais, à la faculté, les choses se sont gâtées : comment faire ses études en ayant de tels rituels de lecture ? Comment aller à la faculté avec de tels rituels pour se déplacer ? Léonard connaît sa maladie depuis si longtemps que son moral n'en est pas affecté. Ses parents sont très présents, et l'affection qu'ils lui donnent est sans doute pour beaucoup dans sa bonne humeur.

Léonard est prêt à se soigner mais a beaucoup de doutes sur l'espoir d'être nettement amélioré. Il a déjà consulté un psychiatre avec qui il a commencé une psychothérapie d'inspiration psychanalytique. Mais cette psychothérapie n'a jamais pu être suivie. En effet, Léonard allait aux séances en bus, et les innombrables rituels durant le trajet faisaient qu'il était rarement à l'heure à sa séance. « Il m'arrivait d'être à cinquante mètres du cabinet du psy et de mettre une demi-heure pour atteindre sa sonnette. » Léonard a essayé de prévoir plus de temps pour aller chez le psychiatre, mais, soit il arrivait une heure trop tôt, soit il arrivait encore en retard. Quelques séances ont été cependant possibles au cours desquelles Léonard a expliqué ses difficultés à se déplacer, mais il a entendu son psychiatre lui dire que « ses retards permanents ou ses absences étaient des défenses pour ne pas se soigner et qu'il fallait qu'il en cherche la raison ». Le père de Léonard lui a alors conseillé d'arrêter ce type de thérapie. Mais, du fait de cette expérience, Léonard pensait que la médecine ne pouvait pas l'aider et que les traitements existants ne marchaient pas sur lui.

Léonard souffre d'un trouble obsessionnel-compulsif à forme d'obsession de malheur et de rituels d'ordre et de répétition. Il a des tics associés qui correspondent aux critères du syndrome des tics de Gilles de La Tourette. Ce syndrome est mineur chez lui et ne nécessite pas de traitement.

DESCRIPTION SIMPLIFIÉE DES PRINCIPAUX PROBLÈMES DE LÉONARD		
SITUATION « ce qui déclenche »	**OBSESSION** « l'idée qui fait peur »	**RITUELS** « ce que Léonard fait pour se rassurer »
marcher dans la rue et dépasser des obstacles tels que bouches d'égout, irrégularités du sol, boîtes aux lettres	si je passe mal l'« obstacle », il pourrait arriver un malheur	j'arrive à l'obstacle en ayant fait un nombre de pas impair avec chaque jambe
lecture	si je lis mal, il va arriver un malheur	je relis trois fois ou un multiple de trois le passage durant lequel j'ai eu l'obsession
ouvrir les volets, ouvrir ou fermer une porte, allumer ou éteindre la lumière	si je le fais mal, il va arriver un malheur	je refais l'action trois fois ou un multiple de trois
s'habiller ou se déshabiller	si je le fais mal, il va arriver un malheur	— je prends chaque vêtement et le passe selon le même ordre — le soir, je plie et pose chaque vêtement d'une manière précise

▪ *Le traitement de Léonard par médicaments*

Je propose à Léonard les deux traitements habituels, les médicaments ou la psychothérapie comportementale et cognitive. Léonard est très surpris d'apprendre qu'il existe des médicaments actifs dans cette maladie

— Pourquoi ne m'a-t-on pas proposé plus tôt ces traitements ? me demande-t-il.

— Parce que les connaissances évoluent, lui dis-je.

En effet, les traitements qu'il a reçus auparavant ne sont pas réputés actifs dans le TOC.

Léonard doute cependant de l'efficacité de tout traitement psychologique dans son trouble. Et, du fait de son expérience malheureuse avec la psychothérapie psychanalytique, il exclut d'emblée la psychothérapie comportementale et cognitive.

— Je ne pense pas qu'un traitement qui passe par des mots et des exercices même quotidiens puissent venir à bout de ce trouble si ancien.

Léonard est donc traité par médicament. Les choses commencent assez mal. Il ne supporte ni le Prozac®, qui lui donne des maux de tête pénibles, ni le Deroxat®, qui lui coupe l'appétit et lui procure des nausées importantes. Du coup, Léonard devient méfiant. Je tente de le rassurer en lui disant qu'il existe encore plusieurs traitements médicamenteux possibles en plus de la psychothérapie comportementale et cognitive.

Malgré une probabilité plus grande d'effets indésirables, je prescris à Léonard de l'Anafranil® en comprimés à 75 milligrammes. Je le préviens de la survenue possible d'une sécheresse de bouche et d'une constipation. Par paliers d'une semaine, la dose d'Anafranil® parvient à deux comprimés par jour (150 mg/jour).

Dès les premiers jours, Léonard sent la sécheresse de bouche, mais « la seule chose qui compte, c'est que mes rituels diminuent » me dit-il. Un mois après le début du traitement à deux comprimés, les compulsions commencent à diminuer. D'abord les plus faibles, comme les gestes de répétition lorsqu'il se lève ou lorsqu'il actionne l'interrupteur électrique, puis les autres : marcher dans la rue, monter les escaliers. Comme, au bout de deux mois, il supporte bien le traitement et qu'il n'est pas guéri, nous augmentons le traitement à trois comprimés par jour d'Anafranil®. Pour lutter contre la sécheresse de bouche, je propose à Léonard de s'humidifier la bouche avec de la salive artificielle en spray (Artisial®), mais il refuse et préfère mâchonner un chewing-gum discrètement. À cette dose d'Anafranil®, les rituels reculent encore. Les obsessions de malheur disparaissent presque totalement, mais, surtout, il n'y prête plus aucune attention.

À ce jour, c'est-à-dire deux ans après qu'il est venu me voir pour la première fois, il a seulement besoin de respecter la même règle pour s'habiller. Rarement il rallume ou rééteint la lumière.

Léonard a pu reprendre ses études et est actuellement en licence d'économie. Il a quitté Bordeaux pour aller à Paris car il veut y passer un diplôme d'études approfondies. Il vit avec une compagne depuis un an, mais il en a changé plusieurs fois.

— Il faut profiter de la vie et ne pas s'obstiner quand cela ne marche pas, n'est-ce pas ? me dit-il avec un magnifique sourire.

Ce radieux sourire retrouvé de ce jeune homme de 22 ans est toujours pour moi une source de plaisir et la preuve que l'on peut se sortir d'un trouble obsessionnel-compulsif. Curieusement, il a gardé une certaine méfiance à l'égard des médecins et ne veut pas en changer, bien que je lui aie dit que je connaissais des confrères particulièrement compétents à Paris. Mais il préfère venir me voir lors des vacances universitaires. À chaque consultation, il me demande : « A-t-on trouvé quelque chose de neuf sur le trouble obsessionnel-compulsif ? » Je lui réponds que, pour l'instant, il n'y a pas de nouveauté majeure, mais je lui rappelle qu'il serait peut-être bon qu'il commence une psychothérapie comportementale et cognitive pour compléter son amélioration.

Mais, de psychothérapie, il ne veut toujours pas entendre parler pour l'instant.

De ses tics de reniflement non plus, dont il me dit : « C'est parce que je suis un peu allergique »...

Claire : « Il faut que je me protège... »

Claire a 20 ans. Elle vient me consulter après avoir vu une émission à la télévision sur le trouble obsessionnel-compulsif. On y mentionnait l'Association française de thérapie comportementale et cognitive. S'étant reconnue dans la description du trouble, elle a téléphoné à cette association qui lui a donné mon adresse. Elle a un petit frère de 15 ans et vit avec ses parents.

▪ *Le refus de tout contact*

Claire a des obsessions de souillure et de contamination qui ont débuté vers l'âge de 14 ans. À l'époque, ses parents lui avaient fait remarquer qu'elle se lavait les mains très souvent et qu'elle restait trop longtemps dans la salle de bains. À présent, elle contrôle aussi le réveil le soir avant de dormir. Si ses parents ne sont pas dans la maison, elle en fait le tour et vérifie que l'électricité de chaque pièce est éteinte, que la cafetière électrique est éteinte, ainsi que le gaz. L'inspection est visuelle pour ce qui est de l'électricité : elle regarde les interrupteurs et les lumières. La vérification est manuelle pour le gaz : elle touche les boutons du gaz.

Claire est actuellement en deuxième année d'études universitaires de lettres modernes. Les rituels de lavage se sont considérablement aggravés au point qu'elle perd deux à trois heures par jour à laver. Paradoxalement, les rituels de vérification ont disparu. Un examen précis du problème fait apparaître quatre situations bien spécifiques qui déclenchent des rituels.

1. Quand elle se douche le matin ou qu'elle utilise les toilettes.

2. Lorsqu'elle rentre et qu'elle arrive avec ses affaires de cours dans sa chambre.

3. Si elle utilise la télévision du salon.

4. Quand elle ouvre la porte d'entrée de la maison, qu'elle rentre ou qu'elle sorte.

Elle décrit ainsi ses rituels :

La douche du matin
et l'utilisation des toilettes

« *Lorsque je me douche le matin, je fais attention à ne pas toucher les parois de la baignoire de peur de me "salir". Je m'accroupis tout en essayant de rester en équilibre pour ne pas avoir de contact avec les parois. Je prends le pommeau de la douche et je fais attention à me rincer partout. Au moment de me rincer les organes génitaux, je n'utilise pas de gant de toilette car celui-ci reste dans la salle de bains : si quelqu'un utilisait le même gant que moi, il pourrait me contaminer ou être contaminé. Et juste après m'être lavée, je me rince encore dans tous les coins. Je me relave les mains quatre fois avec du savon et je fais attention aussi de me laver sous les ongles. Lorsque la douche est finie, je m'essuie avec une nouvelle serviette que je mettrai personnellement au sale ou dans le lave-linge, suivant son degré de souillure. J'utilise donc une serviette par jour. Ensuite, je m'habille tout à fait "normalement". Lorsque j'utilise les toilettes, j'évite aussi de toucher la cuvette et je me lave abondamment les mains après.* »

Entrer dans la chambre
avec les affaires de cours

« *Quand j'étale mes affaires de cours, je fais attention de ne pas les mélanger avec mes affaires personnelles (compact disc, cassettes, livres). En fait, je fais attention à ne pas mélanger les affaires qui ont été au contact d'autres personnes avec celles que moi seule ai touchées. Car "je suis propre" et "les autres sont sales" Par la suite, chaque objet, chaque classeur de cours, chaque crayon et chaque stylo, chaque livre aura une place définitive sur mon bureau, où se trouve un espace "contaminé". Si des affaires personnelles (qui sont propres) ont touché des affaires de cours (qui sont sales), il faut que j'aille rincer sous l'eau ces affaires personnelles, qui ont été contaminées. »*

Allumer, éteindre ou régler la télévision

« Lorsque j'ai envie de regarder la télévision, je l'allume en appuyant sur le bouton par pression avec le bout d'un doigt. Ce doigt est alors "sali". Par la suite, je vais refermer ma main, afin que le bout du doigt sale soit recouvert par la paume de ma main. Je place ensuite mon poing serré dans l'une des poches de mon pantalon ou bien, si je suis en robe ou en jupe, je mets le poing sous l'aisselle. L'autre main n'est pas "protégée" et reste "à l'extérieur". Le doigt de la main droite, ainsi "protégé" dans le poing, reste "à l'intérieur", sauf pour actionner la télécommande que j'ai pris le soin de placer à un endroit précis. Le doigt "sale" change les chaînes et règle le son ou l'image avant de "reprendre sa place". Selon mes obsessions, ma main droite est sale car d'autres personnes dans la maison sont sales. Elles manipulent la télévision et ne se lavent pas. À la fin du programme choisi, je me lève et vais directement à la cuisine ou à la salle de bains. En allant de la télé au robinet d'eau, je ne touche à rien avec ma main sale. Puis j'ouvre le robinet avec la main propre et je passe mes mains sous l'eau, une à deux secondes au maximum en les frottant, et cela "anéantit" l'obsession. Je referme le robinet normalement avec l'une ou l'autre des deux mains et je les essuie avec un torchon. »

Utiliser la porte d'entrée

« Lorsque je dois toucher la poignée de la porte d'entrée pour l'ouvrir ou la fermer, j'ouvre ma main bien à plat et j'en place la paume sur le bout de la poignée (au lieu de saisir la poignée elle-même), j'applique une pression qui permet d'abaisser la poignée en faisant levier. Je referme le poing et je recouvre la paume sale de ma main, un peu comme pour la télévision. Par la suite, je vais immédiatement me laver les mains à la cuisine en faisant attention de ne pas toucher d'autres choses, ou bien je les touche

avec mon autre main (qui est restée propre). Ensuite, le poing fermé, j'ouvre le robinet en le poussant vers le haut. Enfin, je me passe les mains sous l'eau. »

— Comment établissez-vous la limite entre ce qui est propre et ce qui est sale ? Par exemple, vous dites que la télécommande de la télévision ou que la poignée de porte sont sales. Mais votre frère et vos parents les utilisent. Est-ce que vous évitez le contact, par la suite, avec ce qu'ils ont touché, comme la vaisselle, les fauteuils ?

— Non, c'est pour cela que je sais que c'est absurde : quand j'ai l'impression que c'est sale et que j'ai peur d'être contaminée, il n'y a pas de limite nette entre propreté et saleté. Mais certaines choses me sont faciles à faire, comme me servir des affaires de ma famille. D'autres sont impossibles à faire sans rituel, comme toucher la télé et la poignée de porte. Pourtant, ce n'est pas logique.

— Est-ce que vous changez de vêtements en rentrant de la faculté ?

— J'ai eu envie de le faire, mais je me suis dit que c'était trop, et je me suis forcée à limiter le territoire sale aux objets qui venaient de la faculté.

— Avez-vous peur d'une maladie en particulier ?

— Pas d'une maladie précise, mais je me dis que c'est sale et que cela pourrait me transmettre des germes. Malgré tout, je vois bien que je suis la seule à raisonner ainsi.

Claire souffre de la forme d'obsessions-compulsions la plus répandue : obsession de saleté et rituel de lavage avec évitements importants consistant à mettre en place des zones de propreté différentes.

DESCRIPTION SIMPLIFIÉE DES PRINCIPAUX PROBLÈMES DE CLAIRE		
SITUATION « ce qui déclenche »	OBSESSION « l'idée qui fait peur »	RITUELS et ÉVITEMENTS « ce que Claire fait pour se rassurer »
prendre sa douche le matin	je vais peut-être me salir ou me contaminer avec les parois de la douche, le gant de toilette ou la serviette	— je ne touche pas les parois de la douche — je n'utilise pas de gant de toilette — je change de serviette tous les jours — je me lave et me rince très abondamment
mettre ses affaires de cours dans la chambre	les affaires de cours vont peut-être contaminer mes affaires personnelles, comme mes compact disc	— je mets les affaires de cours dans un « espace de saleté de la chambre », parfaitement isolé des affaires personnelles — je lave les affaires personnelles qui ont été touchées par des affaires extérieures
— allumer ou régler la télévision — ouvrir la porte d'entrée	je vais peut-être être contaminée ou salie par le contact avec cet endroit que tout le monde touche	je touche la télé avec un doigt qui est ensuite isolé dans la paume de la main, puis dans une poche ou sous l'aisselle avant d'aller me laver les mains abondamment

■ La psychothérapie comportementale de Claire

Claire entreprend de faire une thérapie comportementale. Je lui expose les principes qui expliquent comment agit une thérapie comportementale. Mais ce qui est important, c'est qu'elle se rende compte par elle-même de l'action d'une thérapie comportementale dès les premiers exercices d'exposition.

Après les explications habituelles, le premier exercice que doit faire Claire porte sur la télévision : ma première recommandation est la suivante :

1. Tous les jours, si possible le matin, et en tout cas avant 20 heures (pour ne pas être perturbée par une anxiété résiduelle gênant le sommeil), touchez le bouton de mise en marche de la télévision en interposant une feuille de papier entre le bouton et le doigt. Puis « contaminez » une seconde feuille de papier avec la face contaminée de la première feuille. Enfin, touchez largement la face « contaminée » de la seconde feuille de papier. Ne cachez pas vos mains. Ne vous lavez pas.

2. Notez jour après jour le degré d'anxiété (de 0 % d'anxiété = « pas du tout anxieuse » à 100 % d'anxiété = « extrêmement anxieuse ») que vous avez ressentie et la durée de cette anxiété. Notez sur le petit tableau ci-joint les résultats de cet exercice.

Pour mieux expliquer cette estimation de l'anxiété, nous convenons ensemble que 25 % d'anxiété correspondaient à « modérément anxieuse », 50 %, à « moyennement anxieuse » et 75 %, à « très anxieuse »

L'exercice n'a pas été choisi au hasard. Claire me dit que cet exercice lui semble faisable, c'est-à-dire que l'anxiété qu'il provoque lui semble *a priori* supportable. Selon elle, l'anxiété ne dépassera probablement pas son seuil de tolérance à l'anxiété, qu'elle estime à 70 %.

Voici les résultats de Claire à cet exercice, qu'elle me montre à notre rendez-vous suivant :

	jour 1	jour 2	jour 3	jour 4	jour 5	jour 6	jour 7
anxiété maximale	45 %	45 %	40 %	45 %	40 %	35 %	35 %
durée (en heures)	3h	5h	5h	3h	1h	2h	1h

— Ce qui est intéressant, lui dis-je, c'est que les trois principes d'une thérapie comportementale sont vérifiés dès le premier exercice :

— l'anxiété après exposition finit par chuter : après trois heures dès le premier jour ;

— l'anxiété maximale ressentie pendant l'exercice est moins intense, à mesure que l'on répète les exercices : 45 % le premier jour, 35 % à la fin de la semaine ;

— l'anxiété dure de moins en moins longtemps : trois heures le premier jour et une heure le septième jour.

Claire note que l'anxiété ressentie est supportable (35 à 45 % d'anxiété). C'est donc un exercice faisable. Claire, après avoir touché la télé en interposant une feuille de papier, a « contaminé » le volant de la voiture, l'autoradio, ses vêtements et son visage : je la félicite de ses efforts.

Elle signale qu'un jour l'exercice n'a pas pu être fait complètement (jour 5) : en effet, dans l'heure qui a suivi le fait d'avoir touché le bouton de la télévision, elle a dû aller aux toilettes et, ainsi, elle déclenchait à nouveau d'autres obsessions et des rituels de lavage des mains du fait de cette nouvelle situation. Je l'ai rassurée en lui disant que c'est tout à fait normal et que, dans ces cas-là, il ne faut prendre en compte que la durée durant laquelle il n'y a pas eu de nouvelle situation déclencheuse.

La séance suivante, le même exercice offre les résultats suivants, qui montrent que la situation obsédante devient de plus en plus supportable :

	jour 1	jour 2	jour 3	jour 4	jour 5	jour 6	jour 7
anxiété maximale	35 %	35 %	30 %	30 %	35 %	30 %	30 %
durée (en heures)	3 h	4 h	3 h	1 h	3 h	2 h 30	1 h

En effet :
— l'anxiété n'excède plus 35 % (au lieu de 45 %) ;
— l'anxiété ne dure jamais plus de quatre heures (au lieu de cinq heures).

Nous modifions alors l'exercice sur le bouton de télévision en enlevant une feuille de papier : l'exercice devient : « Tous les jours, si possible le matin, et en tout cas avant 20 heures, touchez le bouton de la télé en interposant une seule feuille de papier. Puis touchez largement la face "contaminée" de la feuille de papier. Ne cachez pas vos mains, ne vous lavez pas. »

Claire fait quatorze essais en deux semaines et m'explique, la séance suivante, combien cet exercice a été difficile : le premier jour, l'anxiété était de 50 % et a duré trois heures. Au bout de quatorze jours, l'anxiété est encore de 45 % et dure deux heures et demie.

Je la félicite de ses efforts, et on maintient l'exercice à l'identique pendant deux semaines de plus. À la séance suivante, au bout de quatorze nouveaux essais, l'anxiété est de 50 % et dure trois heures. On maintient encore l'exercice à l'identique.

À la séance suivante, au bout de quatorze autres jours, l'anxiété est de 30 % et dure deux heures. La situation a enfin cédé ! Il aura fallu répéter trente-deux fois l'exercice. Il faut parfois être patient en psychothérapie comportementale !

À ce moment, Claire accepte de modifier l'exercice, et l'on enlève définitivement la dernière feuille de papier. L'exercice devient : « Tous les jours, si possible le matin, et en tout cas avant 20 heures, touchez le bouton de la télé sans interposer de feuille de papier. Ne cachez pas vos mains. Ne vous lavez pas. Et touchez n'importe quel objet "propre" après. »

Quatorze expositions plus tard, l'anxiété est passée de 40 % à 25 %, et la durée de l'anxiété, progressivement, de 2 h 15 au début à vingt minutes à la fin. Claire a pu « tout contaminer » en touchant d'autres objets propres, mais elle a eu besoin de « se raisonner » : elle s'est répété qu'il ne pouvait pas y avoir de maladie qui se transmette par la matière plastique d'une télévision. Puis elle s'est dit qu'un bouton de plastique n'était ni plus propre ni plus sale qu'une feuille de papier.

Ainsi, Claire, en trois mois, a pu se confronter sans rituel à un « sommet de la saleté ».

Au fil des séances, d'autres exercices se sont ajoutés à celui de la télévision. En voici la liste :

1. Le premier exercice sur la douche fut le suivant : « À l'issue de la douche du matin, ne se laver les mains au robinet de la douche qu'une seule fois au lieu de quatre. Prendre garde à ne pas compenser la baisse du *nombre* de lavages par une augmentation de la *durée* du lavage. Il ne s'agit pas de se laver quatre fois plus longtemps parce que l'on ne se lave qu'une fois ! » Cet exercice a été réalisé durant six semaines.

2. « Lors de la douche du matin, à l'issue d'une douche, ne se laver les mains au robinet qu'une seule fois, mais après avoir touché la baignoire avec les jambes et les fesses. » La durée de cet exercice a été de deux semaines, car plus facile que prévu. Claire arrive spontanément à garder la même serviette plusieurs jours pour s'essuyer le corps après la douche.

3. « À l'issue de la douche du matin, ne se laver les mains au robinet de la douche qu'une seule fois, mais après avoir touché la baignoire avec les jambes et les fesses ; se rincer les organes génitaux avec un gant de toilette. » Pour convenir de cet exercice, je dois expliquer à Claire que les maladies sexuellement transmissibles ne le sont pas par la peau, mais par les muqueuses (muqueuse vaginale, muqueuse buccale). Les mycoses se transmettent par la peau directement. Celles-ci sont des maladies dermatologiques sans gravité qui se soignent très facilement. Durée : un mois.

4. « Lors de la douche du matin, à l'issue d'une douche, ne pas se laver les mains au robinet de la douche après avoir touché la baignoire avec les jambes et les fesses. »

5. On aborde alors le rituel des objets extérieurs par l'exercice suivant : « Tous les jours, poser la sacoche de travail (qui est "sale" car elle vient de l'extérieur) sur le boîtier d'un compact disc (un objet de la zone "hyperpropre" de la chambre), puis saisir le CD à pleines mains, ouvrir la boîte et mettre le disque dans le lecteur de disques. »

Résultats : jour 1 : 40 % / 1 h 30 ; jour 14 : 25 % / 45 minutes
À ce stade, Claire diminue d'elle-même certains rituels : en faisant tomber un stylo, elle n'est plus obligée de le laver avant de s'en servir.

Je demande alors à Claire :
— Maintenant que vous avez bien observé les mécanismes de la psychothérapie comportementale, c'est à vous d'arriver à la prochaine séance en me proposant de nouveaux exercices.
Cette étape est très importante : elle vise l'autonomie de Claire qui va gérer elle-même sa thérapie, en ne rapportant à son médecin psychiatre que les difficultés et les obstacles rencontrés.
Claire fait alors progresser d'elle-même les exercices de la douche et des zones de propreté de la chambre car elle a désormais un moyen efficace de combattre par elle-même la maladie ; elle me propose un nouvel exercice : « Matin et soir, toucher la poignée de la porte de la maison en interposant une feuille de papier et en touchant largement la face contaminée de la feuille avec la main : ne rien laver, ne rien éviter par la suite. »
— Bravo ! lui dis-je. Vous êtes devenue votre propre thérapeute. Vous reprenez à votre compte les techniques que nous avons expérimentées ensemble.
Elle invente donc des exercices en fonction de ce qu'elle sait pouvoir supporter et en fonction des situations qui valent la peine que l'on fasse un effort.
Je réévalue Claire sur les outils de mesure dont nous disposons pour juger de l'intensité du trouble obsessionnel-compulsif. Claire est très améliorée : son score d'obsession et de rituel a chuté de moitié. Mais elle a toujours l'intensité du trouble nécessaire pour parler de trouble obsessionnel-compulsif : une heure d'obsession ou de rituel par jour en moyenne.
Claire vient me voir moins souvent. Elle commence à « oublier » des rendez-vous. Lorsque je la vois, elle me dit qu'elle a moins de temps pour faire ses exercices, ce que je comprends parfaitement. Outre que ses examens approchent, la maladie a reculé et elle « en profite » : temps libéré par la régression des obsessions et des rituels, baisse d'anxiété qui la rend plus sereine, satisfaction d'un

véritable travail qu'elle a accompli pendant six mois avec succès, et espoir retrouvé.

Claire n'est pas guérie à l'heure où j'écris ces lignes. Peut-être le sera-t-elle à celle où vous les lirez. Mais son cas est significatif du trouble obsessionnel-compulsif : si seulement une minorité de sujets atteints guérissent totalement du trouble, une majorité d'entre eux s'améliorent fortement, dès lors qu'ils se soignent. Comme Claire.

Michel : « Plus personne ne peut rentrer chez moi... »

Michel vient d'arriver dans la région. Jeune homme de 27 ans, il a quitté Paris pour trouver du travail dans le Sud-Ouest. Il est marié depuis deux ans. Sa femme est enceinte de cinq mois. Michel souffre d'obsession de saleté depuis trois ans.

▪ *L'intérieur et l'extérieur*

Les obsessions de Michel s'expriment surtout au moment où il arrive chez lui. Au travail, il se lave les mains quatre ou cinq fois par jour alors qu'il ne manipule que des dossiers (il est attaché au service commercial dans une société d'édition). Mais, de retour chez lui, il est obligé d'ôter ses chaussures après les avoir essuyées longuement sur le paillasson. Il se change entièrement et prend une douche qui dure entre quarante-cinq minutes et une heure.

Jusque-là, le trouble était supportable, mais il s'est aggravé depuis un an : maintenant, personne ne peut rentrer dans la maison, à part sa femme. En effet, les invités qu'il aimerait recevoir chez lui déclenchent des obsessions : ils « salissent la maison ». Michel leur a d'abord demandé d'ôter leurs chaussures et de ne s'asseoir que dans des fauteuils qui sont protégés par des housses. Il enlevait les housses après leur départ. Après avoir serré la main d'un invité, il allait discrètement se laver les mains à la salle de bains. Mais cela n'a pas suffi, et maintenant, personne ne peut plus rentrer dans la maison. Ses obsessions et ses compulsions le préoccupent environ six heures par jour.

Il a eu la tentation, pour diminuer ses obsessions, de laver ce que sa femme et lui achetaient et rapportaient chez eux. Sa femme a refusé catégoriquement de laver quoi que ce soit et s'énerve devant les rituels de son mari. Mais Michel ne peut s'empêcher parfois de laver certaines courses, comme les boîtes de conserve qui « traînent partout » avant d'être achetées dans le magasin.

En quittant Paris, il a cru que ses obsessions allaient diminuer en changeant de maison car il avait remarqué que c'était essentiellement à son domicile qu'il souffrait d'obsessions et de rituels. Comme si les obsessions étaient liées à cette maison-là, celle de Paris. Mais, à Bordeaux, progressivement, les obsessions et les rituels se sont réinstallés. Il n'a jamais pris de médicament. Michel a rencontré deux psychiatres avant de venir me voir. Le premier, à Paris, lui a proposé une cure psychanalytique à deux séances par semaine. Il a suivi ce traitement pendant six mois, mais n'en a pas eu de bénéfice. Ensuite, à Bordeaux, il a rencontré un psychanalyste que lui avait conseillé son thérapeute de Paris. Michel lui a demandé un traitement rapidement efficace car il avait très peur que son enfant, qui allait bientôt naître, n'aggrave ses obsessions. Il ne voulait pas avoir à le laver quand il rentrerait dans la maison : les bébés mettent « tout ce qui traîne à la bouche et ils jouent dans le sable ». Il ne voulait pas le traumatiser avec ses rituels. Michel et sa femme se disputaient fréquemment à cause de ce problème quotidien alors qu'ils s'entendaient bien par ailleurs. Le psychanalyste lui a dit qu'il ne pouvait pas espérer le guérir en quelques mois par la psychanalyse et il me l'a adressé.

DESCRIPTION SIMPLIFIÉE DES PRINCIPAUX PROBLÈMES DE MICHEL		
SITUATION « ce qui déclenche »	**OBSESSION** « l'idée qui fait peur »	**RITUELS et ÉVITEMENTS** « ce que Michel fait pour se rassurer »
rentrer chez moi le soir	je vais salir ma maison	— j'enlève mes chaussures en rentrant chez moi — je me change entièrement — je prends une douche d'une heure
un invité rentre dans ma maison	il va salir ma maison	— l'invité doit enlever ses chaussures — je mets des housses sur les fauteuils — je me lave les mains après avoir serré celles de mes invités
introduire dans la maison les boîtes de conserve que ma femme ou moi achetons lorsque nous faisons les courses	ces boîtes risquent d'être sales et de salir la maison	je lave les boîtes de conserve dès leur entrée dans la maison

■ *Le traitement de Michel par médicaments*

À Michel, je parle des deux traitements possibles : médicaments ou psychothérapie comportementale et cognitive. Michel hésite, en parle à sa femme. Celle-ci lui dit de faire comme il veut, et que l'essentiel pour elle est qu'il existe des traitements qui marchent !

Il me demande si on ne peut pas faire les deux traitements en même temps. Je lui réponds que c'est possible, mais que je préfère que l'on fasse les traitements l'un après l'autre, pour que l'on puisse juger de l'intérêt de chacun. En effet, pourquoi prendre un médicament si une psychothérapie comportementale et cognitive suffit ? Et, réciproquement, comment évaluer l'effet d'une psycho-thérapie comportementale et cognitive si un médicament entraîne à lui seul une amélioration ? Il se range à mes arguments. Il réflé-chit durant plusieurs semaines et sent que la naissance de l'enfant crée beaucoup de remue-ménage à la maison, qu'ils vont devoir à nouveau déménager et que cela lui laisse peu de temps pour la thérapie. Enfin, il change d'emploi pour un travail très nouveau pour lui, qui nécessite des efforts d'adaptation.

Il me dit alors que, dans ses conditions de vie actuelles, les médicaments constituent « l'efficacité au moindre effort » et lui semblent, dans un premier temps, la meilleure solution.

Il prend du Deroxat®. Il ne sent pas d'effets indésirables et est traité avec un comprimé par jour. Six semaines après le début du traitement, il se trouve très amélioré : beaucoup plus détendu, il ne se lave presque plus les mains au travail Le soir, il enlève ses chaussures et se change en rentrant chez lui, mais n'a plus besoin de prendre une douche. Le seul fait de ne plus se doucher le soir lui fait gagner trois quarts d'heure par jour. Quelques préoccupa-tions obsédantes demeurent sur la propreté des achats effectués, et il ne peut toujours pas inviter ses amis chez lui.

Nous augmentons le traitement à deux comprimés par jour de Deroxat®. Trois semaines après, sa femme accouche, et il est papa d'un petit Julien. Le défilé de la famille à la maternité puis à la maison commence, et Michel est tout heureux de voir que ses obsessions n'augmentent pas. Julien ne déclenche pas de préoccu-pations obsédantes de saleté, et il peut enfin recevoir famille et amis chez lui. Les semaines passent, il est capable de promener son fils dans la rue sans être obligé de le laver ni de le changer en rentrant chez lui. Michel, quant à lui, a toujours besoin de se chan-ger et d'ôter ses chaussures quand il rentre à la maison. Nous essayons alors d'augmenter le traitement à trois comprimés de Deroxat® par jour. Mais à cette dose, il se sent énervé et se met à mal dormir. Il ressent aussi quelques nausées. On revient donc à la posologie de deux comprimés quotidiens.

Michel n'est pas complètement guéri de ses obsessions-compulsions. Ses préoccupations de saleté lui occupent l'esprit environ une heure par jour : peu au travail, mais toujours chez lui. Les évitements ont presque disparu, mais il ôte toujours ses chaussures et se change en rentrant chez lui. Il perd environ quinze minutes par jour en rituels. Une heure d'obsessions et quinze minutes de rituels quotidiennement : il est à la limite de la définition du trouble.

Il se déclare faiblement gêné. Les évitements de situation, comme recevoir des amis ou de la famille chez lui, ont disparu. L'entente familiale est bonne, et il est très rassuré. Michel a remarqué que sa libido (son désir d'avoir des rapports sexuels) a un peu diminué. Au début, il croit que c'est la fin de la grossesse de sa femme, la naissance de Julien, le remue-ménage, mais il constate que les rapports sexuels sont moins fréquents qu'avant le traitement.

— Cela peut être le traitement ? me demande-t-il.

— Oui, c'est un effet indésirable observé avec ce type de médicament. C'est parfois une raison de changement de traitement. Combien de rapports sexuels avez-vous en moyenne avec votre femme en ce moment ?

— Deux ou trois fois par mois.

— Et avant de prendre le Deroxat® ?

— C'était à peu près une ou deux fois par semaine.

— Peut-être que la paternité a changé quelque chose, ou bien que votre femme a un désir moindre également ?

— La paternité peut-être, encore que je ne voie pas pourquoi, parce que j'aime encore plus ma femme qu'avant, maintenant que tout va bien pour moi. Mais elle, je ne crois pas, car elle se plaint un peu de cette baisse de rapports sexuels.

— Vous voulez que l'on essaie un autre médicament ?

— Non, je suis trop bien comme cela. Je ne veux pas prendre le risque d'avoir d'autres effets indésirables ou de me sentir moins bien. Et ma femme pense comme moi.

— Vous savez, il n'y a pas d'effets indésirables de ce type avec une psychothérapie comportementale et cognitive..

— Oui, je sais, c'est un argument, dit-il en souriant. Vous savez, ma vie a changé en un an : je n'avais plus de travail à Paris, je souffrais de ce trouble, j'appréhendais la venue de Julien, cela me posait quelques problèmes avec ma femme. Et maintenant, je travaille sans difficulté, je suis assez heureux, je vois l'avenir sereinement. Le seul inconvénient, c'est que, pour l'instant, il vaut mieux ne pas arrêter le traitement, c'est cela ?

— En effet, cesser le traitement maintenant serait imprudent. La façon la plus raisonnable d'envisager de l'arrêter est de faire une psychothérapie comportementale et cognitive. Mais le but d'une thérapie comportementale et cognitive serait aussi d'améliorer encore le TOC qui n'est pas guéri dans votre cas.

Depuis trois ans, nous nous voyons en consultation tous les deux à trois mois pour l'évaluation du trouble obsessionnel-compulsif. Un essai de baisse des médicaments au bout de deux ans de traitement a entraîné une augmentation des obsessions et des compulsions. Aussi sommes-nous restés à la dose de deux comprimés de Deroxat® par jour. En renouvelant la prescription médicamenteuse, je demande à Michel s'il veut commencer la thérapie comportementale et cognitive. Il sourit et me dit qu'il n'en a pas très envie.

— Je sais que vous pensez que ce serait utile, mais, pour l'instant, je préfère profiter de la vie comme cela.

La dernière fois que j'ai vu Michel, il venait d'acheter une maison et il attendait un deuxième enfant.

Jeanine : « J'ai l'impression que je pourrais poignarder ma fille... »

Jeanine a 33 ans lorsqu'elle est hospitalisée dans un service de psychiatrie. Elle est adressée par un confrère psychiatre qui l'a suivie durant cinq mois pour un diagnostic de « phobies d'impulsions » ou « phobies des couteaux ».

■ *Peut-on faire du mal à ceux qu'on aime ?*

Jeanine est mariée depuis six ans, a une petite fille de 4 ans, Amandine. Elle travaille comme laborantine dans un laboratoire d'analyses médicales. Il y a un an, diverses difficultés surviennent dans sa vie : sa mère rechute d'une maladie dépressive, son père perd l'usage de ses jambes par une paralysie progressive, elle est fille unique et doit s'occuper de ses parents. Leur maison subit le cinquième cambriolage en six ans. Un peu plus tard, elle déménage dans une maison neuve qu'elle vient de faire construire avec son mari. Ce changement d'habitation l'éloigne du domicile de ses parents et elle a donc de plus en plus de mal à s'en occuper. Jeanine se sent épuisée, énervée, découragée.

Un jour du mois de mars, un an avant que je ne fasse sa connaissance, elle est en train de faire la cuisine et découpe un poulet pour le mettre au four. La petite Amandine joue à côté d'elle, n'obéit pas, est turbulente, comme une enfant de son âge. Tout à coup, Jeanine s'énerve, crie contre Amandine et fait un geste de menace envers elle en brandissant le couteau. Jeanine est à deux ou trois mètres d'Amandine. À cet instant, elle se fige : l'idée lui vient soudain qu'elle pourrait ainsi blesser mortellement sa fille, si elle n'y prend pas garde. « Je pourrais tuer cette adorable petite Amandine, seulement parce qu'elle est agitée et désobéissante ! » Cette idée lui est insupportable. Elle essaie de la chasser, mais n'y parvient pas. Jeanine se sent très angoissée. Elle garde cette pensée à l'esprit pendant plusieurs heures, avant qu'elle ne disparaisse. Mais, plus tard, lorsque Amandine exaspère à nouveau sa mère, l'idée s'impose une nouvelle fois à l'esprit de Jeanine et devient une obsession : « Je pourrais la tuer ! » se répète-t-elle.

Petit à petit, Jeanine se met à ranger dans les placards les grands couteaux pointus, puis les petits couteaux, ensuite les ciseaux, enfin les tournevis. Après quoi, elle interdit à Amandine de rentrer dans la cuisine quand elle y travaille. Toute la famille est obligée de manger avec des couteaux à bouts ronds. Après quelques semaines, Jeanine ne peut plus rester seule avec sa fille dans la maison. En pensée, elle se voit « en train de planter un couteau dans le dos d'Amandine ».

Jeanine se rappelle alors son père qui menaçait parfois sa mère avec un couteau. Elle avait cinq ou six ans quand elle voyait ce spectacle effrayant, et cette image est restée très présente dans sa mémoire. Un autre jour, elle avait vu son père gifler sa mère. De ces deux souvenirs, il lui est resté la certitude que n'importe qui peut faire du mal à celui qu'il croit aimer. Jeanine est très démoralisée : « Comment puis-je avoir des idées pareilles ? Cela ne tourne pas rond. » Elle fait alors une dépression qui sera soignée avec succès grâce à des médicaments, mais le trouble obsessionnel ne s'améliore pas.

Le paradoxe de Jeanine réside dans le fait qu'à force de craindre de faire du mal à Amandine elle n'ose plus avoir d'autorité sur sa fille. Celle-ci devient du coup « intenable », désobéissante et très agitée. C'est à présent une enfant difficile, ce qui augmente l'énervement de Jeanine et aggrave ses obsessions...

À la différence des autres histoires racontées dans ce chapitre, Jeanine n'a pas de rituel, elle n'a que des obsessions et des évitements. Elle souffre d'obsessions d'agressivité. Il s'agit cependant d'un trouble obsessionnel-compulsif.

DESCRIPTION SIMPLIFIÉE DES PRINCIPAUX PROBLÈMES DE JEANINE		
SITUATION « ce qui déclenche »	OBSESSION « l'idée qui fait peur »	ÉVITEMENTS « ce que Jeanine fait pour se rassurer »
— présence de couteaux, de ciseaux, de tournevis — surtout en présence d'Amandine — surtout si je suis seule avec Amandine — surtout si je suis agacée par Amandine	je pourrais la tuer	— évitement des couteaux à bout pointu, petits ou grands — ne pas rester seule avec Amandine

▪ La psychothérapie comportementale et cognitive de Jeanine

Jeanine avait été soignée par un psychiatre pendant plusieurs mois et elle en avait retenu que son problème était dû à un conflit psychique à connotation sexuelle, comme en témoignait le souvenir de son père. Selon cette interprétation psychanalytique, l'obsession aurait été l'expression du désir sexuel du temps où elle était petite fille. Le fait que le trouble se soit déclaré après son déménagement qui l'éloignait de ses parents aurait été un argument de plus pour penser que c'était une fixation psychique infantile. Jeanine s'était alors sentie désespérée et démunie. En effet, que fallait-il faire ? Si cette maladie venait d'une « pulsion agressive refoulée », c'était donc, selon elle, sa faute. Et cette pensée aggravait sa culpabilité déjà intense d'avoir « l'idée qu'elle pouvait tuer sa fille ».

Jeanine a été soignée par psychothérapie comportementale et cognitive durant onze mois. Vingt-deux séances de psychothérapie accompagnées d'exercices à domicile ont permis de la soigner. La première étape de la thérapie a consisté à discuter de l'agressivité que chacun de nous peut ressentir, et que l'on peut exprimer, par exemple, lorsque l'on dit « il m'a tellement énervé que je l'aurais tué ! » ou encore « j'ai cru que j'allais l'étrangler ! ». Ces expressions sont banales, et chacun de nous a déjà ressenti de tels sentiments. Jeanine en convient, mais cela ne la rassure pas.

— La différence, c'est que, moi, je pense vraiment que je pourrais la tuer, me dit-elle.

— Voulez-vous vraiment la tuer ? lui dis-je.

— Non, bien sûr ! Mon Dieu, je préférerais mourir moi-même plutôt que de faire cela !

— Donc, finalement, vous ressentez une contradiction entre ce que vous croyez (« vous pouvez la tuer ») et ce que vous savez (« vous ne le voulez pas »). Est-ce bien cela ?

— Oui, c'est ça, et cela m'angoisse terriblement. Je ne veux en aucun cas prendre le risque de lui faire du mal.

— Oui, bien sûr. Mais je voudrais vous poser une question : lui avez-vous déjà simplement fait du mal, en la tapant, comme votre père a pu le faire avec votre mère dans votre souvenir d'enfance ?

— Non, je lui ai déjà donné une tape sur la main, mais plus du tout depuis que j'ai ces obsessions. C'est mon mari qui la punit parfois, mais, moi, je ne peux plus la punir, et elle en profite, elle ne m'obéit plus.

— Pensez-vous que le fait de lui donner une tape sur la main soit un signe de violence exagérée de la part d'une mère vis-à-vis de sa fille qui désobéit ?

— Non, je crois même que c'est parfois ce qu'il faut faire.

— Bien, donc essayons de récapituler :

Premièrement, il existe en nous des pensées agressives, que l'on peut exprimer avec des mots, mais qui ne sont pas suivies par des actes. Ce sont ces pensées qui sont très importantes pour vous, très angoissantes. Ces pensées entraînent tellement de détresse chez vous que vous pensez pouvoir « passer à l'acte ». Du coup, vous faites tout ce qui est possible pour chasser ces pensées.

Deuxièmement, vous avez eu parfois de petits gestes brutaux à l'égard d'Amandine, dont vous pensez qu'ils sont nécessaires à l'éducation d'un enfant.

Troisièmement, vous avez souvent des idées de violence inacceptables, telles que planter un couteau dans le dos d'Amandine. Ces pensées sont terribles pour vous.

Le problème, c'est que, du fait de votre maladie, vous mélangez ces trois niveaux : vous croyez que la pensée peut devenir un acte. Or, si l'on ne peut pas contrôler ses pensées, on peut contrôler ses actes.

— Vous voulez dire que, quoi que je fasse, je vais toujours garder ces pensées ?

— Non. Car toutes les fois que vous cachez un couteau, vous renforcez cette pensée agressive. Vous vous dites : « Cette idée de passer à l'acte va réellement se réaliser, puisque je suis obligée de cacher les couteaux. » Et, à ce moment-là, vous aggravez cette pensée. On peut prendre une image, si vous voulez : mettons qu'un enfant ait très peur d'aller à l'école, comme c'est le cas pour la plupart des enfants les premières fois qu'ils y vont. Imaginons que, du fait de cette peur, l'enfant ne veuille plus aller à l'école. Si la maman retire l'enfant de l'école parce qu'il en a très peur, l'enfant va croire qu'il a bien raison d'avoir peur de l'école, puisque sa mère a suivi sa volonté. En ce sens, l'évitement de l'école en aggrave la crainte. Vous êtes d'accord avec moi pour penser que l'école n'est pas en soi dangereuse ?

— C'est vrai, mais je ne suis plus une enfant, je ne devrais pas avoir besoin que l'on me rassure ou qu'on m'assiste.

— D'accord, alors prenons un autre exemple. Imaginons que vous ayez très peur de monter dans un avion parce que vous redoutez qu'il ne s'écrase. Vous savez que l'avion de ligne est un moyen de transport très sûr, en tout cas beaucoup plus sûr que la voiture que l'on prend tous les jours : très peu de gens meurent en avion, alors que, chaque année, beaucoup de gens perdent la vie sur les routes. Eh bien, toutes les fois que vous éviterez de monter dans un avion parce que vous en avez peur, vous accréditerez la thèse selon laquelle un avion est dangereux et vous aurez encore plus peur la prochaine fois qu'il faudra voyager par air.

Cet argument porte, et Jeanine accepte l'idée qu'il y a une différence entre une pensée et un acte. Il reste cependant le problème de la souffrance de Jeanine face aux couteaux, souffrance que la raison ne suffit pas à diminuer. Elle ne peut pas envisager de se servir à nouveau des couteaux normalement, car l'anxiété qu'elle ressentirait serait intolérable.

En accord avec Jeanine, nous mettons alors au point des petits exercices acceptables à pratiquer chaque jour.

Le premier exercice consiste à regarder un couteau durant une minute chaque jour chez elle, en l'absence de sa fille qui est à l'école, et de noter l'évolution de l'anxiété au fil des jours. Au bout d'une dizaine d'exercices, l'anxiété ressentie devient nulle, et l'on peut passer à l'exercice suivant. Cet exercice est de découper une photo de couteaux de cuisine dans un catalogue de vente d'articles ménagers par correspondance et de mettre cette photo bien en évidence dans la cuisine, lorsqu'elle prépare le repas. Là aussi, au bout de quelques exercices, l'anxiété ressentie devient progressivement insignifiante.

Il serait trop long de raconter en détail toute la thérapie, mais voici les différentes étapes, correspondant à autant d'exercices pratiqués par Jeanine.

1. Regarder un couteau cinq minutes seule chez elle.

2. Saisir un couteau à huîtres dans le cabinet de consultation avec moi durant une demi-heure.

3. Mettre un couteau sur la table de la cuisine et préparer à manger lorsqu'elle est seule chez elle.

4. Saisir le couteau à huîtres comme si elle allait me frapper (bras en l'air prête à le faire) durant la consultation avec moi.

5. Saisir un couteau à huîtres seule chez elle durant vingt minutes.

6. Apporter en consultation un couteau de taille moyenne à bout pointu dans un sac à main (couteau enveloppé dans un sachet fermé).

7. Garder le couteau à huîtres à la main pendant une heure chez elle lorsqu'elle est seule.

8. Saisir le couteau de taille moyenne à bout pointu durant toute la consultation avec moi.

9. Tenir le couteau à huîtres à la main quand son mari est à la maison et que la petite Amandine n'est pas dans la pièce (ainsi, selon Jeanine, son mari « pourrait l'empêcher d'aller poignarder Amandine »).

10. Saisir le couteau de taille moyenne à bout pointu pendant trente minutes seule chez elle.

11. Laisser le tiroir contenant tous les grands couteaux de cuisine ouvert pendant qu'elle prépare à manger.

12. Amener au cabinet le pire couteau qu'elle possède, un grand à bout pointu, et le garder dans son sac durant la consultation. « C'est un couteau d'assassin », dit-elle.

13. Saisir, durant la consultation, le « couteau d'assassin ».

Les exercices au domicile doivent avoir lieu au moins une fois par jour. À ceux-ci s'ajoutent des exercices en consultation avec moi.

À ce stade et au bout de trois mois de thérapie, Jeanine commence à se sentir mieux. Les obsessions baissent un peu, et elle est heureuse de constater que nos prévisions s'avèrent exactes : si on lutte contre les évitements des couteaux et qu'on contredit ainsi l'obsession selon laquelle elle peut « passer à l'acte », alors les obsessions baissent d'intensité, de fréquence et de durée. Jeanine peut dès lors découper une volaille avec des ciseaux de cuisine, sans que je le lui aie demandé.

Nous continuons les exercices :

14. Saisir le « couteau d'assassin » en consultation et mettre la pointe sur la paume de ma main durant cinq minutes.

15. Couper un fruit avec un grand couteau en présence de son mari et d'Amandine.

Lors de cette consultation, Jeanine me raconte qu'elle a fait la cuisine en présence de sa fille en laissant un couteau à bout pointu sur le buffet, à portée de sa propre main à elle (et non d'Amandine, car il ne faut pas laisser les enfants jouer avec les couteaux).

16. Se promener toute la journée avec un couteau pointu dans son sac.

17. Laisser un couteau à bout pointu bien apparent, dans la maison, en présence de son mari et de sa fille.

18. Gronder une fois sa fille en élevant la voix quand elle pense que c'est nécessaire.

19. Manger en présence de son mari et de sa fille avec des couteaux à bouts pointus un jour sur deux.

20. Regarder un film violent à la télévision.

21. Passer toute une consultation avec le « couteau d'assassin » brandi vers moi.

22. Manger tous les repas pris avec sa fille et son mari avec des couteaux à bouts pointus.

23. Rester seule trente minutes avec sa fille, un couteau sur le buffet.

24. Rester seule une heure avec sa fille, un couteau sur le buffet.

25. Couper un fruit avec un couteau pointu seule en présence d'Amandine.

26. Regarder un film d'horreur (*Massacre à la tronçonneuse*).

27. Couper la viande de sa fille, seule en sa présence, avec un couteau pointu.

28. Manger avec un couteau pointu seule en présence de sa fille une fois tous les deux jours.

29. Manger avec un couteau pointu seule en présence de sa fille tous les jours.

À ce stade, la thérapie est finie. Jeanine n'a alors plus les critères de diagnostic pour parler de trouble obsessionnel-compulsif. Les médicaments qu'elle prenait pour sa dépression ont été progressivement arrêtés durant la thérapie.

Jeanine explique bien que les obsessions sont toujours présentes, mais elles sont devenues rares, peu pénibles, peu intenses. Surtout, elle ne fait plus rien de particulier à cause des obsessions. Elle a repris une autorité normale envers Amandine (bien sûr, sans violence...), et celle-ci, du coup, est beaucoup plus calme. L'exposition à des films de violence a servi à confronter Jeanine à des spectacles épouvantables, afin de lui permettre de constater qu'elle n'est pas gagnée par cette violence.

J'ai vu Jeanine tous les trois mois durant un an. Jeanine restait stable, sans rechute, ni de sa dépression ni de ses obsessions.

Jacques : « Je pourrais écraser un piéton sans m'en rendre compte... »

Jacques est instituteur et directeur d'école dans une petite ville de six mille habitants. Marié, âgé de 43 ans, il a un fils de 13 ans.

▪ *La peur du volant*

Jacques vient me consulter car il ne peut pas conduire sa voiture : cela lui fait peur.

— Pourquoi donc ? lui dis-je.

— Lorsque je passe devant un piéton dans une ville, ou si je dois doubler un cycliste, j'ai toujours peur de l'écraser.

— Et alors ?

— Alors, au début, j'ai commencé à regarder dans le rétroviseur de la voiture pour vérifier que le cycliste était toujours debout ou que le piéton n'avait pas bougé. Puis je me suis mis à regarder plusieurs fois dans le rétroviseur. Cela me rassurait quand je l'y voyais. Mais, bien souvent, le cycliste ou le piéton n'était plus visibles dans le rétroviseur. Ou bien je n'étais pas sûr que ce soit bien le cycliste que je venais de doubler. Je me suis donc mis à me retourner pour voir « réellement » le cycliste ou le piéton à travers la lunette arrière, tout en conduisant. Cela devenait dangereux car je ne regardais plus la route. D'autre part, cela ne me rassurait pas totalement. Et puis le phénomène a continué. Parfois, j'étais tellement anxieux que j'étais obligé de faire demi-tour pour vérifier que je n'avais écrasé personne ! D'autres fois, j'avais accompli déjà plusieurs kilomètres, et, en rebroussant chemin, je ne retrouvais plus personne. Alors, je m'inquiétais si je voyais un petit rassemblement de personnes. Je me disais que c'étaient des gens autour d'un corps à terre, que j'avais renversé quelqu'un ! Je m'arrêtais pour regarder ce qu'il se passait. Quand je résistais à mon envie de faire demi-tour et que je continuais ma route, il m'arrivait de voir une ambulance ou un camion de pompiers et de me dire que c'était à cause de l'accident que j'avais provoqué... Je n'y tenais plus et je faisais demi-tour. C'est là que j'ai commencé à ne conduire qu'accompagné de ma femme ou de mon fils. Quand nous croisions un piéton au bord de la route ou du trottoir, ou que je doublais un cycliste, je leur demandais de vérifier systématiquement que je ne l'avais pas écrasé. Mais comme il ne fallait pas en rater un seul, ma femme et mon fils avaient alternativement mission de vérifier que je n'avais écrasé personne. Chacun assurait cette mission pendant une heure de trajet. Cela les agaçait beaucoup, et je redoutais ces voyages. Des fois, je voyais bien qu'ils ne faisaient pas vraiment attention, et alors le rituel recommençait : le rétroviseur, me retourner et parfois faire demi-tour, surtout si l'on croisait une ambulance... L'enfer, quoi !

— Effectivement, vous devez beaucoup souffrir, lui dis-je, pensant qu'il avait fini la description de son trouble.

— Mais il y avait aussi les écarts sur la route, ajoute-t-il. Pour être sûr de ne toucher personne, je faisais des écarts de trois à quatre mètres sur la route, pour passer très à distance des piétons, des cyclistes ou des cyclomoteurs. C'était assez dangereux car je me retrouvais facilement au milieu de la file de gauche. Vous imaginez en ville ? Dès que je sentais qu'un piéton — surtout si c'était une vieille dame — faisait mine de vouloir traverser la chaussée même s'il était sur le trottoir, je m'arrêtais pour le laisser passer. Souvent, il était très surpris. En plus, derrière moi, ça klaxonnait fort parce que les autres automobilistes ne comprenaient pas ce que j'étais en train de faire. Ou bien, parfois, je roulais à la même allure que le cyclomoteur ou le cycliste. Derrière moi, c'était l'émeute ! Les automobilistes, ne voyant aucune raison que je ralentisse ainsi, étaient très surpris de me voir freiner et pilaient derrière moi. Plusieurs fois, j'ai failli me faire emboutir par l'arrière. C'est là que j'ai commencé à arrêter de conduire la voiture et que j'ai cédé le volant.

— Comment êtes-vous venu aujourd'hui ?

— Avec ma femme · elle attend dans la salle d'attente

— Quand est-ce que cela a commencé ?

— J'avais entre vingt-cinq et trente ans.

— À part la crainte de renverser les piétons ou les cyclistes, avez-vous d'autres obsessions ? Par exemple, est-ce que vous vous sentez obligé de vérifier plus que la normale d'autres choses, comme l'électricité, le gaz ou l'eau ?

— Non.

— Est-ce que vous avez anormalement peur d'être sali, souillé ou contaminé ?

— Non.

— Est-ce que vous avez besoin de dire des petites phrases ou de faire de petits calculs mentaux pour conjurer le sort ?

— Non.

Jacques souffre d'obsessions d'agressivité avec rituels de vérification et évitements importants. Il s'agit d'une forme pure de trouble obsessionnel-compulsif, c'est-à-dire qu'il a un seul thème d'obsession.

DESCRIPTION SIMPLIFIÉE DES PRINCIPAUX PROBLÈMES DE JACQUES		
SITUATION « ce qui déclenche »	OBSESSION « l'idée qui fait peur »	RITUELS et ÉVITEMENTS « ce que Jacques fait pour se rassurer »
— doubler en voiture un piéton, un cycliste ou un cyclomoteur — passer en voiture devant un piéton	— je vais peut-être écraser le piéton, le cycliste ou le vélomoteur	— je me retourne pour voir dans la lunette arrière le piéton, le cycliste ou le cyclomoteur — je fais demi-tour pour retrouver le piéton, le cycliste ou le cyclomoteur — je demande à ma femme ou à mon fils de vérifier à ma place — je fais un écart de plusieurs mètres en doublant ou en passant à côté du piéton, du cycliste ou du cyclomoteur — je me fais accompagner pour conduire

◼ Le traitement de Jacques par médicaments

Jacques a été soigné avec succès par un médicament contre le trouble obsessionnel-compulsif. Pourquoi ce choix ? Pour plusieurs raisons qui compliquaient la pratique d'une psychothérapie comportementale. Jacques habitait à soixante-dix kilomètres du lieu où j'exerce, ce n'était pas facile pour lui de venir en consultation. Du fait de son métier, il avait peu de temps. De plus, il fallait que sa femme soit disponible. Mais la principale raison de son choix de prendre des médicaments ne résidait pas dans ces arguments « matériels ». Jacques avait de nombreux soucis par ailleurs. Son père était âgé et nécessitait de fréquentes visites. De plus, après quelques consultations avec moi, Jacques avait appris que sa mère souffrait d'un cancer qui était de sombre pronostic. Enfin, son fils a posé des problèmes scolaires et de discipline. Tout cela a commencé à être trop pour Jacques, de sorte qu'il a fini par se sentir fatigué, triste. Il avait l'impression qu'il n'allait plus « y arriver ». Un jour, en me parlant de ses obsessions, les larmes lui sont venues aux yeux et il m'a dit alors qu'il n'en « pouvait plus ». Il ne souffrait pas de maladie dépressive, mais son moral flanchait et l'énergie naturelle de cet homme dynamique était entamée. Je lui ai expliqué que la thérapie comportementale exigeait des efforts supplémentaires par des exercices quotidiens et des consultations plus fréquentes sur Bordeaux, tandis que le traitement ne nécessitait aucun autre effort que de penser à le prendre. Il m'a alors demandé :

— Qu'est-ce qui me soulagera le plus vite ?

— Dans votre cas, plutôt les médicaments.

— Alors je préfère prendre des médicaments.

De fait, Jacques a pris du Zoloft®. Une gélule par jour pendant une semaine. Jacques a eu quelques nausées durant les cinq premiers jours du traitement. Je l'avais prévenu de la survenue possible de cet effet indésirable et je l'avais averti que cet effet disparaissait le plus souvent au bout de quelques jours. Du coup, il n'a pas été inquiet et a accepté d'attendre. À la consultation suivante, les nausées avaient disparu. Nous avons pu augmenter les doses : deux gélules pendant six semaines, puis trois gélules par la suite.

Jacques a rapidement été soulagé dans les délais habituels. Au bout de six semaines à trois gélules par jour, Jacques est venu avec sa femme, mais c'était lui qui conduisait. Au bout de deux mois, il est arrivé seul en consultation. Il était radieux et m'a dit que sa vie s'en était très nettement modifiée.

Les effets du médicament s'étaient manifestés de la manière suivante : il a commencé à ne plus avoir besoin de vérifier s'il avait ou non écrasé quelqu'un. La force qui le poussait à vérifier a diminué en premier. L'idée obsédante était présente à son esprit, mais l'angoisse diminuait. Puis l'idée obsédante s'est mise à son tour à diminuer. Elle est devenue progressivement plus brève. Puis, sur de courts trajets, il lui arrivait de ne plus du tout en souffrir. Enfin, des parcours de plus en plus longs devinrent possibles.

Les semaines et les mois ont passé. Sa mère est morte un an après nos premières rencontres. Maintenant, son père vit chez lui. Jacques n'a toujours pas le temps de faire une thérapie comportementale et cognitive.

Je le vois tous les trois mois pour le renouvellement de son traitement. Il n'a plus les critères diagnostiques du trouble obsessionnel-compulsif. Dans notre jargon, nous disons qu'il est en « rémission complète de son trouble sous traitement ». Jacques me dit que ce traitement ne pose aucun problème et qu'il le prend machinalement au petit déjeuner. Il n'a jamais plus souffert de nausées et n'a pas d'autre effet indésirable.

Il a été opéré il y a trois mois d'une hernie inguinale sous anesthésie générale. L'anesthésiste lui a demandé de ne pas prendre ses médicaments la veille et le jour de l'intervention. Il les a repris ensuite et n'a noté aucun problème particulier dans les semaines qui ont suivi.

Ludovic : « Je n'ai pas de problèmes. C'est de la faute de mes parents... »

Ludovic, 15 ans, vient en consultation accompagné de ses parents. Ce sont eux qui ont pris rendez-vous, Ludovic ne voulait pas venir. Il ne comprend pas ce qu'il fait ici et voit dans cette consultation une preuve de plus de l'incompréhension de ses parents à son égard. Il est fils unique. C'est un élève brillant en classe de première.

Son père explique leur venue.

— Ludovic n'embrasse plus ses parents qui doivent se tenir à un mètre de distance pour parler avec lui. Ils ne peuvent pas le toucher. Comme s'ils risquaient de le contaminer.

— À la fin des repas, il emmène sa propre serviette de table pour la mettre dans le placard de sa chambre afin de ne pas la mélanger avec les serviettes de ses parents.

— Il ne veut pas mettre lui-même son linge sale dans le sac à linge familial. C'est donc sa mère qui le fait. Mais lorsque le linge de Ludovic est propre et sec sur le séchoir, sa mère n'a plus le droit d'y toucher. Ludovic prend son linge lui-même sur le séchoir.

— Il ne s'assied jamais sur la banquette du salon. Il utilise très rarement les toilettes de la maison (il va dehors) : s'il doit le faire, il va se doucher après.

— Depuis peu, Ludovic ne se lave plus les mains qu'au robinet de la baignoire, et non aux différents lavabos de la maison. Il ne se sert pas du robinet de la cuisine, ne touche jamais la poubelle ni l'éponge de la cuisine.

— Il ouvre la porte de la cuisine avec le pied. Pour cela, il demande à ce que celle-ci reste entrouverte et ne soit jamais fermée. Si elle est fermée, il utilise des mouchoirs en papier pour saisir la poignée de porte afin de l'ouvrir.

— Il ne suspend pas ses vêtements au portemanteau de l'entrée. Il les met dans sa chambre.

— Alors que toute la famille enlève ses chaussures en rentrant dans la maison, Ludovic met les siennes du côté gauche de l'entrée parce que ses parents mettent les leurs du côté droit.

L'idée de Ludovic est que les parents « souillent » la maison entière car ils ne se lavent pas les mains en rentrant chez eux ou après avoir utilisé les toilettes.

▪ *Le refus d'être aidé*

Ludovic nie ces comportements anormaux. Il a des « explica tions » : il dit que c'est un jeu, qu'il fait cela pour embêter ses parents ou pour les faire enrager, que c'est un pari qu'il a passé avec un copain, ou encore qu'il s'agit d'une superstition, en précisant que tous les hommes célèbres ont des superstitions, pourquoi pas lui ? Il ajoute que, si ses parents se lavaient les mains, comme il le leur demande, en rentrant à la maison et après être allés aux toilettes, tout se passerait bien. Au lieu de cela, ils le persécutent en lui demandant de venir me voir ! Ludovic finit en disant qu'il ne comprend pas pourquoi ses parents insistent tant sur ces détails, alors que ce qui compte, c'est qu'il réussisse ses études. Il minimise très fortement ses rituels qu'il limite à un « sens légitime de la propreté dans ce monde pollué ». Enfin, il m'explique qu'il est certain de pouvoir s'empêcher de faire ses rituels de lavage « s'il le décide ».

Ainsi apparaît une évaluation radicalement différente du problème : Ludovic nie le caractère pathologique de ses comportements, ce qui rend impossible tout traitement. Les parents se sentent très coupables des troubles de leur fils. De plus, ils sont blessés de la faute que Ludovic tente de reporter sur eux. Bref, tout le monde pleure dans mon cabinet ce jour-là. La minimalisation et la dissimulation de Ludovic font qu'une évaluation précise de l'intensité du trouble se révèle difficile : seule la description du trouble par le père de Ludovic me donne une idée claire de ce qu'il fallait faire. Je m'adresse à peu près ainsi à Ludovic .

— Ludovic, je suis conscient que ce n'est pas agréable pour vous d'apprendre que vous avez un problème avec la saleté. Cependant, je ne peux pas être d'accord avec vous quand vous dites que vos rituels de propreté sont des détails. Il est important que vous preniez conscience que vous pouvez quelque chose contre ces rituels, alors qu'actuellement vous faites l'autruche : vous vous cachez la tête dans le sable ! Mais je ne vous forcerai pas à vous soigner. Je vous parlerai juste des traitements existants. Quand vous serez décidé, alors nous pourrons entreprendre quelque chose contre tous ces rituels. Mais, pour l'instant, vous n'êtes pas prêt. En revanche, je vais parler de cette maladie avec vos parents. Vous êtes, bien sûr, le bienvenu dans toutes les consultations que j'aurai avec eux.

▓ *La lente prise de conscience*

Les parents ont donc été informés des différents traitements. Ils sont devenus des « thérapeutes à la maison », non pas en cherchant à tout prix à convaincre Ludovic de se soigner, mais en refusant systématiquement les pseudo-explications et en lui répétant que, lorsqu'il serait décidé, il y aurait des traitements qui le soulageraient. Mais Ludovic ne voulait pas qu'on l'aide. L'amour de ses parents était insuffisant : on ne pouvait le secourir malgré lui. Ses parents disaient qu'ils étaient dans l'« impasse ».

Deux mois plus tard, Ludovic annonce à sa mère qu'il est prêt à faire un effort à trois conditions :

1. « Je te demande de te laver les mains avant de repasser mon linge. »

2. « Je ne veux plus voir le docteur. »

3. « Je veux que vous mettiez vos chaussures toujours à la même place dans l'entrée. »

La maman, qui a tout compris de la maladie, lui dit alors

— Il est hors de question que je me lave, je ne suis pas sale. Nous avons parfaitement le droit de mettre nos souliers à gauche ou à droite du portemanteau, c'est-à-dire où nous voulons, ils ne sont ni plus ni moins sales que les tiens. Pour ce qui est du médecin, tu as le droit de ne pas venir le consulter, mais nous continuerons à le voir pour faire le point.

À l'issue des consultations avec moi, la maman a en effet compris que, toutes les fois qu'elle modifie sa propre vie pour « aider » son fils, paradoxalement, cela aggrave le problème. Par exemple, placer les chaussures à un endroit particulier de l'entrée pour laisser un espace de propreté à son fils revient à consolider la croyance de son fils en la saleté, en l'utilité de ses rituels et de ses évitements. Certes, il ne faut pas perturber brutalement les rituels et les évitements de Ludovic, mais il est possible de ne pas les aggraver en n'en faisant pas soi-même.

▪ L'acceptation du traitement

Au bout de quelques mois, Ludovic constate qu'il est impuissant contre ces rituels qui le gênent. Contrairement à ce qu'il avait affirmé lors de notre première consultation, il ne peut pas du tout s'en empêcher, « s'il le décide ». Il se résout donc à se soigner. Comme il veut passer le moins de temps possible à s'occuper de ce problème, il préfère prendre un traitement médicamenteux. Le Floxyfral® est efficace dès la dose de 100 mg/j. Comme Ludovic refuse toujours d'évaluer précisément le trouble, ce sont encore une fois les parents qui viennent décrire les améliorations :

— Ludovic n'utilise plus les mouchoirs en papier pour ouvrir la porte d'entrée de la maison.

— Il va plus fréquemment aux toilettes de la maison.

— Il passe plus de temps dans la salle de bains.

— Il met lui-même les vêtements sales dans la corbeille à linge.

— Il a réduit la « distance de dialogue » et il n'interdit plus à ses parents de se situer à moins d'un mètre de lui.

Ludovic, conscient des effets bénéfiques du traitement, vient désormais seul en consultation tous les mois. Ses rapports avec ses parents sont devenus bien meilleurs. De temps en temps, nous nous voyons tous ensemble pour faire le point. Ludovic refuse toujours de faire une psychothérapie comportementale et cognitive, il prétend qu'il n'a pas le temps. À l'heure où j'écris ces lignes, un an s'est écoulé depuis la première consultation.

TROISIÈME PARTIE

Mieux vivre avec un TOC

CHAPITRE 11

Au jour le jour

Le trouble obsessionnel-compulsif n'est pas seulement un combat singulier entre un individu et ses obsessions-compulsions. Le TOC s'infiltre dans votre quotidien et concerne toujours, à un moment ou à un autre, votre entourage familial ou professionnel, vos études, votre métier. Comment les gérer ? Les relations avec les professionnels de santé méritent aussi quelques conseils. Quels sont vos droits ?

Vivre en famille avec un trouble obsessionnel-compulsif

À votre domicile, les rituels sont souvent plus importants et concernent vos proches. Il faut que vous sachiez que vos obsessions et vos compulsions peuvent être exaspérantes pour votre entourage.

Voici les principes essentiels pour faire coexister votre trouble obsessionnel-compulsif et votre famille :

1. Le plus souvent, il est utile de mettre vos proches dans la confidence, que ce soit vos parents, votre époux ou vos enfants, en définitive, tous ceux qui vivent sous le même toit que vous. Pour appuyer ces explications, vous pouvez leur demander de lire ce livre, en particulier les chapitres « Vous voulez mieux comprendre les obsessions-compulsions », p. 23, et « Vous voulez approfondir vos connaissances sur le TOC », p. 97.

2. Vous pouvez les encourager à lire « La famille et l'entourage : comment aider un proche qui souffre de trouble obsessionnel-compulsif ? », p. 214, et à participer au programme thérapeutique. Ainsi, vous en ferez vos cothérapeutes en leur demandant, par exemple, de vous soutenir dans votre traitement comportemental ou bien de vous aider à ne pas oublier de prendre vos médicaments.

3. Encore une fois, il n'y a aucune raison de se sentir coupable d'avoir un TOC. Ne les laissez pas porter de jugements de valeur sur votre trouble ni créer des conflits personnels autour du trouble. Vous avez besoin d'être soutenu, non d'être accablé.

Passer des examens avec un trouble obsessionnel-compulsif

Lors des examens, les étudiants objectivement gênés par leur trouble peuvent bénéficier d'un tiers temps supplémentaire. Sur une épreuve qui dure normalement trois heures, ils bénéficient ainsi de quatre heures. Ce temps supplémentaire est particulièrement utile pour les étudiants souffrant de rituels mentaux qui les ralentissent considérablement dans les opérations intellectuelles.

En pratique, pour obtenir ce tiers temps supplémentaire, l'étudiant doit prendre rendez-vous avec le médecin du service de la

Médecine préventive, muni du certificat de son médecin traitant. Le médecin de la Médecine préventive accordera ou non ce tiers temps. L'administration de l'Université n'est pas mise au courant des raisons médicales pour lesquelles le tiers temps a été accordé

Travailler avec un trouble obsessionnel-compulsif

En aucun cas vous n'êtes tenu d'expliquer votre trouble à votre chef ou à vos collaborateurs. La seule personne susceptible de connaître votre problème, si vous le souhaitez, est le médecin du travail qui doit apprécier sur le plan médical votre aptitude à occuper votre poste. Dans notre expérience, le milieu professionnel est rarement au courant du trouble obsessionnel-compulsif dont vous souffrez. Il peut cependant arriver qu'on vous fasse remarquer que vous êtes un peu lent, voire un peu « maniaque ». Dans ce cas, il vous est difficile d'accélérer ! Le mieux est souvent de reconnaître votre lenteur en insistant sur les côtés positifs par des phrases comme :

— « Oui, je suis parfois un peu trop précis. »
— « Oui, j'ai un sens aigu de la propreté, presque maniaque. »
— « Oui, je suis très superstitieux, on me l'a souvent dit. »
Vous pouvez même parfois le dire avec humour : « Avec moi, vous pouvez être rassuré, on n'oubliera jamais rien. »
Cette façon de faire reconnaître vos rituels auprès de ceux qui s'en plaignent désamorcera leur agressivité et leur permettra de comprendre que vous n'y pouvez pas grand-chose. D'une manière générale, évitez de vous opposer brutalement à votre interlocuteur : si on vous fait remarquer vos rituels, c'est qu'ils doivent être assez évidents ! Mais il est le plus souvent inutile d'en dire plus.
Toutefois, si, du fait du TOC, votre situation professionnelle est plus instable, par exemple si vos retards répétés mettent en cause

vos compétences, mieux vaut expliquer le problème plutôt que d'être renvoyé injustement.

La majorité des sujets souffrant de TOC peuvent travailler tout à fait normalement. Mais, dans certains cas, il peut arriver que le travail ait besoin d'être adapté au handicap. Ainsi, une personne qui a des rituels de vérification de fermeture de porte sera sans doute très mal à l'aise à un poste de gardiennage alors qu'elle n'aura aucun problème dans un emploi de bureau ou de technicien. Quelqu'un qui a des obsessions de saleté est inadapté à un poste d'accueil alors qu'il peut s'épanouir dans un travail sur ordinateur, qui implique moins de contacts avec le monde extérieur.

Le plus souvent, les sujets souffrant de TOC choisissent d'eux-mêmes des métiers compatibles avec leur trouble. Mais, dans les cas sévères, il arrive que les personnes aient du mal à trouver un emploi compatible avec leurs symptômes. C'est pour privilégier ces adaptations du travail au handicap qu'a été créé le statut de travailleur handicapé.

Toutes les entreprises de plus de vingt salariés sont tenues d'employer au moins un travailleur handicapé (ou bien elles doivent verser une indemnisation qui favorise l'emploi de personnes handicapées dans d'autres entreprises). Sachez aussi qu'un employeur bénéficie d'exonérations partielles de charges sociales s'il emploie un travailleur handicapé.

En pratique, c'est la COTOREP qui est compétente pour octroyer le statut de travailleur handicapé. Elle remettra à la personne qui en fait la demande un dossier dans lequel son handicap devra être expliqué avec l'appui d'un certificat médical du médecin traitant. Le patient sera convoqué par un médecin expert et, si sa demande est acceptée, il sera mis en contact avec les services d'aide à l'emploi.

Il est fréquent que le trouble obsessionnel-compulsif nécessite, à un moment ou à un autre, un arrêt de travail, au même titre que n'importe quelle autre maladie. Cependant, dans les cas très sévères de trouble obsessionnel-compulsif, l'activité professionnelle peut se révéler impossible. Si les ressources du sujet deviennent insuffisantes, celui-ci peut demander à bénéficier d'une allocation d'adulte handicapé (AAH).

Cette allocation est versée par la Caisse d'allocations familiales après expertise de la Commission technique d'orientation et de reclassement professionnel (COTOREP). Elle est réservée aux sujets souffrant d'une pathologie sévère, résistante aux traitements habituellement efficaces et d'une gravité chronique. L'allocation d'adulte handicapé permet d'assurer des moyens de subsistance à des personnes en difficulté du fait du trouble obsessionnel-compulsif.

En pratique, on doit réclamer un dossier auprès de la COTOREP. Dans ce dossier figure un certificat médical que l'on fait remplir par son médecin traitant et qui sera joint au dossier. Le patient sera alors convoqué par le médecin expert auprès de la COTOREP qui accordera ou non l'allocation d'adulte handicapé en fonction du degré de handicap.

Choisir son psychiatre

Tout au long de ce livre, nous avons souligné qu'à certains moments il fallait être aidé d'un professionnel :
— pour s'assurer du diagnostic,
— lorsque les indications de ce livre n'ont pas conduit à une amélioration suffisante,
— pour discuter l'intérêt d'un médicament,
— pour mettre en place des exercices comportementaux et cognitifs qui compléteront ceux proposés par ce livre.

Les conseils de votre médecin traitant, les adresses utiles figurant dans ce livre vous aideront à choisir ce professionnel. Quelques recommandations cependant :

1. Ce spécialiste doit être accessible : évitez les thérapeutes qui se trouvent trop loin de chez vous, ou alors sachez que ce sera une limite importante à une prise en charge régulière.

2. Il doit vous mettre à l'aise : accordez-vous quelques rendez-vous pour faire connaissance. Si cette relation pose des problèmes, par exemple si votre thérapeute est très en retard à chaque rendez-vous, si les consultations vous semblent trop brèves, ou bien s'il reçoit huit coups de téléphone par consultation et que vous n'avez

pas le temps de vous exprimer, ou encore si vous avez l'impression d'être mal compris, parlez-en avec lui : les psychiatres et les psychologues sont des spécialistes de la relation, et ils n'en seront pas vexés

Si, malgré cela, vous vous sentez toujours mal, changez-en ! Les psychiatres sont habitués à ce que les patients annulent des rendez-vous et ils ne leur en tiennent pas rigueur. Et si, par hasard, l'un d'entre eux se montrait vexé, ce n'est ni votre problème ni votre faute. Encore une fois, la priorité, c'est de vous soigner.

3. Une fois que vous aurez choisi votre thérapeute, ne cherchez pas à lui faire plaisir : dites les choses telles qu'elles se passent et ne lui dissimulez rien, ni que le traitement ne vous convient pas, ni que vous êtes découragé par la thérapie, ni encore que cela ne va pas assez vite selon vous ; ce sont des problèmes courants en psychiatrie, et votre médecin cherchera à les résoudre avec vous.

4. Sachez vous en séparer si vous avez l'impression d'aller mieux, ou si vous avez moins de temps pour vous consacrer à ces problèmes. N'hésitez pas à lui dire que vous avez besoin de faire une pause. Il en sera probablement satisfait, car cela voudra dire que vous allez mieux et que votre préoccupation devient un peu secondaire. Des consultations « de suivi » sont cependant utiles pour faire le point, par exemple tous les mois ou tous les trois mois.

5. N'ayez pas peur de son jugement de valeur, il n'a pas à en avoir sur vous !

Parler à son médecin généraliste

Il faut qu'il soit au courant de votre cas, même si vous êtes suivi par un spécialiste. En effet, il doit pouvoir faire le lien entre les problèmes pour lesquels vous allez le voir et vos obsessions-compulsions : par exemple, vous pouvez vous plaindre d'un sentiment de fatigue, ce qui est fréquent dans le TOC, ou de lésions de la peau, qui n'ont pas à donner lieu à des examens complémentaires car elles sont dues à des rituels de lavage. Il doit aussi être informé de votre traitement, même s'il est prescrit par un spécialiste.

Qu'attendre
de la Sécurité sociale ?

Les soins du trouble obsessionnel-compulsif sont pris en charge par l'assurance maladie au même titre que n'importe quelle maladie. Cependant, le trouble obsessionnel-compulsif peut faire l'objet d'une reconnaissance d'affection de longue durée (ALD) lorsqu'il nécessite un traitement prolongé. Cette reconnaissance permet au patient d'être exonéré du paiement du ticket modérateur des frais médicaux et pharmaceutiques. Tous ces frais sont alors remboursés à 100 % du tarif conventionnel de la Sécurité sociale, ce qui évite de devoir prendre une mutuelle complémentaire. Cependant, de nombreux médecins ont droit à un dépassement conventionnel d'honoraires. Ce dépassement n'est pas concerné par cette exonération du ticket modérateur. Dans ce cas, le patient doit quand même prendre une mutuelle pour se faire rembourser ces frais. Il est important de noter que seuls les soins relevant du trouble obsessionnel-compulsif sont concernés par l'exonération du ticket modérateur, et non l'angine, ni les caries dentaires, ni l'hypertension artérielle...

En pratique, le médecin doit faire la demande de reconnaissance d'affection de longue durée sur un certificat que le patient transmet à la caisse primaire d'assurance maladie dont il dépend. Le médecin recevra un protocole d'expertise qu'il remplira et adressera lui-même au médecin conseil de la Caisse primaire d'assurance maladie qui acceptera ou rejettera la demande. Le médecin est averti de la décision. En cas d'acceptation, le patient reçoit une nouvelle carte d'assuré social, stipulant que les soins relatifs à la maladie citée en affection longue durée sont remboursés à 100 %.

Les honoraires des psychologues exerçant en cabinet libéral ne sont pas remboursés par la Sécurité sociale. Ils ne sont donc pas remboursés non plus en cas de reconnaissance d'affection de longue durée.

CHAPITRE 12

Après le traitement

Les faux pas et le problème de la rechute

La majorité des personnes qui se soignent s'améliore de façon importante. Mais, même traitée, la maladie peut cependant fluctuer, avec des moments plus difficiles, en particulier lorsque le sujet est fatigué ou s'il est soumis à un stress important. Il peut également présenter une dépression*.

Beaucoup de ceux qui souffrent de trouble obsessionnel-compulsif testent un jour l'arrêt du traitement. Cet arrêt est souvent dû à l'impression d'« en être sorti ». Un peu comme un sportif qui considérerait que sa forme physique actuelle, fruit d'un long entraînement, est définitivement acquise. La rechute est possible.

1. L'arrêt des médicaments : pendant quelques jours ou quel-

---

* Ces différentes circonstances ont été développées dans les chapitres « Au fil du temps : les fluctuations du TOC », p. 46, et « Quelles sont les complications possibles », p. 103.

ques semaines, les sujets sont très à l'affût d'une rechute qui ne se produit pas. Rassurés, ils se disent que le TOC n'est plus qu'un mauvais souvenir. Au bout de quelques mois, les obsessions-compulsions peuvent recommencer. Il faut simplement reprendre le traitement*.

2. L'arrêt de l'exposition avec prévention du rituel : les obsessions et les rituels étant devenus très minimes, les personnes souffrant de TOC baissent la garde et cessent de faire les efforts minimaux qui permettaient de cantonner la maladie à une faible ou très faible intensité. Les obsessions-compulsions peuvent alors s'intensifier. Pas de panique ! Reprenez vos exercices selon les règles que nous avons vues, et l'amélioration est généralement rapide.

La guérison : comment vivre avec une vulnérabilité ?

Les personnes atteintes d'obsessions-compulsions et guéries avec traitement sont nombreuses. Et pourtant, on ne guérit pas d'un TOC comme d'une angine ! L'image serait plutôt de comparer la guérison d'un TOC à celle d'une entorse du genou. Même guéri, le genou reste un peu fragile, et il faut une certaine prudence pour ne pas réveiller la blessure. Cette prudence consistera à mobiliser constamment le genou par de la marche et à muscler la jambe par des exercices physiques réguliers. Comme un genou blessé, le TOC nécessite une prudence, une hygiène et une attention régulières en ce qui concerne la saleté, le risque d'erreur ou les autres thèmes d'obsessions. Est-ce si grave ? Pourquoi ne pas accepter d'être moins serein que les autres vis-à-vis de la saleté ou du risque d'erreur ? Ce n'est évidemment pas très agréable. Mais adopter une certaine hygiène en raison d'une vulnérabilité permet de rester en bonne santé.

---

* Voir, sur la durée du traitement pharmacologique du TOC, p. 151.

Si les moyens énoncés dans ce livre se révèlent insuffisants

Pour certains, ce livre n'aura pas apporté de solutions radicales, si tout ce qui y est dit a déjà été fait, ou si les traitements proposés ne se révèlent pas efficaces. Que faire alors ?

▨ *Consultez un spécialiste*

Il est indispensable de consulter un spécialiste pour faire le point. Nous l'avons déjà dit, la première cause de résistance du trouble vient de ce que les sujets atteints ne se soignent pas selon les moyens modernes actuellement disponibles. J'ai rencontré plusieurs fois des patients qui, du fait du trouble obsessionnel-compulsif, ne travaillaient plus depuis des années ou recevaient une pension d'invalidité, sans avoir jamais consulté un spécialiste ni pris un seul traitement efficace ! Il ne suffit pas de lire un livre pour se débarrasser des obsessions-compulsions ! Il faut que quelqu'un s'occupe de vous. Ce spécialiste tâchera d'abord de savoir si votre problème est bien un TOC ou si c'est une autre pathologie. Il cherchera aussi la cause de résistance de votre trouble.

Voyons ensemble les causes les plus fréquentes d'échec des traitements.

■ *Faites le point sur le traitement*

Vous avez pris des médicaments

1. Avez-vous pris le bon médicament ?
2. En avez-vous pris une dose suffisante ?
3. L'avez-vous pris tous les jours pendant une durée de plus de six semaines ? N'avez-vous pas oublié de le prendre ?
4. Y a-t-il eu augmentation des doses ?
5. A-t-on essayé tous les autres médicaments efficaces possibles ?
6. Y a-t-il eu une combinaison de psychothérapie comportementale et cognitive et de médicament ?

Quand les médicaments cités ont été efficaces mais insuffisamment, il est parfois utile d'en associer deux, par exemple de la fluoxétine et de la clomipramine. D'autres produits médicamenteux ont aussi montré une efficacité dans le TOC, comme la buspirone (Buspar®) ou de faibles de doses de neuroleptiques, comme l'halopéridol (Haldol®). Ces traitements relèvent du domaine des spécialistes [88].

Actuellement, des médicaments sont à l'étude, et certains d'entre eux seront efficaces dans le TOC. D'où la nécessité de rester en contact avec un spécialiste pour être bien informé. C'est aussi une des préoccupations de votre médecin qui est censé suivre une formation médicale continue.

Vous avez fait une psychothérapie comportementale et cognitive

1. Les exercices étaient-ils faisables ?
2. Chaque exercice était-il pratiqué tous les jours ?
3. Y avez-vous consacré suffisamment de temps tous les jours ?
4. Y a-t-il eu progression dans les exercices ?
5. La croyance exagérée dans l'obsession a-t-elle été discutée ?
6. Y a-t-il eu une combinaison de psychothérapie comportementale et cognitive et de médicament ?

Question : Dois-je être hospitalisé pour mon TOC ?

Réponse : Dans la très grande majorité des cas, le TOC ne nécessite pas d'hospitalisation. Cependant, celle-ci est utile dans certaines situations :

1. Si vous êtes sévèrement déprimé et que vous avez trop peu d'énergie pour les tâches quotidiennes ou encore si vous avez des idées suicidaires importantes.

2. Si vos évitements à domicile sont tels qu'il vaut mieux commencer à faire les exercices de psychothérapie comportementale et cognitive dans un endroit plus neutre que chez vous. Dans ce cas, une hospitalisation est utile pour réaliser les exercices tests. Il faut que votre psychiatre vous indique un service hospitalier ou une clinique où sont pratiquées des psychothérapies comportementales et cognitives. Ces structures sont encore rares de nos jours.

3. Les obsessions et les rituels concernent le traitement lui-même et vous empêchent de le suivre : par exemple, des rituels d'arithmomanie touchent le nombre de comprimés que vous devez prendre et font obstacle au suivi du traitement : il faut alors que l'on vous aide. Une hospitalisation peut être bénéfique.

4. Il vous est difficile de vous rendre régulièrement chez votre psychiatre : il vaut mieux alors être hospitalisé pour une courte période (huit à quinze jours) afin de mettre en place le traitement et de s'assurer qu'il est bien supporté.

5. Si, d'une manière générale, vous supportez très mal les médicaments, une hospitalisation brève peut permettre d'instaurer un traitement sous de meilleures conditions de surveillance.

**LES PRINCIPALES QUESTIONS À SE POSER
EN CAS D'ÉCHEC DU TRAITEMENT
DU TROUBLE OBSESSIONNEL-COMPULSIF**

1. Êtes-vous suivi par un spécialiste ?

2. Avez-vous pris des médicaments actifs dans le TOC ? Si oui,

a) Avez-vous pris le bon médicament ?

b) En avez-vous pris une dose suffisante ?

c) L'avez-vous pris tous les jours pendant une durée de plus de six semaines ?

d) Y a-t-il eu augmentation des doses ?

e) Avez-vous essayé tous les autres médicaments efficaces possibles ?

f) Y a-t-il eu une combinaison de psychothérapie comportementale et cognitive et de médicament ?

3. Avez-vous fait une thérapie comportementale et cognitive ? Si oui,

a) Les exercices étaient-ils faisables ?

b) Les exercices ont-ils été pratiqués chaque jour ou presque ?

c) Y avez-vous consacré suffisamment de temps tous les jours ?

d) Y a-t-il eu progression dans les exercices ?

e) La croyance exagérée dans l'obsession a-t-elle été soignée ?

f) Y a-t-il eu une combinaison de psychothérapie comportementale et cognitive et de médicament ?

L'avenir du trouble obsessionnel-compulsif

Le trouble obsessionnel-compulsif est une maladie qui, comme toutes les maladies, bénéficie des progrès scientifiques permanents. Un homme qui souffrait de TOC il y a seulement trente ans était très démuni, comparé à la période actuelle. L'Anafranil®, le premier produit ayant eu une efficacité dans le TOC, a été commercialisé en 1965, et son action anti-obsessionnelle était peu connue à cette époque. La prise de conscience de la fréquence de cette maladie date seulement de la fin des années 1980. Le Floxyfral® a été disponible en 1984, le Prozac® en 1988, le Deroxat® en 1992 et le Zoloft® en 1996. La première publication montrant l'efficacité de la psychothérapie comportementale date de 1966.

Ainsi, les progrès sont en marche, et cette marche s'accélère. Dans les prochaines années, de nouveaux médicaments arriveront, et l'on peut espérer raisonnablement que l'un d'entre eux constituera une innovation majeure, comme cela a été le cas par le passé.

De plus, indépendamment des progrès pharmacologiques, de nouveaux protocoles psychothérapeutiques sont actuellement à l'étude. Citons la psychothérapie comportementale et cognitive de groupe, qui permet à plusieurs patients (en général huit à dix) de mener ensemble leur thérapie avec l'aide d'un psychothérapeute et ainsi de s'apporter une aide mutuelle en partageant leur expérience[89]. Ces groupes peuvent parfois intégrer les familles elles-mêmes[90].

Il existe aussi des hôpitaux de jour ou de semaine, dans lesquels les patients peuvent suivre une psychothérapie comportementale et cognitive qui est menée ainsi toute la journée avec l'aide des psychothérapeutes, en intégrant éventuellement aussi la famille[91]. Ces structures, encore trop rares, sont cependant amenées à se développer dans l'avenir. D'autres progrès en psychothérapie et en psychopharmacologie apparaîtront.

CHAPITRE 13

Conseils pratiques
et renseignements utiles

Les adresses

▓ *En France et dans les pays francophones*

L'Association Française de Thérapie Comportementale et Cognitive (AFTCC) : 100, rue de la Santé, 75674 Paris Cedex 14 ; téléphone : 01 45 88 78 60 ; Fax : 01 45 89 55 66 ; e-mail : aftcc@wanadoo.fr. ; site Internet : http ://perso.wanadoo.fr/aftcc/.

Cette association créée en 1971 réunit les thérapeutes français pratiquant les psychothérapies comportementales et cognitives, et qui exercent à l'hôpital ou en secteur privé. Ce sont actuellement en majorité des psychiatres, mais il existe aussi de nombreux psychologues, des médecins généralistes, et d'autres professionnels de la santé. L'AFTCC organise chaque année un congrès scientifique qui a lieu en général au mois de décembre à Paris. Elle édite un journal scientifique, le *Journal de thérapie comportementale et cognitive*

L'Association Francophone de Formation et de Recherche en Thérapie Comportementale et Cognitive (AFFORTHECC) : 10, avenue de Gantin, 74150 Rumilly ; téléphone : 04 50 01 49 80 ; Fax : 04 50 64 58 46 ; e-mail : afforthecc@aol.com. ; site Internet : http ://users.aol.com/afforthecc.

Cette association réunit les thérapeutes francophones (français, suisses, belges, canadiens) pratiquant les psychothérapies comportementales et cognitives. L'AFFORTHECC organise un congrès annuel dans un pays francophone et édite un journal scientifique, la *Revue francophone de clinique comportementale et cognitive*.

L'Association française de personnes souffrant de Troubles Obsessionnels-Compulsifs (AFTOC) : 12, rue Alfred-Lasson, 78250 Mezy-sur-Seine ; téléphone : 01 30 99 14 08 ; e-mail : aftoc@mail.cpod.fr. ; site Internet : http ://www.cpod.com/monoweb/aftoc.

Elle réunit actuellement plus de cinq cents membres, qui sont essentiellement des sujets atteints de TOC et leurs familles. Elle édite un bulletin trimestriel d'informations, *Le Nouvel Obsessionnel*, qui présente une bibliographie des livres existants ou des nouveautés, et un état de la recherche. Elle répond aux questions des adhérents dans une rubrique « Courrier des lecteurs ». La rubrique « Contact » met en relations des personnes qui acceptent d'être contactées par téléphone sur le TOC. Elle organise des réunions mensuelles d'information entre adhérents à Paris et dans certaines autres villes.

▦ Aux États-Unis

The Obsessive Compulsive Foundation : Inc. P.O. Box 70, Milford, CT 06460-0070, USA ; tél. : (1) 203 878 5669 ; fax : (1) 203 874-2826 ; e-mail : info@ocfoundation.org. ; site Internet : http ://www.ocfoundation.org/indright.htm.

Cette association de personnes souffrant de TOC et de leurs familles a beaucoup fait pour l'information sur cette maladie. Elle tient à jour un catalogue de livres concernant cette pathologie. Elle édite également un petit journal et de nombreux guides traitant de problèmes pratiques pour les patients ou leurs familles. En anglais évidemment.

À lire ou à voir

Le Garçon qui n'arrêtait pas de se laver, Judith RAPOPORT, Paris, Odile Jacob, 1991.

Peurs, manies et idées fixes. Les comprendre. Les traiter, Franck LAMAGNÈRE, Paris, Retz, 1994.

Les Ennemis intérieurs. Obsessions et compulsions, Jean COTTRAUX, Paris, Odile Jacob, 1998.

Pour le pire et pour le meilleur, 1997 (*As Good As It Gets*, 1997, États-Unis) : film de James L. Brooks avec Jack Nicholson, Helen Hunth et Greg Kinnear sur une histoire de Mark Andrus. Melvin Udall (Jack Nicholson) est un écrivain célèbre qui souffre de TOC de forme mixte. Cette comédie décrit ses rapports avec son entourage et offre un bon tableau des obsessions-compulsions avec peu d'incohérences (quatre psychiatres ont aidé à sa réalisation). Le film fut récompensé en 1998 par deux oscars pour J. Nicholson et H. Hunt.

Remerciements

À Christophe André, Bruno Boutges, Hélène Bromberg, Gisèle George, Franck Peyré, aux patients et aux familles dont les commentaires sur le manuscrit m'ont été très utiles.

Notes et références
bibliographiques

1. Robins L. N., Helzer J. I., Weisman M. M. *et al.*, « Lifetime prevalence of specific psychiatric disorders in three sites », *Archives of General Psychiatry*, 41, 949-958, 1984.

2. Freud S., « Remarques sur un cas de névrose obsessionnelle (L'Homme aux Rats) », in *Cinq Psychanalyses*, Paris, PUF, 1954.

3. American Psychiatric Association, *Diagnostic and Statistical Manual of Mental Disorders. Fourth Edition Revised (D.S.M.IV)*, Washington, APA, 1994. Traduction française · J. D. Guelfi, *DSM IV Manuel de diagnostic et statistique des troubles mentaux*, 4ᵉ édition, Paris, Masson, 1996.

4. World Health Organisation, *The ICD 10 Classification of Mental and Behavioural Disorders*, Genève, 1992. Traduction française : C. B. Pull, *CIM 10/ICD 10 Classification internationale des troubles mentaux et des troubles du comportement*, Paris, Masson, 1993.

5. Swedo S. E., Rapoport J. L., Leonard H. L. *et al.*, « Obsessive compulsive disorder in children and adolescents : clinical phenomenology of 70 consecutives cases », *Archives of General Psychiatry*, 46, 335-344, 1989.

6. Alesi J., « L'entretien du lundi », *L'Équipe*, 3 mai 1999.

7. Sauteraud A., « Les obsessions normales dans la population générale : leurs liens avec les obsessions pathologiques », *Journal de thérapie comportementale et cognitive*, 8, 1, 9-16, 1998.

8. Rachman S. et De Silva P., « Abnormal and normal obsessions », *Behaviour Research and Therapy*, 16, 233-248, 1978.

9. Purdon C. et Clark D. A., « Obsessive intrusive thoughts in non-clinical subjects. Part I. Content and relation with depressive, anxious and obsessional symptoms », *Behaviour Research and Therapy*, 31, 8, 713-720, 1993.

10. Rachman S. et De Silva P., « Abnormal and normal obsessions », art. cité.

11. Muris P., Merckelbach M. P. et Clavan M., « Abnormal and normal compulsions », *Behaviour Research and Therapy*, 35, 3, 249-252, 1997.

12. Freeston M. H., Ladouceur R., Thibodeau N. et Gagnon F., « Cognitive intrusions in a non-clinical population. I. Response time, subjective experience, and appraisal », *Behaviour Research and Therapy*, 29, 6, 585-597, 1991.

13. Hatch M. L., Paradis C., Friedman S. *et al.*, « Obsessive-compulsive disorder in patients with chronic pruritis conditions : case studies and discussion », *Journal of the American Academy of Dermatology*, 26, 4, 549-552, 1992.

14. Freud S., « Remarques sur un cas de névrose obsessionnelle... », art. cité.

15. American Psychiatric Association, *D.S.M. III*, Diagnostic and Statistical Manual of Mental Disorders, third edition (D.S.M. III), 1980.

16. American Psychiatric Association, *D.S.M. IV, op. cit.*

17. World Health Organisation, *The ICD 10 Classification of Mental and Behavioural Disorders, op. cit.*

18. Myers J., Weissman G., Tischler G. *et al.*, « Six month prevalence of psychiatric disorders in three communities : 1980 to 1982 », *Archives of General Psychiatry*, 41, 959-967, 1984.

19. Robins L. N., Helzer J. I., Weisman M. M. *et al.*, « Lifetime prevalence of specific psychiatric disorders in three sites », art. cit.

20. INSEE, *Bulletin mensuel de statistiques*, 1er janvier 1998.

21. *In* Baer L., *Getting Control. Overcoming Your Obsessions and Compulsions*, Plume Book, New York, 1992.

22. *In Dictionnaire d'Émile Zola, sa vie, son œuvre, son époque*, p. 68, coll. Bouquin, Paris, Robert Laffont, 1993.

23. Penn J. V., « Obsessive compulsive disorder in children and adolescents », *in* « Obsessive compulsive disorder across the life cycle », *Review of Psychiatry*, American Psychiatric Press, Washington, vol. 16, III-7-28, 1997.

24. Flament M., Whitaker, Rapoport J. L. *et al.*, « Obsessive compulsive disorder in adolescence : an epidemiological study », *J. Am. Acad. Child Adolesc. Psychiatry*, 27, 764-771, 1988.

25. Black A., « The natural history of obsessional neurosis », in *Obsessional States*, In Beech, London, Methuen, 1974.

26. Riddle M. A., Hardin M., King R. *et al.*, « Obsessive compulsive disorder in children and adolescents : phenomenology and family history », *J. Am. Acad. Child Adolesc. Psychiatry*, 29, 766-772, 1990.

27. Flament M., Whitaker, Rapoport J. L. *et al.*, « Obsessive compulsive disorder in adolescence : an epidemiological study », art. cité.

28. Last C. G. et Strauss C. C., « Obsessive compulsive disorder in childhood », *Journal of Anxiety Disorders*, 3, 295-302, 1989.

29. Eisen J. et Steketee G., « Course of illness in obsessive compulsive disorder », *in* « Obsessive compulsive disorder across the Life Cycle », *Review of Psychiatry, op. cit.*, 73-95.

30. Skoog G. et Skoog I., « A 40-year follow-up of patients with obsessive-compulsive disorder », *Archives of General Psychiatry*, 56, févr., 121-127, 1999.

31. Diaz S. F., Grush L. R., Sichel D. et Cohen L. S., « Obsessive compulsive disorder in pregnancy and the puerperium », *in* « Obsessive compulsive disorder across the life cycle », *op. cit.*, III-97-101.

32. Llewellyn A. M., Stowe Z. N. et Nemeroff C. B., « Depression during pregnancy and the puerperium », *Journal of Clinical Psychiatry*, 58, suppl. 15, 26-32, 1997.

33. Swedo S. E., Rapoport J. L., Leonard H. L. *et al.*, « Obsessive compulsive disorder in children and adolescents... », art. cité.

34. *DSM IV Manuel de diagnostic et statistique des troubles mentaux*, traduction J. D. Guelfi, *op. cit.*, 121-123.

35. Rasmussen S. A. et Eisen J. L., « Phenomenology of OCD », *in Psychobiology of Obsessive Compulsive Disorder*, Insel & Rasmussen, New York, Springer-Verlag, 743-758, 1991.

36. Robertson M. M., Trimble M. R., « The psychopathology of the Gilles de La Tourette syndrome : a phenomenological analysis », *British Journal of Psychiatry*, 152, 283-390, 1988.

37. Rasmussen S. A. et Eisen J. L., « Phenomenology of OCD », art. cité.

38. Hantouche E.G., Troubles obsessionnels compulsifs. Encycl. Med. Chir. (Paris, France), *Psychiatrie*, 37-370-A-10, 1995, 14 p.

39. Cottraux J., Gerard D., Cinotti L. *et al.*, « A controlled PET-scan study of neutral and obsessive auditory stimulation in obsessive compulsive disorder », *Psychiatry Research*, 60, 101-112, 1996.

40. Rasmussen S. A., Tsuang M. T., « Clinical characteristics and family history in DSM-III obsessive compulsive disorder », *American Journal of Psychiatry*, 143(3), 317-322, 1986.

41. Pauls D. L., Alsobrrok M. P., Goodman W., *et al.*, « A family study of obsessive compulsive disorder », *American Iournal of Psychiatry*, 152, 76-84, 1995.

42. Marks I. M., *Fears, Phobias and Rituals*, Oxford University Press, 228-281, 1987.

43. Röper G. et Rachman S., « Obsessional compulsive checking : experimental replication and development », *Behaviour Research and Therapy*, 14, 25-32, 1976.

44. Salkovskis P. M., « Obsessional compulsive problems : a cognitive-behavioural analysis », *Behaviour Research and Therapy*, 23, 5, 571-583, 1985.

45. Sauteraud A., Cottraux J., Michel F., Henaff M. A. et Bouvard M., « Processing of obsessive, responsability, neutral words and pseudo-words in obsessive compulsive disorder : a study with lexical decision test », *Behavioural and Cognitive Psychotherapy*, 23, 129-143, 1995.

46. Freud S., *L'Interprétation des rêves*, Paris, PUF, 1967, traduction française de G. W. Wien, *Die Traumdeutung*, 1900.

47. Sauteraud A., Menny J.C., Philip P., Peyré F. et Bonnin J.M., « Dreams in obsessive-compulsive disorder. An analysis of semantic and emotional content compared to controls », *Journal of Psychosomatics Research*, 51, pp. 451-457, 2001.

48. Greist J. H., Jefferson J. W., Kobak K. A. *et al.*, « Efficacy and tolerability of serotonine transport inhibitor in obsessive compulsive disorder : a meta-analysis », *Archives of General Psychiatry*, 52, 53-60, 1995.

49. Eisen J. et Steketee G., « Course of illness in obsessive compulsive disorder », art. cité.

50. Eisen J. L., Goodman W. K., Keller M. B., Waeshaw M. G., DeMarco L. M., Luce D. D et Rasmussen S. A., « Patterns of remission and relapse in obsessive compulsive disorder : a 2-year prospective study », *Journal of Clinical Psychiatry*, 60, 5, 346-351, 1999.

51. Kernbaum K. *et col.*, *Dictionnaire de médecine*, Paris, Flammarion, 411, 755 et 763, 1998.

52. Expert Consensus Treatment, « Guidelines for obsessive compulsive disorder : a guide for patients and families », *Journal of Clinical Psychiatry*, 58, 55-72, 1997.

53. Marks I. M., « Behaviour therapy for obsessive compulsive disorder : a decade of progress », *Canadian Journal of Psychiatry*, 42, 1021-1027, 1997.

54. Marks I. M., Lelliott P., Basoglu M., Noshirvani H., Monteiro W., Cohen D. et Kasvikis Y., « Clomipramine, self-exposure, and therapist

aided exposure for obsessive compulsive rituals », *British Journal of Psychiatry*, 152, 522-534, 1988.

55. Marks I. M., Stern R. S., Mawson D., Cobb J. et McDonald R., « Clomipramine and exposure for obsessive compulsive rituals : I », *British Journal of Psychiatry*, 136, 1-25, 1980.

56. Mawson D., Marks I. M. et Ramm L., « Clomipramine and exposure for chronic obsessive compulsive rituals : III : two year follow-up and further findings », *British Journal of Psychiatry*, 140, 18, 1982.

57. O'Sullivan G., Noshirvani H., Marks I. M., Monteiro W. et Lelliott P., « Six-year follow-up after exposure and clomipramine therapy for obsessive compulsive disorder », *Journal of Clinical Psychiatry*, 52, 4, 150-155, 1991.

58. Cottraux J., Mollard E., Bouvard M., Marks I. M., Sluys M., Nury A. M., Douge R. et Cialdelle P., « A controlled study of fluvoxamine and exposure in obsessive compulsive disorder », *International Clinical Psychopharmacology*, 5, 17-30, 1990.

59. Cottraux J., Mollard E., Bouvard M. et Marks I. M., « Exposure therapy, fluvoxamine, or combination treatment in obsessive compulsive disorder : one year follow-up », *Psychiatry Research*, 49, 63-75, 1993.

60. Van Oppen P., De Haan E., Van Balkom A. J. L. M. *et al.*, « Cognitive therapy and exposure in vivo in the treatment of obsessive compulsive disorder », *Behaviour Research and Therapy*, 33, 379-390, 1995.

61. Van Balkom A. J. et De Haan E., Van Oppen P., Spinhoven P., Hoogduin K. A. et Van Dick R., « Cognitive and behavioral therapies alone versus in combination with fluvoxamine in the treatment of obsessive compulsive disorder », *J. Nerv. Ment. Dis.*, 186, 8, 492-499, 1998.

62. Cottraux J., Note I., Dartigues J. F., Yao S. N., Note B., Sauteraud A., Mollard E., Dubroca B., Bouvard M. et Bourgeois M., « A multicenter controlled trial of cognitive therapy versus intensive behaviour therapy », *Third International Obsessive Compulsive Disorder Conference*, Madeira, 12 septembre 1998.

63. Sauteraud A., « Les psychothérapies cognitivo-comportementales et les médicaments psychotropes dans le traitement des troubles anxieux », *Nervure*, novembre 1996, 25-32.

64. Goodman W., Price H., Rasmussen S. *et al.*, « The Yale-Brown compulsive scale (Y-BOCS), Part I., Development use and reliability », *Archives of General Psychiatry*, vol. 46, 1006-1011, 1989a.

65. Goodman W., Price H., Rasmussen S. *et al.*, « The Yale-Brown Compulsive Scale (Y-BOCS), Part II., Validity », 1012-1016, 1989b.

66. Sauteraud A., Quintard B., Lamagnère F. et Menny J. C., « Construction d'une échelle d'autoévaluation d'obsessions-compulsions issue de l'échelle d'hétéro-évaluation de Yale-Brown (Y-BOCS) : l'Auto-Yale-Brown », 25es Journées scientifiques de thérapie comportementale et cognitive, Paris, 5 décembre 1997.

67. Quintard B., Sauteraud A., Koleck M., Lamagnère F. et Menny J. C., « Validation de l'échelle d'autoévaluation d'obsessions-compulsions de Yale-Brown (Auto-Yale-Brown) : structure factorielle, validité convergente, fidélité test-retest », 25es Journées scientifiques de thérapie comportementale et cognitive, Paris, 5 décembre 1997.

68. Marks I., Hallam R., Connoly S. et Philpott R., *Nursing in Behavioral Psychotherapy : an Advance Clinical Role for Nurses*, Royal College of Nursing of the United Kingdom, publisher, London and Tonbridge, Whitefriars Press, 1977.

69. Pato M.T. et Pato C.N., « Obsessive compulsive disorder in adults », in « Obsessive compulsive disorder across the life cycle », *Review of Psychiatry*, American Psychiatric Press, Washington, vol. 16, III-40-48, 1997.

70. Greist J. H., Jefferson J. W., Kobak K. A. *et al.*, « Efficacy and tolerability of serotonine transport inhibitors in obsessive compulsive disorder : a meta-analysis », art. cité.

71. Goodman W. K., MacDougle C. J., Barr L. C. *et al.*, « Biological approaches to treatment resistant obsessive compulsive disorder », *Journal of Clinical Psychiatry*, 54, 6, (suppl.) juin 1993.

72. Pato M. T., Zohar-Kadouch R., Zohar J. et Murphy D. L., « Return of symtoms after discontinuation of clomipramine in patients with obsessive compulsive disorder », *American Journal of Psychiatry*, 145, 1521-1525, 1988.

73. Fontaine R. et Chouinard G., « Fluoxetine in the long-term maintenance of obsessive compulsive disorder », *Psychiatric Annals*, 19, 88-91, 1989.

74. Expert Consensus Treatment, « Guideliness for obsessive compulsive disorder... », art. cité.

75. The Clomipramine Collaborative Study Group, DeVeaugh-Geiss J., « Clomipramine in the treatment of patients with obsessive compulsive Disorder », *Archives of General Psychiatry*, 48, 730-738, 1991.

76. Greist J. H., Jefferson J. W., Kobak K. A. *et al.*, « Efficacy and tolerability of serotonine... », art. cité.

77. Adapté de :
1 — Rickels K. et Schweitzer E., « Clinical overview of serotonin reuptake inhibitors », *Journal of Clinical Psychiatry*, 51, 10, 1990.

2 — Pato M. T. et Pato C. N., « Obsessive compulsive disorder in adulte », art. cité, III-44.

78. Lane R. et Fischler B., « The serotonin syndrome : coadministration, discontinuation and washout periods for the selective reuptake inhibitors », *Journal of Serotonin Research*, 3, 171-180, 1995.

79. Kaplan H. I. et Sadock B. J., *Synopsis de psychiatrie*, traduction P. Louville, Paris, Masson-Pradel, 1332-1340, 1998.

80. Diaz S. F., Grush L. R. ; Sichel D. et Cohen L. S., « Obsessive compulsive disorder in pregnancy and the puerperium », art. cité, III-97-112.

81. March J. S. et Leonard H. L., « Obsessive compulsive disorder in children and adolescence : review of the past ten years », *J. AM. Acad. Child Adolescent Psychiatry*, 34, 10, 1265-1273, octobre 1996.

82. March J. S., Biederman J., Wolkow R., Safferman A., Mardekian J., Cook E. H., Cutler N. R., Dominguez R., Ferguson J., Muller B., Riesenberg R., Rosenthal M., Sallee F. R., Wagner K. D., Steiner H., « Sertraline in children and adolescents with obsessive-compulsive disorder : a multicenter randomized controlled trial », *JAMA*, 25, 280 (20) : 1752-6, nov. 1998.

83. Penn J. V., « Obsessive compulsive disorder in children and adolescents », art. cité.

84. Marks I. M., *Fears, Phobias and Rituals*, op. cit.

85. Sauteraud A. et Bourgeois M., « Thérapie cognitive des pensées obsédantes : techniques actuelles et rapport de cas », *Journal de Thérapie Comportementale et Cognitive*, vol. 5, 1, 17-25, 1995.

86. Calvocoressi L., Lewis B., Harris M. *et al.*, « Family accomodation in obsessive compulsive disorder ». *American Journal of Psychiatry*, 152, 3, 441-443, 1995.

87. Mehta M., « A comparative study of family-based and patient-based behavioural management in obsessive compulsive disorder », *British Journal of Psychiatry*, 157, 133-135, juillet 1990.

88. Goodman W. K., MacDougle C. J., et Barr L. C. *et al.*, « Biological approaches to treatment resistant obsessive compulsive disorder », art. cité.

89. Fals-Stewart W., Marks A. P. et Schafer J., « A comparison of behavioral group therapy and individual behavior therapy in treating obsessive compulsive disorder », *J. Nerv. Ment. Dis.*, 181, 3, 189-193, 1993.

90. Van Noppen B., Steketee G., McCorkle B. H. et Pato M., « Group and multifamily behavioral treatment for obsessive compulsive disorder : a pilot study », *Journal of Anxiety Disorder*, 11, 4, 431-446, 1997.

91. Thornicroft G., Colson L. et Marks I., « An in-patient behavioural psychotherapy unit. Description and audit », *British Journal of Psychiatry*, 158, 362-367, mars 1991.

Index
des tableaux récapitulatifs

Index

Impression réalisée par

BUSSIÈRE

GROUPE CPI

à Saint-Amand-Montrond (Cher)
pour le compte des Éditions Odile Jacob
en novembre 2006

N° d'édition : 7381-1206-3. N° d'impression : 063911/4.
Dépôt légal : janvier 2000.

Imprimé en France